QMW Library

23 1100476 4

DATE DUE FOR RETURN

0 8 NOV 1994	1 0 DEC 1998	
	-8 MAY 2003	
1 2 DEC 1994		
2 5 OCT 1995		
2 1 NOV 1995		
11 DEC 1995		
2 7 JAN 1997		
-7 NOV 1997		
1 6 FEB 2000		

D1429230

4/89   £14.95

WITHDRAWN
FROM STOCK
QMUL LIBRARY

GRUNDLAGEN DER GERMANISTIK

Herausgegeben von Hugo Moser und Hartmut Steinecke
Mitbegründet von Wolfgang Stammler

28

161264

8.5.89

Germanistische Soziolinguistik

von

Heinrich Löffler

ERICH SCHMIDT VERLAG

CIP-Kurztitelaufnahme der Deutschen Bibliothek

Löffler, Heinrich:
Germanistische Soziolinguistik / von Heinrich Löffler. –
Berlin : Erich Schmidt, 1985.

   (Grundlagen der Germanistik ; 28)
   ISBN 3-503-02231-7

NE: GT

ISBN 3 503 02231 7

© Erich Schmidt Verlag GmbH, Berlin 1985
Druck: Buchdruckerei Loibl, 8858 Neuburg
Printed in Germany · Alle Rechte vorbehalten

Vorwort

Das vorliegende Buch ist aus einer Reihe von Vorlesungen und Seminaren in Freiburg i. B., Zürich und Basel zwischen 1975 und 1983 hervorgegangen. Danken möchte ich Freunden und Kollegen für zahlreiche nützliche Hinweise, besonders aber den Studenten aus den genannten Orten für deren engagiertes Mitarbeiten. Mein Dank gilt auch Prof. H. Moser, Bonn, dem Herausgeber und Frau Dr. E. Kahleyss, Berlin, vom Verlag, für das große Interesse und die guten Ratschläge, mit denen sie das Entstehen der Arbeit begleitet haben. Für die Durchsicht des Manuskripts und manch brauchbare Randbemerkung danke ich Prof. K.-E. Geith, Genf.

Basel, im April 1985   H. Löffler

Inhaltsübersicht

II. Spezieller Teil
Soziolinguistik des Deutschen

4.   Das Deutsche und seine Sprecher oder: Soziologie des Deutschen   59

4.1   Vorbemerkung   59

4.2   Was ist Deutsch?   59

4.3   Deutsch als Weltsprache (Rangfolge)   62

4.4   Das Konzept der ‚sprachlichen Überdachung‘ und der ‚Sprach-
      loyalität‘   63

4.5   Viermal Deutsch als Nationalsprache (Deutsch als Vollsprache)   65

4.6   Fremde Sprachen im deutschen Sprachgebiet   67

4.7   ‚Randdeutsch‘ oder: Deutsch im Kontakt mit den Nachbar-
      sprachen   69

4.8   Deutsch in anderssprachiger Umgebung (‚Sprachinsel-Deutsch‘)   72

4.9   Deutsch in Bilingualismus-Situationen   76

4.10 Deutsch in Diglossie-Situationen   79

4.11 Deutsch als Fremdsprache   82

4.12 Exkurs: Die Etymologie von ‚deutsch‘ aus soziolinguistischer
      Sicht   84

5.   Varietäten(linguistik) des Deutschen   87

5.0   Ein soziolinguistisches Varietäten-Modell   87

5.1   Mediale und situationale Varietäten   89

      (1) Gesprochene Sprache (GS)   90

      (2) Geschriebene Sprache (GSCHS)   98

5.2   Funktionale Varietäten: Funktiolekte/Funktionalstile   104

      5.2.1 Zum Begriff der Sprachfunktion   104

      5.2.2 Sprachfunktionen als Vorkommensbereiche   106

      5.2.3 ‚Funktionalstile‘   107

      (1) Alltagssprache   107

      (2) Literatursprache   112

      (3) Wissenschafts- und Fachsprachen   115

      (4) Sprache des öffentlichen Verkehrs   119

      (5) Pressesprache   122

5.3   Soziolektale (gruppale) Varietäten: Soziolekte   126

      5.3.1 Zur Terminologie   126

      5.3.2 Einteilung der Soziolekte   128

I. Allgemeiner Teil

Zur Theorie und Geschichte einer germanistischen Soziolinguistik

1. Begründung, Entwicklung, Name, Gegenstand

1.1. Begründung einer ‚Germanistischen Soziolinguistik'

Die Begeisterung an der Soziolinguistik, welche die siebziger Jahre kennzeichnete, scheint neuerdings einer praktischen Ernüchterung gewichen zu sein. Der soziokommunikativen Theoriediskussion und dem soziallinguistischen Engagement der Sprachbarrierenforschung mit ihren Vorschlägen zur kompensatorischen Spracherziehung ist eine handwerkliche Beschäftigung mit den Erscheinungsweisen des aktuellen Sprachgebrauchs gefolgt. Ein Buch mit dem Titel ‚Germanistische Soziolinguistik' in der Reihe ‚Grundlagen der Germanistik' muß sich angesichts dieser schwindenden Aktualität der Soziolinguistik zunächst einmal wissenschaftsgeschichtlich rechtfertigen. Es gilt nämlich nicht als erwiesen, daß die Soziolinguistik in den knapp 15 Jahren ihrer Blütezeit mit ihrer Reflexion über den Zusammenhang von Sprache und Gesellschaft, sprachlichem Handeln und Sozialisation, der Sprachbarrierendiskussion und den daraus abgeleiteten sprachsozialen Folgerungen von der deutschen Sprache und Literatur etwas erbracht hat, das wert ist, den Grundlagen der Germanistik zugerechnet zu werden. Darüber hinaus gibt es eine Reihe von Einführungen, Überblicken und Reader zur Soziolinguistik, die es angezeigt sein lassen, einen weiteren Versuch der Bestandsaufnahme zunächst einmal zu begründen.

Die bisher vorliegenden Übersichten sind in aller Regel übereinzelsprachlich oder universell konzipiert und in der Hauptsache methodologisch ausgerichtet. Viel dankenswerte Mühe wird auf die Vermittlung internationaler Forschungsansätze meist im theoretischen Bereich verwendet. Die empirische Seite solcher Handbücher als Ermittlung von belegbaren Fakten und deren Begründung mußte sich zwangsläufig nach dem Stand der Forschung richten und ist bei den Einzelsprachen über Projektbeschreibungen und Pilotstudien an Stichproben mit Teilergebnissen nicht hinausgekommen.

Größere Forschungsunternehmen mit konkreten Zielen kamen erst nach und nach in Gang. Ein aus der soziolinguistischen Epoche resultierender Erkenntnisertrag als erweitertes Wissen über die aktuellen Erscheinungsformen der Gegenwartssprache und deren Erklärung zeichnet sich für das Deutsche erst allmählich ab. Aus diesem Grunde sind bisher keine Versuche unternommen worden, in einer ‚Germanistischen Soziolinguistik‘ oder einer ‚Soziolinguistik des Deutschen‘ solche auf eine Einzelsprache beschränkte Forschungsergebnisse zusammenzutragen. Auch jüngere Arbeiten zur deutschen Varietätenlinguistik (z. B. Nabrings 1981) sind mehr Darstellungen der Theorieansätze als Analysen konkreten Sprachgebrauchs (z. B. Senft 1982).

Eine solcherart wohlbegründbare Bestandsaufnahme als Zusammenfassung der soziolinguistischen Erkenntnisse von Belang aus den letzten Jahren wird jedoch dadurch erschwert, daß soziolinguistisches Forschen oft von einer biographisch motivierten gesellschaftspolitischen Betroffenheit der Beteiligten ausgeht. Da solche Betroffenheit manchmal mit einem politisch linken Standort verwechselt wird, ist jede wissenschaftliche Beschäftigung mit soziolinguistischer Thematik der Gefahr ausgesetzt, mit reformistischem, systemkritischem oder gar sozialistischem Engagement gleichgesetzt zu werden.

Die anfängliche Fixierung der deutschen Soziolinguistik auf das Thema der Unterschichtssprache und der damit verbundenen gesellschaftlichen ‚Unterprivilegierung‘ mit einem vorschnellen Abhilfeprogramm der ‚kompensatorischen Spracherziehung‘ konnte den Vorwurf der Linkslastigkeit der germanistischen Soziolinguistik für berechtigt erscheinen lassen. Diese aus einer recht einseitigen Orientierung resultierende Zuordnung mag manchen überhaupt an der Beschäftigung mit ‚soziolinguistischen‘ Themen gehindert haben. Der hier erneut unternommene Versuch möchte sich nun ausdrücklich gegen jegliche politische Unterstellung verwahren und sich auf das entschiedenste gegen jede Verwechslung von germanistischer Soziolinguistik mit ‚sozialistischer Germanistik‘ wenden.

Seit den Thesen der ‚soziokulturellen Determination‘ der Unterschichtssprache und den notwendig erscheinenden gesellschaftspolitischen Konsequenzen hat sich der Gegenstandsbereich der Soziolinguistik nicht unerheblich erweitert und sich auf Gebiete ausgedehnt, die bislang nicht unter dem Namen ‚Soziolinguistik‘ geführt wurden. Bereiche der Fach- und Sondersprachen, der Stilistik, der Textsorten und der Sprachgeschichte sind inzwischen zu soziolinguistischen Gegenständen geworden. Eine germanistische Soziolinguistik ist daher im weitesten Sinne eine ‚Parole- oder Performanzlinguistik‘ der Einzelsprache ‚Deutsch‘. Sie sieht sich damit dem neuen Vorwurf ausgesetzt, sich auf diese Weise mit der Wissenschaft von der aktuellen Gegenwartssprache Deutsch überhaupt gleichzusetzen. So gesehen gerät dann selbst die herkömmliche Normal-Grammatik als Systemgrammatik einer idealisierten Langue im Kontrast zu einer Sprachverwendungs- oder Varietätengrammatik zu einer soziolinguistischen Angelegenheit.

Mit solcherlei Bemerkungen sind Absicht und Programm dieses Versuches angedeutet, gleichzeitig aber auch die Grenzen aufgezeigt. Es sollen nicht so sehr ein weiteres Mal die sprach- und gesellschaftstheoretischen Grundlagen der Soziolinguistik in aller Breite referiert werden. Das Ziel ist vielmehr eine Darstellung der im deutschsprachigen Raum angesiedelten Forschungen mit ihren Voraussetzungen, Vorgehensweisen, Ergebnissen und ihrer theoretischen Begründung innerhalb eines Gesamtkonzeptes von der Sprachwirklichkeit des Deutschen. Neben den Verhältnissen in der Bundesrepublik werden auch die germanistisch-soziolinguistischen Forschungen aus der DDR, Österreich und der Schweiz berücksichtigt und, soweit darüber Kenntnisse zugänglich sind, auch Germanistisch-Soziolinguistisches im nichtdeutschsprachigen Ausland.

1.2. Entwicklung der Soziolinguistik innerhalb der Germanistik

Eine Geschichte der germanistischen Soziolinguistik muß drei Phasen unterscheiden:

(1) In der ersten, eigentlich vorsoziolinguistischen Periode wurden zwar viele Fragen aus dem Problemkreis Sprechen — Sprecher — Gesellschaft bereits gesehen und artikuliert, es war daraus aber noch keine eigentliche linguistische Disziplin erwachsen. Seit Ende des vorigen Jahrhunderts war es die dialektgeographische Forschung, die sich der sozialen und situativen Bedingtheit ihres sprachlichen Untersuchungsgegenstandes durchaus bewußt war (vgl. Wrede 1903). Im eher theoretischen Bereich waren es L. Weisgerber (1957) und andere, die die deutsche Sprache in Vergangenheit und Gegenwart als eng mit der nationalen Kultur, ihren Trägern, Repräsentanten und Hütern verknüpft sahen. Überhaupt lassen sich eine stattliche Reihe sprachtheoretischer Äußerungen aus der germanistisch-linguistischen Forschungstradition vorweisen, die eigentlich einer soziolinguistischen Theoriebildung zuzurechnen wären. Daß keine soziolinguistische Epoche anbrach, lag an den fehlenden soziokulturellen oder überhaupt gesellschaftlich-historischen Gegebenheiten, die erforderlich sind, wenn einzelne Ideen sich zusammenfinden und zu einer epochalen Bewegung werden sollen. Die vorsozio-

linguistischen Feststellungen waren auch derart selbstverständlich und einsichtig, daß daraus für die empirische Sprachforschung kein besonderer Auftrag abzuleiten war. Andererseits hätte aber auch die Hilfestellung der empirischen Sozialforschung gefehlt, die heute mit ihrer Feldtechnik viel dazu beiträgt, daß soziolinguistische Fragen überhaupt konkret untersucht werden können.

(2) Die zweite Phase müßte eigentlich ‚Soziolinguistik innerhalb der Germanistik' heißen. Die Germanistik sah sich als Fach unversehens mit der Soziolinguistik konfrontiert zu einem Zeitpunkt, als sie sich innerlich und äußerlich auf der Suche nach neuen Inhalten und neuen Methoden zu regenerieren anschickte.

Nach dem programmatischen Münchner Germanistentag von 1966 mit einer Neuorientierung an der Gegenwart hielt die neuere Linguistik überhaupt erst Einzug in das bis dahin eher sprachhistorisch ausgerichtete Fach. Die neue Linguistik in der Nachfolge des amerikanischen Strukturalismus schien zwar Ideologiefreiheit und aktuellen Gegenwartsbezug und naturwissenschaftliche Objektivität zu garantieren, die sich nicht so leicht zu einem Gesinnungsfach oder zum Vehikel falscher Ideologien umfunktionieren ließen. Sehr bald jedoch wurde man der Lebensferne und Abstraktheit der Struktur- und Systemlinguistik gewahr. Ein anderes Ereignis kennzeichnet jene Epoche: Eine Aktion mit dem Namen ‚Student aufs Land' wollte in der Bundesrepublik der sechziger Jahre den Anteil der Studenten an einem Geburtsjahrgang steigern und die Zahl der aus bildungsferneren Bevölkerungskreisen stammenden Schülern an höheren Schulen vergrößern. Damit wurden aber nicht nur neue Probleme in die Schulen und Universitäten getragen, sondern auch eine Sensibilisierung der Lehrkräfte für die Fragen der neuen Bildungsaspiranten bewirkt. Aus der Diskrepanz zwischen schulischer Erwartung, elterlichem Bildungsanspruch und tatsächlichen Leistungen entstanden erhebliche Benachteiligungen für die Bildungsneulinge. Hieraus erwuchs den Gesellschaftswissenschaften, insbesondere der neu sich etablierenden Erziehungswissenschaft ein spezieller Forschungsauftrag. Man hatte zwar im Blick auf die Maturandenzahlen anderer westlicher Länder die Parole von der deutschen Bildungskatastrophe ausgegeben (Picht 1964), und die Erhöhung des Anteils der Abiturienten eines Jahrgangs von ehemals 8 auf 50 Prozent war ausdrückliches Ziel einer Regierungserklärung vom Jahre 1969. Nach dem Bildungsbericht 1980 des Bundesbildungsministeriums lag der Anteil der Abiturienten 1980 immerhin bei beachtlichen 20 Prozent eines Jahrgangs. Die von der neuen Bildungsperspektive betroffenen Einrichtungen, Kindergärten, Schulen bis hin zu den Universitäten und allen am Bildungsgeschäft unmittelbar Beteiligten waren jedoch für eine derart plötzliche Veränderung in der Bildungspopulation nicht vorbereitet. Privilegierung der einen und Benachteiligung der anderen waren angesichts eines einheitlich konzipierten Bildungsangebots die unausweichlichen Folgen. Man erwartete von der Erziehungswissenschaft und der Politik alsbald flankierende Maßnahmen. Ein Bundesbildungsrat wurde gegründet mit dem Auftrag, Analysen und Konzepte zu erstellen. Parallel hierzu entstand ein Bundeswissenschaftsrat, der für den sinnvollen Ausbau und die Neugründung deutscher Universitäten zuständig sein sollte.

,Begabung und Lernen' hieß der Titel einer vorläufigen Bestandsaufnahme seitens der Bildungsexperten, verbunden mit einer psychologisch-anthropologischen Doktrin (Roth 1969). Begabung sei eine allen Menschen gleichermaßen angeborene Eigenschaft. Unterschiede ergäben sich aus dem unterschiedlichen Anspruch und Angebot der Umgebung, des Elternhauses, der vorschulischen Erziehung, der Schule und der weiteren Bildungseinrichtungen. Die augenfällige Ungleichheit, die sich täglich in den Schulen offenbarte, konnte sich daher nur von äußeren Faktoren herleiten lassen: Ungleichheit resultierte aus den ungleichen sozialen Milieus und der unterschiedlichen Nähe zu den Ideen und Inhalten eines Erziehungssystems mit traditionell literarisch-sprachlichem Schwerpunkt.

So war denn der bildungspolitische Boden bereitet, als Ende der sechziger Jahre das Stichwort ,Sprachbarriere' das Ursachenbündel der schulischen Chancen- und Erfolgsungleichheit mit einer einfachen und griffigen Vokabel mit einer sich selbst erklärenden Einfachheit auf den Punkt zu bringen schien.

Mit diesem Schlagwort trat die Soziologie als Soziolinguistik in den Gesichtskreis nicht nur der deutschen Germanistik, sondern in alle sogenannten Schulfächer, die Philologien, Erziehungs- und Gesellschaftswissenschaften.

Das Problem- und Theoriebewußtsein war zunächst ganz·auf die pädagogisch-praktischen Thesen des Engländers Bernstein gerichtet, der die Gesellschaft zweigeteilt sah, wobei beiden Teilen ein soziodeterminierter Sprachcode zugeordnet wurde. Der elaborierte Code galt als Standesmerkmal der Bildungsschicht, der restringierte Code war Sprache der Unterschicht. Beide Codes bildeten zueinander eine Kommunikationsbarriere, die zu schulischer und beruflicher Chancenungleichheit der Unterschichtsangehörigen führen mußte. ,Sprachbarriere' meinte also mehr als unterschiedliche Fähigkeiten in der Sprachverwendung. Sie bezeichnete eine kommunikative Erfolgsbarriere, die aus unterschiedlicher Verwendung von sozial genormten Zeichen-

oder Symbolsystemen resultierte mit unterschiedlicher Wertdeckung und unterschiedlichen Funktionsbereichen. ‚Sprach'- war dabei nur das Stichwort für komplizierte ‚sozio-semiotische' Zusammenhänge. Daß Sprachbarriere besser ‚Sozialbarriere' heißen sollte, wurde denn auch sogleich vorgeschlagen, als es sich schier als unmöglich erwies, sprachliche Äußerungen mit den objektiven Markierungen ‚restringiert' oder ‚elaboriert' überhaupt zu sammeln und empirisch faßbar zu machen. Die ersten Forschungen zur ‚Sprachbarriere' hatten denn auch sehr wenig mit Sprache oder gar der ‚deutschen' Sprache zu tun. Sehr bald wurde auch Widerspruch gegenüber der etwas naiven Code-Theorie von seiten jener laut, die im Umgang mit sprachlichen Äußerungen und deren linguistischer Beschreibung bereits eine längere Erfahrung hatten. Diese Phase der germanistischen Soziolinguistik ist demnach als ‚Soziolinguistik innerhalb der Germanistik' zu bezeichnen. Ihre Vertreter waren zuerst gar keine Germanisten, sondern Erziehungswissenschaftler, Soziologen und Philosophen. Selbst naturwissenschaftliche Herkunft war Ende der sechziger Jahre für einen Forscher Legitimation, sich mit sozio-linguistischen Themen befassen zu dürfen.

Der Germanistentag von 1969 hat sich offiziell dem Problem der Sprachbarriere zugewandt und eine ständige Kommission als Koordinationsstelle für entsprechende Aktivitäten ins Leben gerufen (Kommission Sprachbarriere 1969). Der Gang der weiteren Entwicklung ist dann aber an dieser inaktiven Einrichtung vorbeigegangen.

Zu der mittleren Phase der ‚Soziolinguistik in der Germanistik' müssen auch die ersten Jahre nach 1970 gezählt werden, als eine Reihe beachtlicher Handbücher und Einführungen zur Linguistik und Soziolinguistik in rascher Folge an die Öffentlichkeit gelangten, die von einem hochsensibilisierten ‚Markt' der universitären Seminarien und engagierten Lehrer in den Schulen geradezu verschlungen wurden. Bis heute ist die Reihe solcher Publikationen nicht abgerissen. Für die nächsten Jahre ist ein großes interdisziplinäres Handbuch der Soziolinguistik geplant. Die wichtigsten Einführungen und Überblicke seien hier in chronologischer Folge genannt:

Einführungen und Überblicke:
Steger (1971), S. Jäger u. a. (1972), Ammon (1973), Dittmar (1973), Hager u. a. (1973), Hartung u. a. (1974), Dittmar (1975), Fishman (1975), Hartig (1980), Steger (1980), Hartung/Schönfeld (1981), Hess-Lüttich (1981), Uesseler (1982).

Sammlungen von Beiträgen verschiedenster Art, teilweise mit Einführungscharakter:
Klein/Wunderlich (1971), Holzer/Steinbacher (1972), Dittmar/S. Jäger

(1972), Engel/Schwencke (1972), Rucktäschel (1972), Große/Neubert (1974), S. Jäger (1975), Neuland (1978), Ermert (1979), Hartig (1981), Steger (1982), Steger (1982a).

Die meisten Fragestellungen waren übereinzelsprachlich konzipiert und insbesondere an amerikanische Detailforschung angelehnt. Soziolinguistisches galt als universell. Belege konnte man aus allen Sprachen anführen. Sie wurden alle einheitlich in eine Gesamttheorie von Sprache und Gesellschaft integriert. Auf diese Weise wurde Soziolinguistik fast gleichgesetzt mit ‚Allgemeiner Sprachwissenschaft‘ oder Sprachtheorie. Die vermittelten Einsichten mußten bei jedem Leser auf vielerlei eigene Erfahrungen und Erlebnisse mit der gruppenbedingten sprachlichen Vielfalt stoßen. Das Bedürfnis nach empirischer Unterlegung solch universeller Einsichten war dabei nicht sonderlich ausgeprägt. Empirische Untersuchungen werden als stichprobenartige Bestätigungen aufgefaßt für im übrigen aus sich selbst heraus einsichtige sprachlich-gesellschaftliche Zusammenhänge. Die Überblicke zur ‚angewandten Soziolinguistik‘ sind denn auch spärlich oder erst angekündigt: Bielefeld (1977), Hartig (1981), Steger (1982a).

Die spekulativ ausgerichtete allgemeine Soziolinguistik versteht sich als sprachliche Welterklärungstheorie und bedarf nicht einer vorausgehenden Corpusanalyse, da die Faktenkenntnis jedermann auf Grund der Teilhabe an einer sprechenden Sprachgemeinschaft introspektiv zugänglich ist.

Dieser allgemeine sprachliche Erklärungskonsens mit seinem missionarischen Gehabe wurde sehr bald als bürgerlicher Mittelschichtsdünkel entlarvt, der gerade denen nichts nützte, denen zu helfen er angetreten war. Offensichtlich waren doch empirische Vorausanalysen nötig, da die landläufige Kenntnis der sprachlichen Wirklichkeit eben lediglich einer mittelschichtig-bildungsbürgerlichen Impression entsprungen war. Das Beibringen sprachlicher Fakten aus der beobachtbaren, aber nicht aus eigener Spracherfahrung zugänglichen Wirklichkeit des Alltags tat offensichtlich not. „Sprachbarriere und kompensatorische Erziehung: Ein bürgerliches Trauerspiel" hieß ein Beitrag von S. Jäger (1972) oder ebenso bezeichnend: „Die elaborierten Knechte des restringierten Tyrannen — zur Kritik des Bernsteinschen Code-Begriffs" (Huber 1975).

(3) Von da an ist die dritte Phase der Germanistischen Soziolinguistik anzusetzen. Denn nur die Germanisten oder die in und an der deutschen Sprache ausgebildeten Sprachwissenschaftler konnten diese nun geforderte und für notwendig erachtete einzelsprachliche „Feldforschung" betreiben.

Die Interessen waren dabei dreigeteilt: 1. Die einen verstanden sich als

germanistische Empiriker zur Verifizierung oder Falsifizierung der Bernsteinschen Thesen vom restringierten Code der Unterschicht. Schulz (1971,
1973), Wiederhold (1971), H. Bühler (1972), Klann (1972), Neuland
(1975), S. Jäger (1977), S. Jäger u. a. (1977), S. Jäger u. a. (1978), Ort
(1976) und manche andere (s. weiter hinten Kap. 6.4.).

Mit viel Mühe wurden über Jahre hin Schüler in ihrem Sprachverhalten
beobachtet und diese Beobachtungen mit dem Schulerfolg einerseits und den
Sozialdaten andererseits in einen Zusammenhang gebracht. Während man es
bei der Beschaffung der sozialen Daten, der Intelligenzquotienten als Bega-
bungs-Indikatoren und der Leistungs- und Erfolgsmessung dank der immer
ausgefeilteren Verfahren der Lehr- und Lernforschung zu einer jedenfalls
äußerlichen Perfektion brachte, waren Beschaffung, Aufbereitung und
Deutung der sprachlichen Daten immer der schwierigere Teil und sind es bis
heute geblieben.

2. Die zweite Richtung ist bei der herkömmlichen Dialektforschung angesiedelt. Die neuen Fragen wurden dort als gar nicht so neu empfunden. Man
hatte im empirischen Umgang mit gesprochenem Dialekt nur immer den
Schwerpunkt auf eine soziokulturell eindeutige Sprachvariante, den sogenannten Grunddialekt gelegt. Zur Erfassung anderer Stufen mußte man an
der dialektologischen Versuchsanordnung nicht sonderlich viel ändern. Die
Erhebungs- und Beschreibungsverfahren und ihre sprachtheoretische Fundie-
rung konnten im Grunde übernommen werden. So entwickelte sich die
Dialektologie sehr rasch zur Sozio-Dialektologie. Nicht nur sprachsystema-
tisch bedingte Verstehensschwierigkeiten führten unter der Devise ,Dialekt
als Sprachbarriere' zur Modifizierung der Sprachbarrierenproblematik, der
Dialekt hat im deutschsprachigen Bereich sogleich jenes Interesse gefunden,
das die nichtgermanistische Soziolinguistik dem restringierten Code zugewandt hatte (exemplarisch: Bausinger 1973).

Da die Dialektforschung auch die Techniken der Beobachtung, Erhebung,
Klassifizierung und Interpretation aktueller gesprochener Alltagssprache
kannte, war sie prädestiniert und methodologisch gerüstet, einen großen Teil
der geforderten germanistisch-soziolinguistischen Feldforschung zu überneh-
men (Ruoff 1973).

So sind die Untersuchungen zu den Schichten-, Berufs-, Fach- und Sondersprachen, die Techniken der Befragung, der Transkription, der datentechni-
schen Aufbereitung, der Kartierung, der Selbst- und Fremdbewertung, des
sprachlichen Registerwechsels, des zeitgenössischen Sprachwandels eng mit
den dialektologischen Forschungen verknüpft (Mattheier 1979; 1980).

Der modische ‚Schub‘, der von der Soziolinguistik ausging, war so stark, daß die Tendenz bestand, Linguistik und Dialektologie nur noch als Soziolinguistik zu betreiben. Nicht zufällig wurde der Titel der ‚Zeitschrift für Mundartforschung‘ im Jahre 1969 in ‚Zeitschrift für Dialektologie und Linguistik‘ umbenannt. Außer den ersten Anfängen des strengen Strukturalismus waren alle weiteren Entwicklungen und Tendenzen in der allgemeinen und einzelsprachlichen Linguistik immer nahe bei der neuen Soziolinguistik angesiedelt.

3. Die dritte Richtung ist eine kommunikativ-pragmatische. Daß die Sprachgeschichte zur historischen Soziolinguistik geworden ist, wurde schon erwähnt. Selbst Orthographieprobleme wurden unter dem beziehungsreichen Titel ‚Orthographie und Gesellschaft‘ abgehandelt (Klute 1974). Pragmatik und Sprechakttheorie, auch die Semantik mit ihren Konnotationen und Assoziationen konnten soziolinguistisch angegangen werden. Auch die in den späten siebziger Jahren modisch gewordene Textlinguistik als Brücke zwischen Literatur- und Sprachwissenschaft versucht, die Einheit des Faches Germanistik mittels soziolinguistischer Interpretationsweisen wiederherzustellen. In der Literaturwissenschaft hatte sich zwischenzeitlich die Literatursoziologie, insbesondere als Rezeptions- und Produktionsforschung eingerichtet. Die Abwendung der linguistischen Empirie von reinen Systemproblemen zur Gebrauchsbeobachtung ging weg von der geschriebenen Sprache und der Literatur hin zur gesprochenen Sprache. Sie hatte mit der Soziolinguistik nicht nur das Frageraster gemein, ihr standen in den zahlreichen soziolinguistischen Theorien auch Erklärungszusammenhänge zur Einordnung und zum Verständnis der fast chaotisch anmutenden Erscheinungen gesprochener Alltagssprache zur Verfügung. Die Dialog-Forschung oder Konversationsanalyse ist nun endgültig beim realen Sprachgebrauch in der dyadischen Urform des Zweiergesprächs angelangt. Und hier wiederum machen sich alle bisherigen Fragen und Erkenntnisse, die im weitesten Sinne soziolinguistisch zu nennen sind, in nützlicher Weise bemerkbar. Soziolinguistik ist somit für die siebziger und wahrscheinlich auch die achtziger Jahre eine Art äußerer Rahmen geworden, in dem Jegliches an spekulativer oder empirisch-positivistischer Sprachforschung unterzubringen ist. Daß die Soziolinguistik, die am Anfang zwar spekulativ als übereinzelsprachliche Universal-Linguistik aufgetreten war, im Grunde nur auf empirischem Weg und einzelsprachlich vorangetrieben werden kann, gilt heute als ausgemacht. Ebenso sicher scheint jedoch, daß die Soziolinguistik nur eine Übergangs-Disziplin sein kann und keine bleibende Wissenschaft. Sie ist eher eine Fragehaltung oder eine Sehweise, die man an jede Art Forschung über den

Menschen und seine Welt als Umgebung und Objekt seiner Aktivitäten anlegen kann.

So wird Soziolinguistik vermutlich dem Namen nach sich wieder aufheben, wenn Linguistik die Wissenschaft von der konkreten Wirklichkeit einer Einzelsprache geworden ist. Ihren Status als integrierender Erklärungsrahmen wird sie verlieren, sobald die einzelsprachliche Linguistik soziolinguistisch geworden ist. „Letztlich muß es ... Ziel der Soziolinguistik sein, bei ihrer eigenen Liquidierung den Vorsitz zu führen" (Hymes 1975, 16, zitiert bei Steger 1980, 349).

1.3. Begriffs- und Gegenstandsbestimmung der Soziolinguistik

Der Name

Die Attraktivität der Soziolinguistik mag zu einem Teil bereits in ihrem Namen begründet sein. Wie so oft ist es die semantische Unbestimmtheit, die den Begriff vielfach verwendbar und den Namen zur beliebten Chiffre werden läßt. Die diffuse Offenheit ist in unserem Falle hauptsächlich im Bestimmungswort ‚Sozio'- zu suchen. Im Deutschen versammeln sich in dieser Bezeichnung allerlei Vorstellungen aus unterschiedlichen Lebens- und Erfahrungsbereichen wie: sozial, Sozialismus, Sozialfrage, Sozialhilfe, Geselligkeit, menschlicher Umgang und anderes. Soziolinguistik mag überdies zu Beginn ihres Aufkommens von vielen als eine Alternative zur neuen strukturellen Linguistik empfunden worden sein. In der abstrakten Linguistik mit ihrem Modell des ‚idealen Sprecher/Hörers' war eigentlich kein Platz für sprachliche Alltagsprobleme gewesen. Hier schienen endlich jene Fragen ihren Ort zu haben, die man als Sprecher einer konkreten Sprachgemeinschaft immer schon behandelt wissen sollte. Wie die Soziologie die Menschen und ihre Art und Weise des Zusammenlebens und Miteinanderumgehens und damit das Leben überhaupt in seiner strukturierten Vielfalt zum Thema hat, so konnte die Sozio-Linguistik alles zu ihrem Gegenstand erklären, was über die eigentliche Grammatik, also das abstrakte System der langue hinausgeht und zum eigentlichen Sprachleben gehört.

‚Sociolinguistic': soll zum ersten Mal im Jahre 1952 aufgekommen sein (bei C. Currie, A. Projection of Sociolinguistics: The Relationship of Speech to Social Status 1952, nach Dittmar 1973, 160). In der Folge wurde jedoch kein strenger Unterschied zwischen Sociology of language und Sociolinguistics gemacht. Im Deutschen unterscheidet man zwar zwischen Sprachsoziologie bzw. Soziologie der Sprache als einer soziologischen Disziplin und der

Soziolinguistik als linguistischer Disziplin. Dennoch scheinen in den Namen all jene Konnotationen mitzuschwingen, die mit den Wörtern ,Sozio'- und ,Sozial'- verbunden werden.

Versuche der Begriffsbestimmung

Angesichts der schillernden Bedeutungen des Namens verwundert es nicht, daß es eine Reihe von Vorschlägen gibt, Soziolinguistik nach ihrem Gegenstandsbereich und der Methode oder durch Abgrenzung zu Nachbardisziplinen genauer zu bestimmen. Diese Definitionsversuche spiegeln ein breites Spektrum an philosophisch-spekulativer oder handwerklich-empirischer Beschäftigung mit Sprache und Sprechen wider. Sie erwecken den Eindruck, Soziolinguistik sei der Oberbegriff für alle Aspekte, welche Sprache und Sprechen in ein weiteres Beziehungsgeflecht mit außersprachlichen Gegebenheiten eingebunden sehen. Einige Proben (in chronologischer Folge) mögen diesen Eindruck bestätigen:

Für Steger „gilt das Forschungsinteresse der Soziolinguistik als Teildisziplin der Sprachwissenschaft der linguistischen Variabilität in ,Sprachen', ,Textsorten' und anderen Varianten, soweit sie kollektiv und regulär auftritt" (Steger 1973, 245).

In der Brockhaus-Enzyklopädie heißt es: (Soziolinguistik ist eine) „beschreibende Wissenschaft, die jegliche Unterschiede im Sprachgebrauch der sozialen Gruppen erfassen will. Aus dem Studium des Sprachverhaltens sozial benachteiligter Schichten können Einsichten über die sprachlichen Gründe des Versagens in Schule und Leben gewonnen werden. Ferner werden Möglichkeiten der Kompensation im ersten oder zweiten Bildungsweg aufgezeigt" (Brockhaus 1973, 17, 641).

Dittmar formuliert:
(Soziolinguistik ist die) „Wissenschaft von den gesellschaftlichen Bedingungen der Sprache. Der Gegenstandsbereich, den die S. unter interdisziplinärer Anwendung linguistischer und sozialwissenschaftlicher Methoden zu beschreiben und zu erklären hat, kann durch die Frage umschrieben werden: Wer spricht was und wie mit wem in welcher Sprache und unter welchen sozialen Umständen mit welchen Absichten und Konsequenzen" (Dittmar 1973, 389).

Nach dem Linguistischen Wörterbuch von Lewandowski ist Soziolinguistik eine „Teildisziplin, die sich mit den wechselnden Beziehungen zwischen Sozialstruktur und Sprachstruktur befaßt und als ihre Aufgabe betrachtet, ,to show the systematic covariance of linguistic structure and social structure — and even to show a causal relationship in one direction or the other (Bright [2]1971, 11)'" (Lewandowski [2] 1976 3, 686 f.).

In Hartigs „Soziolinguistik für Anfänger" heißt es: (Soziolinguistik ist eine) „Theorie des sozialen Handelns, die den Faktor ‚Sprache' als Merkmal der Sozialstruktur einbezieht . . . Dabei geht es vor allem darum, die Sprache nicht nur als Mittel zum Zweck der Kommunikation anzusehen, sondern die Funktion der Sprache als Aufbaubestandteil der Gesellschaft herauszuarbeiten" (Hartig 1980, 8).

Steger formuliert in der zweiten Auflage des Lexikons der germanistischen Linguistik:

„Gegenstandsbereich der Soziolinguistik: Ihre grundsätzliche Aufgabe ist das Studium der Verschränkungen und der wechselseitigen Bedingtheit von Sozialstruktur, Kultur und Sprache (nach Luckmann 1969)" (Steger 1980, 347 f.).

Zur Abgrenzung von Soziolinguistik und Sprachsoziologie finden sich folgende Vorschläge:

„Sprachsoziologie: 1. Im Sinne von Soziolinguistik. 2. Ein neuer und umfassender Ansatz zur Analyse von Sprache und Gesellschaft . . . ein integrierter, interdisziplinärer, methodenpluralistischer und Mehrebenen-Ansatz zur Untersuchung von natürlichem, in Sequenzen ablaufendem Sprachverhalten in sozialen Zusammenhängen" (nach Kjolseth/Sack 1971, 21 bei Lewandowski 1976 3, 729).

Solche Textproben zeigen, daß Soziolinguistik und Sprachsoziologie weder vom Begriff noch vom Gegenstand und der gegenseitigen Abgrenzung her eindeutig zu bestimmen sind. Es entsteht der Eindruck, daß „nichts Sprachliches der Soziolinguistik fremd ist". Selbst die einzig noch als nicht-soziolinguistisch geltende Domäne der Systemgrammatik mit ihrer Abstraktion vom konkreten Sprachgebrauch und den realen Sprechern ist so gesehen bereits ein soziolinguistisches Thema. Die Schwierigkeit der Begriffsbestimmung mag auch daher rühren, daß sich eine große Zahl wissenschaftlicher Teildisziplinen um denselben Forschungsgegenstand gruppieren. Daß der gemeinsame Gegenstand ‚Sprachwirklichkeit', auf die so verschiedenartige Faktoren einwirken, nur interdisziplinär und nur in einer Methodenverschränkung angegangen werden kann, scheint indessen klar zu sein. Um für die Soziolinguistik einen spezifischen Themen- und Methodenbereich auszugrenzen, gilt es die ‚verwandten' und benachbarten Disziplinen dauernd im Auge zu behalten. Solche Nachbar- und Konkurrenzdisziplinen sind u. a. die linguistische Anthropologie, die Ethnolinguistik, die Psycholinguistik, die Sprachpsychologie, die Logopädie als Sprachheilkunde, ferner die Pragmatik, der Interaktionismus und die Handlungstheorie mit den linguistischen Teilbereichen Linguistische Pragmatik, Sprechakttheorie, Ethnographie des Sprechens oder Ethnomethodologie u. a.

Mehrere ‚Soziolinguistiken‘

Die verschiedenen Zugriffe zu ein und demselben Gegenstand Sprache haben bei aller Verschiedenheit der Aspekte doch eines gemeinsam: das Objekt Sprache ist kein einheitliches, festgefügtes Ganzes, sondern auf der Systemseite wie auch in der konkreten Sprachverwendung ein Konglomerat verschiedener Subsysteme und Äußerungsvarianten, die von innersprachlichen und außersprachlichen Faktoren bestimmt sind. Die Einheit, unter der solche Vielfalt überhaupt noch als zusammengehörig angesehen werden kann, ist letztlich die historisch gewachsene gemeinsame Literatur- und Schriftsprache, deren kodifizierte Norm(variante) für den ‚literarischen Fall‘ gilt und in dieser Form auch Zielsprache der Schulsprachlehre und des Fremdsprachenunterrichts ist.

Die einzelnen Zugriffe mit ihren vielfältigen Namen unterscheiden sich bei gleichem Gegenstand meistens durch die Art, wie sie ihr Thema verstehen, ob mehr das sprachliche Produkt, die konstitutiven Faktoren oder die Korrelation und Interdependenz vielerlei Umstände wie Anlaß, Absicht und Wirkung oder die beteiligten Sprechergruppen mit ihren Merkmalen als Ausgangspunkt gesetzt werden.

In der „Bibliographie zur Soziolinguistik“ (Simon 1974) mit über 3000 Titeln wird das Fach in dieser extensiven Weise verstanden. So kann man im Grunde von mehreren ‚Soziolinguistiken‘ ausgehen:

1. Eine philosophisch-anthropologische Soziolinguistik:

Sie ordnet Sprache als ein ‚fait social‘ dem Menschen essentiell zu.

Bei den kollektiven Manifestationen des menschlichen Geistes, die man Kultur nennen kann, ist Sprache als Träger und Vermittler in einer wichtigen Funktion beteiligt. Sprache, Kultur, Weltsicht, Gesellschaft sind dann in ein sich gegenseitig bedingendes Kräfteverhältnis eingebettet. Eine Soziolinguistik dieser Art kann sich sowohl mit diesen Fragen im allgemeinen befassen als auch kultur- und sprachvergleichend beobachten in einem globalen oder in einem kleinräumlich subkulturellen, engeren Kreis.

2. Eine psychologische Soziolinguistik:

Sie thematisiert Zusammenhänge des menschlichen Denkens und Sprechens als eine Art Aktualisierung von Geist und Sprache. Hierher gehören Interdependenzen zwischen Sprechen und Erkennen, zwischen Sprachvermögen und Begabung, Spracherwerb und Spracherziehung, Einstellungen zu Sprache und zu Sprachträgern. Soziolinguistisch wird diese Art Sprachpsychologie, wenn sie die genannten Relationen in einem weiteren Feld der sozial unterschiedlichen Gruppen, Sozialisationstypen und sozialpsychischen Konstellationen sieht.

3. Eine soziologisch-gesellschaftswissenschaftliche Soziolinguistik:

Ihr Ausgangspunkt ist nicht die Sprache, sondern die Gesellschaftsstruktur in einem Schichten- oder Gruppenmodell, wo Ethnien oder Minderheiten und Randgruppen ihre eigenen Kulturen und Subkulturen haben, denen entsprechende sprachliche Strukturen und Schichten zugeordnet werden. Einer Sozial- und Gesellschaftsstruktur entspricht eine ähnlich strukturierte Sprache als Symptom oder Kennzeichen, und Sprache wird geradezu als gruppenbildendes Moment aufgefaßt. Hauptthema ist die Strukturierung der Gesellschaft. Sprachliche Merkmale bilden zusammen mit anderen den Erklärungs- und Plausibilitätsrahmen.

4. Eine interaktionistisch-kommunikationstheoretische Soziolinguistik:

Sie sieht die Sprache eingebettet in den größeren Zusammenhang eines Handlungsgefüges oder Miteinanderumgehens. Die Mitteilungsfunktion der Sprache stellt dabei nur eine von vielen anderen möglichen Beziehungen dar. Den unterschiedlichen Dispositionen und Intentionen der Beteiligten entsprechen verschiedene Inventare von Handlungseinheiten oder -sequenzen, zu denen sprachlich geäußerte Handlungsmuster als einer von mehreren ‚Codes' gehören. Die sogenannten Sprachbarrieren-Soziolinguistik ist dann eine Verbindung von soziologischer und kommunikationstheoretischer Soziolinguistik, da es sich um soziale Barrieren handelt, an denen Sprache beteiligt ist.

5. Die eigentlich ‚linguistische Soziolinguistik':

Sie stellt in den Mittelpunkt ihres Interesses die Sprache als Sprachsystem oder als sprachliche Äußerung. Unterschiede zwischen sprachlichen Systemen und Subsystemen oder auch nur einzelnen Merkmalen oder „Variablen" werden aus einem Äußerungs-Corpus analysiert und grammatisch identifiziert. Als Erklärungsrahmen der Varianz, zur Beantwortung der Warum-so-und-nicht-anders-Frage dienen dann soziale Merkmale. Die linguistische Soziolinguistik hat es zunächst mit sprachlichen Äußerungen und mit sprachlichen Regeln zu tun, deren systemhafte Abweichungen und Differenz (‚Varietät') mit extralinguistischen Gegebenheiten, insbesondere mit den sozialen Merkmalen der beteiligten Sprecher, in ein Ursachen- oder Bestimmungs- oder Vorkommens-Verhältnis gesetzt werden. Warum sprechen manche Leute in vergleichbaren Situationen anders als andere? Welchen personalen Merkmalen entspricht die Andersartigkeit des Sprechens? etc.

6. Die germanistische Soziolinguistik:

Sie ist nicht einfach eine weitere Unterteilung der linguistischen Soziolinguistik. Sie ist als Sonderfall mit dem Merkmal ‚die deutsche Sprache betreffend‘ auf alle die genannten ‚Soziolinguistiken‘ hin anzuwenden. ‚Deutsch‘ kann sich also beziehen auf den deutschen Kulturkreis und das Weltbild der deutschsprachigen Sprecher (anthropologische S.) oder auf Probleme sozialpsychologischer Art innerhalb des Deutschen (psychologische Soziolinguistik) oder die deutsche Sprache als Merkmal von spezifisch deutschsprachigen Gesellschaftsverhältnissen, insbesondere bezogen auf die vier deutschsprachigen Staaten mit unterschiedlicher Geschichte und Gesellschaftsstruktur (Soziologische Soziolinguistik), dann auf kulturgebundene Handlungsschemata und Sprechakttypen, die speziell mit der deutschen Sprache verknüpft sind (interaktionistische Soziolinguistik) und solche Probleme, die sich aus den deutschen Soziolekten und den für die deutschen Sprachgebiete typischen Diglossie-Situationen ergeben wie z. B. die für viele Gegenden aus der Dialektsprachlichkeit resultierende, sprachlich begründete Sprachbarriere, die erst in zweiter Linie zu einer sozialen Barriere wird.

1.4. Gegenstandsbestimmung einer ‚Germanistischen Soziolinguistik‘

Unter germanistischer Soziolinguistik soll jene Soziolinguistik verstanden werden, die sich ausdrücklich an den Gegebenheiten der deutschen Sprache und ihrer Sprecher ausrichtet. Ausgeschlossen sollen jene Bereiche sein, um die sich die deutschsprachige Soziolinguistik zwar auch bemüht, die aber objektsprachlich nicht ausdrücklich auf das Deutsche bezogen sind. Der einzige Versuch, einen speziell für den deutschen Sprachbereich zugeschnittenen soziolinguistischen Themenkatalog vorzulegen, stammt von Hugo Steger.

Die allgemeine Aufgabe für eine Soziolinguistik lautet „Studien der Verschränkungen und der wechselseitigen Bedingtheit von Sozialstruktur, Kultur und Sprache (Luckmann)" (Steger 1980, 347 f.). Auf das Deutsche angewendet ergibt dies folgenden Themenkatalog:

1. Ausgrenzung von Sprachen und Sprachvarianten (die nur mit sprachexternen Mitteln, d. h. sozialen Faktoren auszugrenzen sind), das sind:
1.1. Das Deutsche überhaupt
1.2. Funktionsvarianten (Funktiolekt):
Alltagssprache
Literatursprache
Fach- und Wissenschaftssprachen
Instruktionssprachen

(Steger 1980, 348 ff.)

Dieser (hier etwas geraffte und leicht veränderte) Themenkatalog ist in manchen Teilen inzwischen durch Pilotstudien oder größere Projekte belegt, in anderen Teilen aber immer noch Programm. Viele der hier anzusiedelnden Arbeiten verstehen sich gar nicht als primär soziolinguistisch, so z. B. Studien zu den Textsorten, zum Problem der Umgangssprache, zur Sprache der Medien oder zur Sprachgeschichte.

Da die Probleme der allgemeinen Soziolinguistik bereits mehrfach dargestellt sind, kann sich der ‚germanistische' Beitrag im folgenden praktisch wie theoretisch auf die Sprachwirklichkeit des Deutschen, d. h. die Sprache von vier Staaten mit über 100 Millionen Sprechern beschränken. In der folgenden Darstellung sollen daher Informationen über Theorieansätze, Vorschläge und Verbesserungen zur Modellbildung von ‚germanistischer' Seite und insbesondere die empirischen Arbeiten zu Teilbereichen der ‚deutschen' Sprachwirklichkeit den Vorzug haben vor dem Bemühen, die internationale Theoriediskussion ein weiteres Mal zusammenzufassen und mit Beispielen aus irgend einer Sprache, hier dem Deutschen, erneut belegen zu wollen.

Die Beschränkung auf den Objektbereich ‚Deutsche Sprache' ist somit eine praktische im Sinne einer Bestandsaufnahme. Es sollen jene Bereiche und Themen dargestellt werden, die bereits früher und insbesondere in der neueren ‚soziolinguistischen' Phase das tatsächliche Interesse der germanistischen Forschung gefunden haben.

2. Vorsoziolinguistische Traditionen in der Erforschung der deutschen Sprache

Wenn in der einführenden Begründung festgestellt wurde, daß Soziolinguistik auf eine kritische Konstellation der Sprachentwicklung angewiesen ist im Kräftefeld kommunikativer und gesellschaftlicher Tendenzen, so hätte im Verlauf der Geschichte der deutschen Sprache und ihrer Erforschung schon mehrmals zu einem solchen soziolinguistischen Bewußtsein Gelegenheit bestanden. Bereits die Herausbildung der deutschen Schriftsprache in althochdeutscher Zeit von einer ‚lingua agrestis‘ zur Literatursprache hätte eine solche „kritische" Phase abgeben können. Die aufkommende Stadtkultur des 12. und 13. Jahrhunderts mit dem allmählichen Niedergang des Rittertums und den damit verbundenen Umschichtungen bei den Kulturträgern, den Schreibberufen und Leserschichten wäre eine zweite solche herausragende Epoche gewesen. Von beiden Phasen sind uns aber keine zeitgenössischen Äußerungen bekannt, die auf ein „vorsoziolinguistisches" Bewußtsein schließen ließen (Näheres darüber s. weiter hinten Kap. 8.).

Erst in der nächsten Umbruch-Zeit, der Entwicklung der deutschen Schrift- und Einheitssprache im Gefolge der neuen Möglichkeiten des Buchdrucks, der reformatorischen Bewegung und der sozialen Veränderungen insbesondere im allgemeinen Bildungswesen zeigen sich erste Anzeichen soziolinguistischer Betrachtungsweisen. Zum dritten Mal war die Herausbildung der deutschen Literatursprache verbunden mit einem Rangstreit mit dem Latein, das bis ins 16. Jahrhundert praktisch alleinige Bildungs- und Kultursprache gewesen war.

Luthers Sendbrief vom Dolmetschen (1530) ist ein Beleg für äußerst bewußte Pflege der deutschen Volkssprache als Lateinersatz. Die Zielsprache der Bibelübersetzung sollte nach Luther eine alltagssprachliche, volksnahe Form des Deutschen sein. Die Frage nach der adäquaten Stilebene zeitgenössischer Bibelsprache beschäftigt gerade heute wieder vermehrt die Bibelübersetzer aller Konfessionen (Luther 1530, 184).

Hundert Jahre später ist es Martin Opitz, der in seiner deutschen Poeterey nachweist, daß auch das Deutsche poesiefähig sei. Die deutsche Sprache sei bereits in ihrer Vergangenheit durch hochstehende Benutzer geadelt, wenngleich bestimmte literarische Formen wie Reime und Fabeln doch dem „ge-

meinen pöfel" näher stünden als den weisen Leuten (Opitz 1624, 15 f.).
J. G. Schottel (1663) zeigt, daß die „deutsche Haubt Sprache" eine ‚lingua ipsa', also eine Sprache schlechthin sei, die über allen Niederungen der Dialekte stehe und von vorbildlichen Schriftstellern gepflegt werde (Schottel 1663, I, 1974).

Das sprachliche Vorbild der Edlen als Kriterium der Norm war im weiteren Verlauf dauerndes Thema sprachkritischer Äußerungen. Was zunächst reines Standesdenken war, wurde von Leibniz (1680) in seiner „Ermahnung an die Deutschen" in den Begriff des Bildungsadels übergeführt. Mit der neuen deutschen Sprache sei es möglich, immer mehr Menschen aus den Niederungen eines abgestumpften animalischen Daseins den höheren, geistig interessierten Ständen zuzuführen (Leibniz 1680, 10 ff.). Die Emanzipation des Deutschen zur Kunst- und Bildungssprache nahm in der Folgezeit ihren Fortgang: J. Bödiker fand 1690 ein System, das selbst der sprachlichen Alltäglichkeit einen regelhaften Status zuwies, eine Problematik, die heute wieder ganz aktuell ist mit der Neuentdeckung der Alltagssprache als Gegenstand linguistischer Forschung. Was heute Varietäten sind, heißt bei Bödiker „Idiotismen". Er unterscheidet den idiotismus temporis (~ Chronolekt), den i. personae (~ Idiolekt), i. circumstantiae (~ Situolekt oder Textsorte) u. a. Selbst die heutige Fehlerlinguistik fände bei Bödiker theoretische Vorgaben (Bödiker 1690, 356—359).

Pflege der neuen deutschen Kunst- und Literatursprache nach dem Vorbild der Besten war auch das Anliegen Gottscheds. Die Sprache des Hofes sei das beste Vorbild für die zeitgenössische Norm (Gottsched 1762, § 3). Es war jedoch ausgerechnet der große Preußenkönig Friedrich II. (d. Gr.), der 1780 in der französisch abgefaßten Schrift „De la littérature allemande" klagte, daß das Deutsche keinen deutschsprechenden Hof als Zentrum besitze und daß die Besten sich der deutschen Sprache zu wenig annähmen (Friedrich d. Gr. 1780, 4).

Mit Adelungs „Umständlichem Lehrgebäude der deutschen Sprache" (1782) wird gewöhnlich der erste Höhepunkt und vorläufige Abschluß der Entwicklung des Deutschen zur Literatursprache angesetzt. Adelungs Sprache war das Deutsch der Goethezeit. Sprachlehre (Grammatik) müsse aber auch „eine pragmatische Geschichte der Sprache" sein. Zu ihr gehöre auch die Verschiedenheit, wenngleich nur die Sprache der „oberen Classen der Nation" kulturfähig und vorbildlich sein könne (Adelung 1782, 70). Adel und Geistesadel als Träger der Kultursprache auf der einen, Erdverbundenheit und Echtheit der Volkssprache auf der anderen Seite, waren Themen bei J. G. Herder. „Jeder Sinn, jede Leidenschaft, jedwedes Alter, jeder

Stand, jede Gesellschaft haben ihre Sprache ..." (Herder 1800, 138). W. v. Humboldts Sprachtheorie ist im Anschluß an Herder zwar auf die Sprache an sich gerichtet und zielt auf Allgemeingültiges, das in allen Sprachen innewohnt. Die menschliche Sprache als Ausdruck des Menschengeistes ist somit prinzipiell universell angelegt. Dennoch zeigen die Sprachen der Welt, ja jede einzelne Sprache vielfache Verschiedenheit, im lautlichen Bereich ganz besonders, aber auch im „intellektuellen Teil". Der individuelle Charakter der Nation trete in jeder Nationalsprache hervor (Humboldt 1830/35, 86 f.). Das sprachwissenschaftliche Bemühen war jedoch im 19. Jahrhundert ganz auf die Rekonstruktion historischer Zustände ausgerichtet oder, wenn das Interesse angewandter Natur war, auf die Pflege einer verbindlichen Grammatik nach dem Vorbild der klassischen Schulgrammatiken. Auch die Junggrammatiker und als deren Hauptvertreter Hermann Paul hatten keinen ausgesprochenen Blick für „Soziolinguistisches". Allerdings finden sich in Pauls „Prinzipien der Sprachgeschichte" eine Reihe von Ansätzen dazu: eine Sprachwandeltheorie und eine Beschreibung des Sprachlebens und der Sprechtätigkeit im psychologischen Sinne. Das Hauptinteresse war jedoch systemgrammatischer Art, was auch später durch Pauls fünfbändige deutsche Grammatik dokumentiert wurde (Paul 1880, 390 ff.).

Detaillierter geht auf gesellschaftliche Faktoren der Sprachveränderung, die Sprache der Höheren und Niederen, die Männer- und Weibersprachen, sprachliche Höflichkeitsformen u. a. G. v. d. Gabelentz (1891, 249, 474) ein. Seine Ideen und Beobachtungen sind jedoch übereinzelsprachlich gedacht ohne empirische Konsequenzen.

Hingegen waren die Ansätze der Dialektgeographie, die im Zusammenhang mit dem „Sprachatlas des Deutschen Reiches" gegen Ende des 19. Jahrhunderts aufscheinen, von ausgesprochen empirischem Interesse geprägt. Ph. Wegener entwickelte 1880 ein Programm zur Erforschung der Sprachvarianzen in der aktuellen Sprachwirklichkeit. Er verwies auf die Unterschiede zwischen Stadt und Land, gebildet und ungebildet oder halbgebildet, verschiedene Arten des sprachlichen Umgangs, die es bei Spracherhebungen größeren Stils („Massenaufnahmen deutschen Dialektguts" nannte es Wrede 1903, 312) zu berücksichtigen gelte (Wegener 1880, 15 und Wegener 1891). F. Wrede bezeichnete diese Art Dialektforschung 1903 als „Soziallinguistik" im Gegensatz zu „Individuallinguistik", welche auf die Sprache an und für sich abziele.

Ein ‚fait social' nannte 1916 Saussure die Sprache. Für die Erforschung „der Zeichen im Rahmen des sozialen Lebens" allerdings sei die Sozialpsychologie zuständig. Niemals bestehe eine Sprache „außerhalb der sozialen

Verhältnisse" (Saussure 1967, [1931], 91). Mit den gesellschaftlichen Umwälzungen nach dem Ersten Weltkrieg entspann sich eine zeitlang ein großes Interesse an der Sprache des „kleinen Mannes". Das einfache Volk galt jetzt nicht mehr als Hort der Echtheit, sondern war eine soziale Aufgabe für die Wissenschaft. Hier wurde die Theorie des „gesunkenen Kulturgutes" entwickelt (H. Schröder 1921, E. Lerch 1925, H. Naumann 1925). Dialektforschung wurde von nun an als Erforschung der Volkssprache verstanden. Soziales Engagement und soziologisches Interesse verbanden sich mit den alten romantischen Vorstellungen von der wahren Echtheit der Sprache der einfachen Volksschichten (Maurer 1931, 54).

Nicht zufällig hatte ebenfalls in den dreißiger Jahren K. Bühler als Sprachpsychologe ein Modell des Sprechens als absichtsvolles zwischenmenschliches Handeln in einer konkreten Situation entwickelt. Drei Hauptfunktionen habe die Sprache und das Sprechen: Darstellung (sachorientiert), Ausdruck (sprecherbezogen) und Appell (adressatbezogen) (K. Bühler 1934 [1982], 28).

Bereits 1934 unternahm es A. Bach in seinem Handbuch zur Mundartforschung (2. Aufl. 1950), eine Zwischenbilanz der sprachgeographisch-soziologischen Forschungen innerhalb der Dialektologie zu ziehen. „Die Mundart in ihrer soziologischen Schichtung" heißt ein über 50 Seiten langes Kapitel, das fast alle Themen der neueren Soziodialektologie bereits enthält, damals aber auf keine nennenswerte Resonanz gestoßen war (A. Bach 1934 [1950], 227—263).

Auch in der Sprachinselforschung als einer Sonderdisziplin der Mundartforschung waren soziologische Fragestellungen üblich. Sprachinseln boten dem Forscher praktisch Laborbedingungen, da die Verhältnisse in ihrem Aufbau und ihrer Geschichte noch unmittelbar beobachtbar und in fremdsprachiger Umgebung ungestört von binnensprachlichen Vermischungen verblieben waren. Faktoren wie sprachliches Sozialprestige, Normbildung durch die Oberschicht, Einfluß von Religion und dem bewahrten „seelischen Volksgut" (Kuhn 1934, 240), prägende Kraft der Amts- und Literatursprache konnten in den Sprachinseln reiner als anderswo studiert werden (H. Moser 1937, 118 f.).

Die empirische Sprachforschung traditioneller Art dokumentierte sich vor allem in den neueren Sprachatlanten zur deutschen Sprache und den begleitenden Handbüchern zur Methode. Die praktischen Vorarbeiten reichten bis ins 19. Jahrhundert zurück, hatten in den dreißiger Jahren einen Höhepunkt und wurden nach 1950 mehrfach theoretisch ausformuliert (Mitzka 1952,

53 ff.; Hotzenköcherle 1962, 120 ff.; Ruoff 1973; vgl. auch zu den soziolinguistischen Implikationen eines Sprachatlasses: Schelb 1973).

Diese Beobachtungen und Erfahrungen aus dem praktischen Umgang mit
der Vielfalt gesprochener Sprache wurden von der neu aufkommenden
Soziolinguistik der sechziger Jahre zunächst ignoriert. Man sah auch keinen
unmittelbaren Zusammenhang. Der Neubeginn wurde eher als Bruch mit
der Forschungstradition verstanden und als Orientierung an nicht deutschsprachigen Vorbildern. Erst nach der voreiligen Rezeption amerikanischer
und englischer Methoden und Ergebnisse und dem Versuch, eigene Erhebungen und Kontrolluntersuchungen zu unternehmen, wurde der Blick wieder auf die eigene Tradition und die Methoden empirischer Sprachforschung
gelenkt, an die man weitgehend anknüpfen konnte, wenn auch unter ver-
ändertem Erkenntnisinteresse.

Die Phasen des „vorsoziolinguistischen" Bewußtseins konnten hier nur grob
skizziert werden. Ihr wahres Ausmaß ist im einzelnen noch gar nicht bekannt. Es ging weniger um eine Gesamtdarstellung, die eine umfangreiche
Textdokumentation erfordert hätte, sondern vielmehr um den Nachweis,
daß die Vehemenz der Ausbreitung soziolinguistischen Interesses nicht nur
in der Novität und Unerhörtheit des Neuansatzes beruhte, sondern nicht
zuletzt auch darauf, daß unter anderen Vorzeichen innerhalb der Sprachgermanistik immer schon soziolinguistische Fragestellungen vorhanden
waren, ja daß Entwicklung und Erforschung der deutschen Sprache implizit
immer schon eine höchst soziolinguistische Angelegenheit gewesen sein mußten.

3. Die neue Soziolinguistik: Theorie- und Modellbildung

3.1. Traditionsbruch und neue Rahmenbedingungen

Die neue Soziolinguistik der siebziger Jahre nahm von der sprachsoziolo-
gisch-volkskundlichen Mundartforschung zunächst keine Notiz. Sie verstand
sich als eine neue eigenständige Richtung, die ihre Vorbilder ausschließlich
im angelsächsischen Bereich sah. Dies lag an den sich verändernden Bedingungen der germanistischen und sprachwissenschaftlichen Forschungssitua-
tion der sechziger Jahre. Hierzu gehörten eine neue Inhaltsbestimmung der
Germanistik und Sprachgermanistik, ein neues Prestige der Linguistik auf
Grund ihrer Internationalität und naturwissenschaftlich-mathematischen
Verfahrensweisen, eine neue gesellschaftliche Relevanz, die den Mode-
fächern Soziologie, Psychologie, Politologie zugeschrieben wurde, eine neue
Methodologie der empirischen Sozialforschung und der statistischen Verfahren, welche nichtnumerische Befunde berechenbar machte und allgemeine
gesellschaftliche Erfahrungen quantifizierbar und überprüfbar werden ließ.

Zu den neuen Rahmenbedingungen gehörte ebenfalls ein verändertes politisches Umfeld, das in der Bundesrepublik zunächst durch die sogenannte
APO (außerparlamentarische Opposition), dann durch die reformfreudige
sozialliberale Ära gekennzeichnet war. Veränderungen erfuhr auch die
Sprachwirklichkeit selbst, indem im Bereich Sprachnorm und Sprachgebrauch und in der Art und dem Anteil der Sprechergruppen erhebliche Ver-
schiebungen eingetreten waren. Schließlich verbreitete sich mit der Veränderung in vielen Bereichen eine Mentalität der ‚Machbarkeit‘ im gesellschaftlichen Bereich. Viele engagierte Wissenschaftler sahen hier eine besondere
Möglichkeit der raschen Umsetzung von theoretischer Erkenntnis in praktisches Handeln, was oft zu vorschnellen und rasch wechselnden Konsequenzen im Schulalltag führte.

3.2. Soziolinguistische Modellbildung

Einer der Hauptgründe für den Aufschwung der Soziolinguistik dürfte eine
besondere theoretische Konstallation innerhalb der beteiligten Disziplinen

gewesen sein. Die Soziolinguistik war gewissermaßen die Addition oder Integration mehrerer Theorien: Sie vereinigte eine Sprachtheorie im engeren und weiteren Sinn als Grammatik- oder Kommunikationstheorie mit einer Handlungs- und Gesellschaftstheorie. Alle diese Konzepte sind wegen der Komplexität ihrer Gegenstände: Sprache, Kommunikation, Interaktion, Gesellschaft auf erkenntnistheoretische Hilfskonstruktionen angewiesen, d. h. die Modellbildung stellt einen wichtigen Bestandteil der einzelnen Fächer ebenso wie der gesamten Soziolinguistik dar.

Modelle sind jeweils Abbildungen, Projektionen und Abstraktionen des Untersuchungsobjektes, — hier des Menschen, seiner gesellschaftlichen Einbindungen, der Handlungsstrukturen und Verläufe und der dabei beteiligten sprachlichen und nichtsprachlichen Äußerungen oder Äußerungstypen.

Die Soziolinguistik ist also engstens verknüpft mit Kommunikations- oder Interaktionsmodellen, an denen die beteiligten Komponenten, ihre Wirkungsweise, Verlauf und Ergebnis studiert und hypothesenartig auf die amorphe und unstrukturierte Kommunikations-Wirklichkeit übertragen werden können.

Zweck der Modellbildung ist aber auch, mit der Darstellung von Faktoren und Relationen einen Erklärungsrahmen bereitzustellen für die Frage, warum ein sprachlicher Zustand so und nicht anders ist. Es sollen also auch mögliche ursächliche Zusammenhänge aufgedeckt werden zwischen sprachlicher Vielfalt, gesellschaftlichen Zuständen und Bedingung der Interaktion.

Ausgangspunkt aller soziolinguistischen Modelle ist die Grundform eines einfachen Sender/Empfänger-Modells mit den vier Teilen: Sender, Empfänger, Kommunikationsereignis und Code. Sender und Empfänger werden dabei symmetrisch-spiegelbildlich als in ihren Komponenten identisch beschrieben.

Die abstrakten Kategorien werden jeweils mit zusätzlichen Elementen der konkreten Wirklichkeit ausgefüllt. Zum Sender/Empfänger, also dem personalen Teil des Modells, kommen sogenannte soziale Merkmale oder Sozialdaten hinzu. Diese können individueller Natur sein wie: Alter, Geschlecht, körperliche und geistige Veranlagungen (Intelligenz, Dispositionen) oder Gruppenzugehörigkeit.

Gruppenmerkmale können sein: Herkunft, Art der Tätigkeit (Beruf), Status innerhalb einer Gruppe oder Status der Gruppe überhaupt und damit verbundenes Ansehen oder Verachtung (Prestige). Zu den Gruppenmerkmalen gehören deren Normen und die Auffassung über Gültigkeit, Einhaltung und Sanktionen (Norm-Kontrolle). Soziale Gruppen können auch zu sozialen

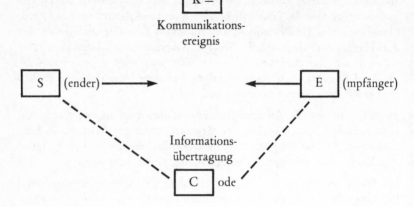

Schichten oder Klassen zusammengefaßt werden. Dabei können sowohl objektive Merkmale als schichtenkennzeichnend gelten als auch solche des bloßen Dafürhaltens, des gesellschaftlichen Ansehens und der schichtspezifischen Zuordnung und Einschätzung. Alle diese Einteilungen sind Abstraktionen und haben ihre Begründung weniger in der Wirklichkeit als in der Vorstellung der Wissenschaftler.

Der mit ‚Kommunikationsereignis‘ bezeichnete Teil des Grundmodells wird um die pragmatische Kategorie ‚Situation‘ erweitert. Zur kommunikativen Situation gehören alle beteiligten Personen und ihre soziale Merkmalsbeschreibung, dann der Ort und die Zeit, das Thema und andere Umstände. Im weiteren wird das kommunikative Ereignis auch als Handlungsereignis oder Interaktion gesehen. Entsprechend wird das Modell um handlungstheoretische Kategorien erweitert wie Intention und Erwartung, Aktion und Reaktion, Sprechakte, Rollenhandeln und -erwartungen, samt dem Ergebnis der Interaktion als Erfolg oder Mißlingen.

Die Komponente ‚Code‘ des Grundmodells stellt den eigentlichen ‚linguistischen‘ Teil dar. In einer soziolinguistischen Theorie muß der Code so aufgefaßt werden, daß er entweder in einzelnen sprachlichen Merkmalen (Lauten, Melodien, Wortwahl, Syntax) auf Veränderungen im sozialen oder interaktiven Merkmalsbereich ‚reagiert‘ — oder daß für bestimmte außersprachliche Merkmalbündel andere Codes als ‚Subcodes‘ oder Register postuliert werden, die zu isolieren und zu beschreiben Aufgabe der Soziolinguistik ist.

Der Code-Teil eines erweiterten Modells enthält Kategorien wie Grammatische Marker, Subcode, Varietäten, Texttypen, Textsorten, Stile, Soziolekte, Dialekte. Auch nichtsprachliche Subcodes wie Gebärden müssen in einem solchen variablen Code-Modell enthalten sein.

Ein soziolinguistisches Modell will jedoch nicht nur ,soziolinguistisch' relevante Elemente der Sprachwirklichkeit wie Geschlecht, Gruppe, Schicht, Strategie, Erfolg, Achtung und Verachtung etc. isolieren, es sollen auch die Zusammenhänge, Anstöße, Einflüsse und Abhängigkeiten als dynamische Prozesse abgebildet werden sowohl während eines einzelnen kommunikativen Ereignisses wie auch als Variabilität solcher Ereignisse überhaupt. Nicht nur Codes sollen sich nach veränderten Situationsbedingungen ausrichten, sondern auch die Code-Benutzer, hier die sprechenden Menschen mit ihrer kommunikativen Kompetenz, d. h. ihrer Fähigkeit, sich wechselnden Konstellationen anzupassen und die Wahl der sprachlichen und außersprachlichen Mittel entsprechend den sich ändernden Bedingungen, Absichten, Strategien und Reaktionen erfolgreich einzusetzen (,Code-switching').

So gehört zu einer soziolinguistischen Modellbildung in gleicher Weise eine Sprachtheorie (als Varietätstheorie) mit einer Spracherwerbstheorie, eine Gesellschaftstheorie (Individuum, Rolle, Status) und eine Handlungstheorie.

Stellvertretend für die zahlreichen Vorschläge soll das „Sprachverhaltensmodell" von Steger/Schütz (1973) stehen. Das Modell enthält in symmetrischer Anordnung für Sprecher- und Hörerseite alle „inhärenten" und „aktuellen" Faktoren und deren prozeßhafte Verflechtung. Neben den sprachlichen sind auch nichtsprachliche und aktionale Äußerungen berücksichtigt. Es sollen sowohl Lage und Anordnung oder Zuordnung einzelner Faktoren sowie ganzer Faktorenbündel in ihren verschiedenen Beziehungen zueinander abgebildet werden. Die prinzipielle Zuordnung in einem statischen Geflecht soll genauso ablesbar sein wie der aktuelle Kommunikationsprozeß, der zu einem „Textexemplar" führt. Einer bestimmten Redekonstellation ist je ein Textexemplartyp zuzuordnen. Über soziolinguistische Fragestellungen hinaus dient das Modell auch als Konzept für pragmatische und texttheoretische Zusammenhänge, gewissermaßen auch als „Texterzeugungsmodell". Daß die Soziolinguistik letztlich ein Beschreibungs- und Erklärungsapparat der verschiedenen Sprachvarietäten darstellt, wird bereits hier modellhaft deutlich.

Aus der soziolinguistischen Modellbildung heraus ergeht somit der Auftrag an die Linguistik, ein grammatisch-kategoriales Instrumentarium bereitzustellen, welches sprachliche Merkmalsveränderungen oder Systemwechsel

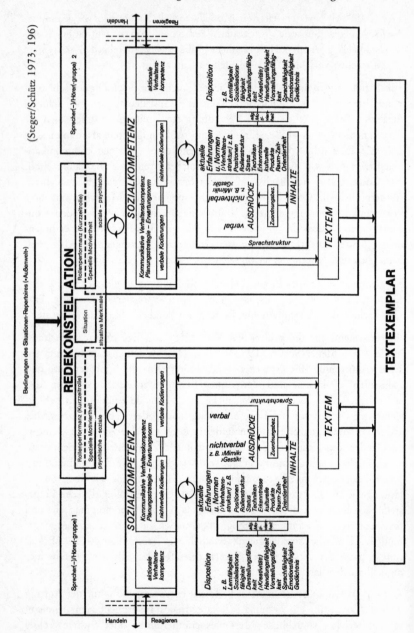

(Steger/Schütz 1973, 196)

bzw. Varietäten überhaupt beobachtbar und für menschliche Benutzer nachvollziehbar macht.

Ein anderer Auftrag geht an die Soziologie als Gesellschaftswissenschaft, welche den Bereich Individuum, Gruppe, Status, Rolle und Gesellschaft taxonomisch so aufbereitet, daß Korrelationen mit linguistischen ‚Markern‘ möglich sind. Die Handlungswissenschaft hingegen muß für den aktionalinteraktionalen Teil ein Vokabular entwickeln, welches sprachliche und nichtsprachliche Äußerungen als Folgen oder Anstöße für interaktionale und kommunikative Ereignisse abbilden kann.

Schließlich muß die empirische Sozial- (und Sprach-)forschung die Methode bereitstellen, Daten menschlichen Verhaltens und dessen verbaler und nichtverbaler Ausdrucksweisen zu beobachten, aufzuzeichnen, aufzubereiten und manuell oder auch maschinell bearbeitbar zu machen. Die Soziolinguistik kann sodann als integrative Theorie alle Faktoren des kommunikativen Umgangs der Menschen untereinander in Beziehung setzen und als ein Ursache-Wirkungs-Geflecht interpretieren.

3.3. Gesellschaftstaxonomie: Soziale Schichtenmodelle

Wie die kommunikative Linguistik Varietäten als sprachliche Merkmalbündel zusammenfaßt, die als Ergebnisse eines komplizierten Ursachengeflechts an der Oberfläche der Sprachwirklichkeit aufscheinen, so versucht die Soziologie die gesellschaftliche Wirklichkeit in Einheiten zu gliedern, die man ebenfalls als Merkmalbündel verstehen kann. ‚Sozialtaxonomie‘ könnte man dieses Bemühen nennen. Einer nach Sozialdaten ausgrenzbaren Sozialschicht könnte eine nach sprachlichen Kriterien auszugrenzende Sprachschicht zugeordnet werden.

Für die Linguistik wie für die Soziologie stellt sich dabei in gleicher Weise das Problem, nach welchen Merkmalen gebündelt werden soll, welche Sprachdaten also eine Sprachschicht und welche Sozialdaten eine Sozialschicht ergeben sollen, bevor einer Sozialschicht ein ‚sozialer Dialekt‘ zugeordnet werden kann. Die Soziologie sucht in der soziologischen Diskussion ‚objektive‘ Kriterien, die zur Schichtengliederung dienen können wie Einkommen, Beruf(sposition), Prestige und beobachtbare Verhaltensweisen. Solche Kriterien wirken statusbildend, d. h. sie signalisieren verfestigte Positionen innerhalb des Sozialgefüges: Einkommensstatus, Berufsstatus, Prestigestatus (bzw. Einkommensposition, Berufsposition oder Prestigeposition). Wenn bei derselben Person oder Familie verschiedene Positionen unterschiedliche Stufen einnehmen, spricht man von Status-Inkonsistenz. Die Parallelität der Positionen hingegen wird als Statuskonsistenz bezeichnet.

Solche ‚objektiven' Merkmale werden höchst ‚subjektiv' zu Merkmalbündeln vereinigt, die man als Schichten bezeichnet. Andere (frühere) Bezeichnungen gesellschaftlicher Gliederungen sind: Klassen, Stände oder Kasten. Die Subjektivität der Bündelung und damit der Abgrenzung sozialer Schichten ist denn auch der Grund, weshalb die soziologischen Ansätze bei ein und derselben gesellschaftlichen Wirklichkeit zu ganz verschiedenen Ergebnissen gelangen.

Eine andere Möglichkeit der Sozialtaxonomie bietet die Selbsteinschätzung und Schichtenzuweisung der einzuteilenden Bevölkerung selbst. Man könnte diese Selbsteinstufung im Grunde zu den objektiven Kriterien zählen, weil ihre Wirkungen denselben Realitätsgrad haben wie die Einstufungen von seiten der Soziologen. Mit der Selbsteinschätzung geht auch die Einstufung anderer nach Schichtzuweisung und Ansehensgrad einher.

Die folgende Übersicht gibt in vereinfachter Form die Modelle aus dem Funkkolleg ‚Sozialer Wandel' wieder. Die Zahlen stammen aus verschiedenen Erhebungen der späten 50er und frühen 60er Jahre aus der Bundesrepublik Deutschland auf Grund von Repräsentativbefragungen und Volkszählungen, teilweise auf einer Basis von 16 000 Befragten.

Selbstbild der Angehörigen verschiedener Statusgruppen (Funkkolleg Sozialer Wandel 2, 46, nach Bolte u. a., 1974, 100)

Lage der Gruppe im Statusaufbau	Selbstzugeschriebene Merkmale:
Oben	Machtgefühl, elitäres Selbstbewußtsein; Individualität, „ausgeprägt gute Umgangsformen", internationale Orientierung, Bindung an das „Grundsätzliche", Konservatismus
Obere Mitte	Starke Berufs- und Fachorientierung, Erfolgsstreben, Optimismus, Selbstbewußtsein, Energie und Dynamik, Ziel: Die Welt aufzubauen und zu verbessern
Mittlere Mitte	„Bürgerliche" Einstellung, Bindung an Institutionen und Ordnung, Amtsbewußtsein, Betonung von „Pünktlichkeit, Treue, Strebsamkeit, absoluter Zuverlässigkeit und Ehrlichkeit", Akzentuierung des Details
Untere Mitte nicht techn.-industriell	Mittelstandsbewußtsein, soziale Verteidigungsstellung mit Front vor allem gegenüber der aufsteigenden Arbeiterschaft, Gefühl der Schwäche und Bedrohung. Unzufriedenheit, starkes Sicherheitsstreben mit restaurativen Tendenzen

3.3. Gesellschaftstaxonomie: Soziale Schichtenmodelle

Soziale Schichtenmodelle (nach Funkkolleg Sozialer Wandel, 1975, 2, 40 f.)

Janowitz objektiv	(1958) SSE	Moore/Kleining (1960)	Scheuch/Daheim (1961)	Berufsbeispiele
OMS 4,6 %	OS 1,9 %	OS 1,0 %	OS 2,5 %	Hochadel, Spitzenpolitiker, Großunternehm., Spitzenfinanz.
UMS 36,6 %	MS 43,2 %	OMS 5,0 %	OMS 6,1 %	Ltd. Angestellte/Beamte, Prof., Ärzte, Richter ...
		MMS 15,0 %	MMS 14,6 %	Mittl. Angestellte/Beamte, Elektroingenieur, Mittl. Geschäftsinhaber, Apotheker
		UMS 30 % industr. 13 % nicht-industriell 17 %	UMS 20,7 %	Untere Angestellte/Beamte, Malermeister, Friseurmeister, Kleinhändler
OUS 13,3 %	Arbeiterschicht 48,5 %	OUS 28 % industr. 18 % nicht-industriell 10 %	OUS 36,0 %	Unterste Angestellte/Beamte, Kellner, Fleischergeselle, Kleinsthändler
UUS 38,6 %		UUS 17,0 %	UUS 19,5 %	Straßenarbeiter, Landarbeiter, Matrosen (harte Arbeit im Freien)
	US 5,3 %			
	keine Angaben 1,1 %	Sozial verachtet 4,0 %	Sozial verachtet ?	Handlanger

SSE	: Soziale Selbsteinschätzung		MS	: Mittelschicht
OS	: Oberschicht		UMS	: Untere Mittelschicht
OMS	: Obere Mittelschicht		OUS	: Obere Unterschicht
MMS	: Mittlere Mittelschicht		US	: Unterschicht
			UUS	: Untere Unterschicht

Lage der Gruppe im Statusaufbau	Selbstzugeschriebene Merkmale:
techn.-industriell	Gefühl, „normale Menschen" zu sein, und zwar in Mittelstellung, als „Fachleute", „zwischen Chef und Arbeitern"; Identifikation mit Betrieb und Technik im allgemeinen, Züge von „Direktheit, Selbstvertrauen und offenem Optimismus"
Oberes Unten nicht techn.-industriell	Unklares Gesellschaftsbild, relativ kontaktarm, „die Anderen" stören ihre Ordnung und Funktion, konkrete Bindung an die Objekte ihres Berufs
techn.-industriell	Selbstbild des „einfachen Menschen", aber „betont männlich", ihre Aufgabe: eine „gefährliche Welt von Objekten" (Maschinen, Metalle, Gase etc.) zu meistern, „Realismus", starke Identifizierung mit Industrie, von daher selbstbewußter Glaube an die Zukunft
Unteres Unten	„Rauhe, verschlossene und robuste Männlichkeit", starke Bindung an den kleinen Kreis der „Kameraden", Empfindung eines sozialen Drucks von oben, bei ständiger physischer Konfrontation mit den Kräften der Natur, Ausbildung eines Pioniergefühls: „Der Arbeiter, egal, was er arbeitet, ist das Fundament des Staates"
Sozial Verachtete	Selbstbild des „armen Schluckers", der von den „anderen" nicht akzeptiert und überall herumgestoßen wird, Minderwertigkeitsgefühle, soziale Isolation, Aggressivität

Neben solchen Selbstbeurteilungen, über deren Repräsentativität nichts weiter bekannt ist, haben die Soziologen versucht, von außen beobachtbare Merkmale zur Charakterisierung der Schichtenmentalität aufzustellen. Im einzelnen werden (Funkkolleg Sozialer Wandel 1975, 2, 47 f. nach Neidhardt 1974) genannt als Kennzeichen der

Oberschicht: Unauffälligkeit; so tun, als gäbe es einen gar nicht; keine Zurschaustellung der Privilegien, jedoch Strategie der Erhaltung dieser Privilegien. Die Gruppe der Stars und Prominenten zeigt dabei eine gegenläufige Tendenz, um einem Bedürfnis der Leute zu entsprechen, nämlich an der Selbstdarstellung der Oberschicht (auch wenn es eine „falsche" ist) zu partizipieren.

Mittelschicht: Aufstiegs- und Leistungsorientiertheit; Tendenz zu „deferred gratification patterns", d. h. zur Vertagung der Bedürfnisbefriedigung, oder einfacher ausgedrückt: mit dem Willen zum Sparen. Dabei sei die „aufstiegsorientierte Mittelschicht sehr darum bemüht, gegenüber der Unterschicht soziale Schranken aufzubauen".

Unterschicht: Geringstes Einkommen und schlechteste Schulbildung; härteste Arbeitsbedingungen (manuell-industriell, oft im Freien oder unter anderen physisch ungünstigen Bedingungen); niedrigstes soziales Ansehen und höchster Frustrationsgrad als Diskrepanz zwischen Erwartungen und Nicht-Erfüllung von Erwartungen. Anstelle des ausbleibenden Berufserfolges treten sittliche Werte wie Zuverlässigkeit, Ehrlichkeit, Fleiß, Anständigkeit, Familiensinn und die Tendenz zur Anpassung (Funkkolleg Sozialer Wandel 1975, 2, 49).

Die empirische Basis dieser Schichteneinteilung sind die sozialen Zustände in der Bundesrepublik in den Jahren vor und nach 1960, wo vermutlich Sonderbedingungen herrschten, die mit der Nachkriegszeit und dem sogenannten Wirtschaftswunder zusammenhingen, die aber nicht unbesehen auf alle westlichen Industriestaaten übertragen werden dürfen. Ebensowenig ist es statthaft, die sozialen und gesellschaftlichen Bedingungen der USA, die als Hintergrund für amerikanische soziolinguistische Untersuchungen dienen, unbesehen auch für deutsche Verhältnisse anzunehmen.

Solche Merkmalsbeschreibungen gelten nicht universell, wohl nicht einmal für ein einzelnes Land insgesamt. Man muß mit sehr großen Unterschieden auch regionaler Art rechnen. Für das Deutsche ist z. B. ein Nord-Süd-Gegensatz, ein Gegensatz Stadt-Land, eine industrielle und nicht industrielle Gesellschaft anzunehmen. Der Versuch der Soziologen, aus den Sozialdaten Merkmalbündel zu gewinnen und daraus soziale Schichten zu bilden, ist in gleicher Weise mit dem Verdacht der Beliebigkeit behaftet wie das Bestreben der Soziolinguisten, aus sprachlichen Merkmalen sogenannte Sprachschichten, ‚Lekte‘ oder ‚Varietäten‘ zu isolieren und die sprechende Gesellschaft mit solchen Rastern zu taxieren. Für die Existenz sozialer Schichten und Sprachschichten spricht allerdings ein weitverbreitetes Bewußtsein hierüber bei fast allen Leuten. Wichtig scheint, daß bei aller Zweifelhaftigkeit der soziologischen Schichteneinteilung in keinem Modell auf sprachliche Merkmale zurückgegriffen wird. Die Gefahr eines Zirkelschlusses bei einem soziolinguistischen Versuch der Einteilung von Sprachschichten wird also vermieden. Andererseits wäre es wünschenswert, wenn ein sprachliches Schichtenmodell sich ausschließlich auf linguistische Kriterien berufen und auf soziale Merkmale der Sprecherschicht verzichten könnte.

Bei der genannten Unsicherheit in der Abgrenzung sozialer Schichten und der Schwierigkeit zu bestimmen, welche sprachliche Eigenheiten auf Schichtmerkmale oder auf andere Ursachen (Dialekt, Situation, Textsorte, psych. Disposition) zurückgehen, muß größte Vorsicht gelten bei der Annahme von ‚schichtenspezifischen Codes‘, so als spreche jede soziale Schicht ihre eigene Sprache. (Vgl. neuerdings Hasselberg 1983, 91 ff.; K.-H. Jäger 1981,

190, der den Gegensatz Stadt-Land für unterschiedliche Sprachhandlungs-Muster betont.)

3.4. Handlungstaxonomie: Status und Rolle

Während das Konzept der ‚Schichten' zur Einteilung einer Gesellschaft in vertikale Bedeutungsgruppen dient, will die Handlungstaxonomie die Interaktion dieser Gruppen in Aktionseinheiten und -kategorien unterteilen. Dabei gelten ‚Status' und ‚Rolle' als positionale Grundvoraussetzungen jeden Handelns. Status und Rolle gehören zusammen und sind wie Schicht und Gruppe Kategorien der Beobachtung und Beschreibung, nicht des Objektes selbst (Gute Einführungen: Hager u. a. 1973, 146—184; Steinig 1976, 143—165).

Der Rollentheorie liegt die Vorstellung der Theaterrolle eines Schauspielers zugrunde. Der Darsteller übernimmt eine Rolle, die ihm von einem anderen zugeschrieben wird. Die Rolle ist gekennzeichnet durch Aussehen, Verhalten und Redeweise. Auch auf der Bühne gibt es bestimmte Rollen-Typen (‚Statusse') wie den jugendlichen Liebhaber, die mütterliche Alte, den Intriganten oder die Magd, die alle den Regeln von Rollenerwartung und -erfüllung unterworfen sind.

Dieser theatralische Rollenbegriff, den es seit Beginn der Schauspielkunst gibt, wurde relativ spät (1945) in die soziologische Theoriebildung eingebracht (Ralf Linton, „Rolle und Status", amerik. 1945, dt. 1967, Dahrendorf 1969, 33; vgl. Hager u. a. 1973, 163 ff.).

Rollen haben normativen Charakter. Man unterscheidet sogenannte Muß-, Soll- und Kann-Erwartungen je nach dem Verbindlichkeitsgrad der Rollenerwartung. Man spricht von Rollendistanz, wenn jemand über seine Rolle reflektiert, man spricht umgekehrt von Rollenverinnerlichung oder Internalisierung, wenn ein Individuum sich ganz mit der Rolle identifiziert.

Das Rollenkonzept ist auf der Bühne wie in der Gesellschaft begründet durch Arbeitsteilung, bei der verschiedene soziale Funktionen auf mehrere Individuen verteilt sind. Die Einhaltung der Rollen ist unabdingbare Voraussetzung für die Erhaltung eines sozialen Funktionssystems, das man industrielle, arbeitsteilige Gesellschaft nennt. Rollenerfüllung garantiert Erfolg, Nichteinhalten der Rollenerwartungen führt zu sozialem Mißerfolg.

Rollen sind einerseits an einen Status gebunden, sie können sich aber auch erst im Verlauf einer Interaktion aufbauen. Wirkliche Interaktion kommt nach der Auffassung des Symbolischen Interaktionismus (Mead 1968) erst zustande, wenn jeder Aktant die Rolle des Mitaktanten partiell übernimmt oder sich in sie hineinversetzt. Wechselseitige Rollenübernahme und Rollenantizipation sind die Voraussetzungen für den Konsens als einem erwünschten Ergebnis jeder Interaktion (Cicourel 1973, 147 ff.).

Die Fähigkeit der Rollenübernahme und Rollenantizipation setzt den Einzelnen auch in den Stand, seine eigene Position und die Möglichkeiten erfolgreichen Handelns richtig einzuschätzen. Die Befriedigung eigener Bedürfnisse setzt aber die Fähigkeit des Sich-in-andere-Hineinversetzens voraus.

Die Kritik an der Rollentheorie weist vor allem darauf hin, daß sie ein Instrument zur Verfestigung bestehender gesellschaftlicher Verhältnisse sei. Rollenverhalten impliziere Anpassung, und Rollennormen könnten zur Stabilisierung der herrschenden Systeme dienen. Identitätswahrung im rollentheoretischen Sinn sei nichts anderes als Fremdbestimmung. (Steinig 1976, 146 ff.)

Sprachliche Äußerungen können konstituierender Teil von Status und Rolle sein mit entsprechenden Erwartungen und Verpflichtungen an diese sprachlichen Rollen. Aufgabe der Soziolinguistik ist es, nicht nur Varietäten in bezug auf soziale Schichten herauszufinden, sondern auch in bezug auf Status und Rollen, seien es Kurzzeitrollen in einer aktuellen Interaktion oder eher Langzeitrollen als habituelles Verhalten. Solche sprachlichen Rollen müßten in grammatischen Kategorien beschreibbar sein, d. h. man müßte sie als linguistisch faßbare sprachliche Varietäten ausweisen können. Für sprachliche Rollen gilt dasselbe wie für jede Art von Rollen, daß sie nicht aus einem kodifizierten Inventar fester Kennzeichen bestehen, sondern oft erst im aktuellen Sprachspiel sich ergeben und ad hoc erlernt werden können.

Es fällt auf, wie gering der ursächliche Anteil ist, den die Soziologen der Sprache bei der Rollendifferenzierung einräumen. So gibt es kaum soziolinguistische Untersuchungen, die unter Verwendung der soziologischen Rollentheorie bereits zu neuen Erkenntnissen über die Sprachverwendung geführt hätten. Das Konzept einer ,sprachlichen Rollentheorie' hat jedoch einen nicht zu übersehenden heuristischen Wert. Die soziolinguistische Sprachwissenschaft ist aufgerufen, innerhalb der groben Differenzierung zwischen Hochsprache, Umgangssprache, Dialekten und Fachsprachen weitere beobachtbare Unterschiede aufzuzeigen, die man Rollensprache oder Sprachrollen nennen könnte als Bündel sprachlicher Normerwartungen, die je nach Situation, Status und Rolle an die Sprecher herangetragen werden. Mit der Rollentheorie ersteht auch der bisherigen Stilistik eine Möglichkeit, Stil-Varianten situational und interaktional zu erklären. Eine neue Stilistik könnte sich so als ,Rollengrammatik' konstituieren.

3.5. ‚Einstellungen' zur Sprache als soziale Realitäten

Die Gliederung der Gesellschaft in Schichten hat nur begrifflichen Status und kann im Kontinuum der realen Gesellschaftswirklichkeit kaum je nachgewiesen werden. Hingegen werden in den letzten Jahren von der empirischen Sozialforschung und zunehmend auch von der Soziolinguistik Verfahren entwickelt und angewendet, um die gruppenhaften Meinungen und (Vor-)Urteile (‚Stereotypen'. Zum Begriff: Hofstätter 1960) über sich und andere, das sprachliche und nichtsprachliche Gebaren und andere Charakteristika zu erheben (Schönbach 1970; Quasthoff 1973; Dittmar 1973, 221—224).

Die Basis solcher Einstellungsmessungen mag zwar sehr subjektiv und zufällig sein, doch sind die Folgen kollektiver Einschätzung auf einer Beliebtheits-, Erfolgs- oder anderen Werteskala für Beurteiler und Betroffene von hoher Realität. Kollektive Meinungen und Urteile sind in hohem Maße handlungssteuernd und damit wirklichkeitsbestimmend.

Dies gilt nicht nur für die Meinungsträger, sondern über eine Rollenantizipation auch als Fremdbestimmung für die Handlungen und das Sprachverhalten anderer. Vermutet ein Sprecher, daß auf bestimmte phonetische Merkmale, Aussprachen oder Intonationen mit Abneigung, Abwehr oder gar sozialer Verachtung reagiert wird, so wird er solche negativ beladenen Sprechweisen zu meiden versuchen. Einstellungen und Vorurteile können gegenüber ganzen Nationen und Nationalsprachen (Hofstätter 1967) beobachtet werden wie auch gegenüber innersprachlichen Varianten (Subcodes), regionalen Dialekten oder einzelnen sprachlichen Merkmalen, die sozial (soziolektal) markiert sind wie Zungen-r, Nasalierungen, überoffene Vokale, Vokalisierungen von Konsonanten, Archaismen, Regionalismen etc. Werturteile über Sprachen oder einzelne Merkmale sind für eine bestimmte Population an einem Ort in erstaunlicher Weise einheitlich. Entstehung und Begründung von Stereotypen liegen oft weit zurück und sind meistens von Eindrücken und Erfahrungen mit einzelnen Trägern solcher sprachlicher Merkmale abgeleitet. Über familiäre, schulische und andere Vermittlungen werden Vorurteile mit zunehmender Distanz von der Realität verfestigt.

Sprachliche Einstellungen haben für das soziale Zusammenleben strengere Konsequenzen als objektive Sprachdifferenzen zwischen Fremdsprachigen, die bei gutem Willen und positiver Konnotation oft mit anderen Hilfsmitteln (Zeichen) überbrückt werden können (Bsp. Tourismus). So sind Sprachbarrieren nur zu einem Teil in der tatsächlichen, verständnishindernden Systemverschiedenheit zwischen zwei (Fremd-)Sprachen oder Dialekten zu sehen; ein erheblicher Barrierencharakter ergibt sich aus der negativen Einstellung und damit einer geringen sozialen Einschätzung und verminderten Konsensbereitschaft gegenüber bestimmten sozialen oder ethnischen Gruppen.

Die Kenntnis und Erforschung kollektiver Einstellungen zu Sprachen und ihren Sprechern ist eine soziolinguistische Notwendigkeit. Die Instrumente zur Messung solcher Meinungen wurden in den letzten Jahren von der empirischen Sozialforschung und der praktischen Psychologie (semantische Differentialmessung, semantische Profile und Faktorenanalysen: Hofstätter/Lübbert 1958; Hofstätter 1973; 1974; Osgood u. a. 1957) ausgearbeitet. Allerdings haben Messungen sozialpsychologischer Realitäten in der Sprachwissenschaft erst wenig Resonanz gefunden. Derartige Ansätze wurden eher dem Bereich der demoskopischen Meinungsforschung zugewiesen und nicht als seriöse Methoden exakter Linguistik angesehen (Ausnahme: Schönbach 1970; Quasthoff 1973 und neuerdings E. Werlen 1984, 152 ff.; 173 ff.; Besch u. a. 1981/1983 Bd. 2).

Die seit längerem bekannten Beliebtheitsskalen deutscher Dialekte sind längst in ihren Konsequenzen erkannt und dem Bereich folkloristischer Kuriositäten entwachsen (vgl. Bausinger 1972, 20 f., Häring 1981).

In Sprachgrenznähe und Bilingualismussituationen spielen sprachliche Einschätzungen eine wichtige Rolle bei der Entscheidung für den Gebrauch der einen oder anderen Sprache in konkreten Situationen (vgl. Kolde 1980; 1981).

Auch außerhalb solcher Grenz-Situationen kann beobachtet werden, wie Sprach- und Dialektprestige sich steuernd auf das Sprachverhalten (Code-Wechsel, Dialektangleichung) auswirken (vgl. Häring 1981 u. K.-H. Jäger/U. Schiller 1983).

Einstellungen zu innersprachlichen Varianten zwischen Dialekt und Hochsprache haben selbst Konsequenzen für die konkrete Versuchsanordnung in der empirischen Sprachforschung in bezug auf Auswahl der Gewährspersonen, Personenbeschreibung der Exploratoren und Art und Weise der Befragung selbst (E. Werlen 1984). Je nach angenommenem Prestigestatus, den eine Sprachvarietät aufweist, dürfte es ein Explorator schwer oder leicht haben, von einer Gewährsperson echte Sprachproben oder ehrliche Aussagen über bestimmte Sprachvarietäten zu erhalten.

So eröffnet sich in der Messung und Erforschung der subjektiven Meinungen von Sprechergruppen über ihre eigene Sprache und die Sprechweisen der andern und deren praktischen Konsequenzen auf das eigene und fremde

(Sprach)-Verhalten ein weites Feld der empirischen Sprachforschung, das bisher zu Unrecht in die sozialpsychologische oder kommerziell-demoskopische Ecke abgedrängt worden ist.

3.6. Zur Theorie einer ,sozialistischen' Soziolinguistik

Die Soziolinguistik wurde anfänglich von vielen für eine ,linke' oder gar ,sozialistische' Wissenschaft gehalten. Dabei konnte man in der Sprachwissenschaft der sozialistischen Gesellschaften vergeblich nach soziolinguistischen Ansätzen suchen. Die Erforschung gesellschaftlich bedingter Sprachverschiedenheit mußte vielmehr im Widerspruch stehen zu der klassischen Lehre des Marxismus von der sozialistischen Einheitsgesellschaft. Die westliche Soziolinguistik als Sprachbarrierenlinguistik, verbunden mit sozialer Kompensatorik, wurde denn auch von Vertretern der sogenannten ,echten' Linken sehr bald als bürgerliche Alibi- und Systemerhaltungsdisziplin ,entlarvt' (Ehlich u. a. 1971 und 1972; S. Jäger 1971).

Inzwischen gibt es sehr wohl auch eine Soziolinguistik in sozialistischen Ländern, wenn auch unter anderen theoretischen Vorzeichen. Eine systematische Einführung neueren Datums bietet Uesseler 1982. Trotz unterschiedlicher Auffassung über Ursachen und Hintergründe ist der Forschungsgegenstand ,Sprache in ihrer gesellschaftlichen Vielfalt' in Ost und West ungefähr derselbe. (Vgl. den aktuellen Forschungsbericht zur Soziolinguistik in der DDR: Schönfeld 1983.)

In der marxistisch-leninistischen Gesellschaftstheorie hat die Sprache und ihre wissenschaftliche Erforschung einen besonderen Platz. Sprache ist ein „aus den Bedürfnissen des gesellschaftlichen Lebens, insbesondere der Produktionstätigkeit hervorgegangenes und sich selbständig entwickelndes System verbaler Zeichen, das der Formierung der Gedanken im Prozeß des Erkennens der objektiven Realität durch die Menschen dient und den Austausch ihrer Gedanken und emotionalen Erlebnisse sowie die Fixierung und Aufbewahrung des erworbenen Wissens ermöglicht" (Klaus/Buhr 1972, 3, 1033).

Soziolinguistik wird auch verstanden als Grundlagenforschung für staatliche Einflußnahmen oder Sprachlenkung. Aufgabe der Staatsführung oder der herrschenden Klasse ist es danach, die Interessen dieser Klasse mit Hilfe bewußter Sprachlenkung durchzusetzen in der Annahme, man könne durch Sprachlenkung Wirklichkeit verändern (Ising 1974, 10). Aufgabe einer sozialistischen Soziolinguistik, wie sie in der DDR betrieben wird, ist es aber auch, alle Arten der Sprache, die in der Kommunikation Verwendung finden, aufzudecken und auf einen Begriff zu bringen. Für die verschiedenen Varianten, ob Soziolekte oder Dialekte oder Fachsprachen, wird der Oberbegriff ‚sprachliche Existenzform‘ oder ‚Erscheinungsform‘ eingeführt. „Die Soziolinguistik (in der DDR) behandelt vor allem die Probleme der sprachlichen Differenzierung, die sich aus dem Nebeneinander der schriftlichen Norm und regionalen Dialekten samt ihren mannigfachen Übergangsstufen in der Kommunikation ergeben" (Ising 1974, 14). Auch in der DDR ist Soziolinguistik also Varietätenlinguistik. Dies zeigt eindrücklich W. Hartung in seinem Beitrag „Sprachvariation und ihre linguistische Widerspiegelung (in: Hartung, Schönfeld 1981, 73 ff.), wo sich die Terminologie ganz einer ‚Varietätenlinguistik‘ annähert.

Aufgabe einer marxistisch-leninistischen Soziolinguistik muß es jedoch sein, die aufgewiesenen Differenzierungen in einen Erklärungszusammenhang zu stellen, „für die Existenzformen der Sprache die Besonderheiten ihrer Beziehungen zur Gesellschaft zu erklären und diese Existenzformen gleichzeitig als strukturiertes Ganzes aus der Struktur der Gesellschaft abzuleiten" (Ising 1974, 15). Der strukturierten Gesellschaft (— im Westen wird von sozialen Schichten oder Gruppen gesprochen —) entspricht eine ebenfalls strukturierte Sprache, die aber, ähnlich wie die Gesellschaft, trotz aller Verschiedenheit der Teile ein ‚strukturiertes Ganzes‘ darstellt. Offen bleibt dabei das Problem, ob das strukturierte Ganze der Sprache in diesem Fall die ‚deutsche Sprache‘ ist oder nur die ‚Sprache in der DDR‘, wobei man wohl das letztere annehmen muß.

Insbesondere die dialektale Differenzierung, die noch für große Teile des DDR-Gebietes gilt, wird zunehmend in die Beobachtung einbezogen, zumal in der DDR genauso wie in der Bundesrepublik in der Tradition der germanistischen Linguistik die empirische Dialektforschung eine fruchtbare Vergangenheit aufweisen kann. Die dialektale Zersplitterung wird historisch-materialistisch so erklärt, daß die früheren geographischen und verkehrstechnischen Bedingungen eine überregionale Kommunikation nicht erforderlich machten. Im sozialistischen Staat sei die Tendenz zur Einebnung und Vereinheitlichung der gemeinsamen Sprache durch die neuen Produktionsverhältnisse und die mit der kollektiven Arbeitsweise verbundenen neuen Erfordernisse deutlich auf eine Einheitssprache gerichtet.

Man unterscheidet in der Sprache und ihrer eigengesetzlichen Systemhaftigkeit sozioökonomisch neutrale Sprachschichten als Systemvarianten: Dialekte, Umgangssprache und Hochsprache, die nicht unmittelbar auf die Umwelt reagieren. Stilschichten sind andererseits Varianten der Verwendung.

Stilschichten sind funktionsbedingt und richten sich nach den Erfordernissen der Kommunikation und der Gegenstände (Fleischer/Michel 1975, 243 ff.). Hierhin gehören auch die Fachsprachen, die vorwiegend gegenstandsbedingt sind und sich daher im Wortschatz besonders differenzieren (L. Hoffmann 1976; vgl. auch Kap. 5.2.3. [3]).

Soziolinguistik wird auch hier als Variantenforschung verstanden, wobei alle Varianten einerseits sprachimmanent angelegt sind oder als Reaktionen der Sprache auf differenzierte gesellschaftliche und kommunikative Bedürfnisse gesehen werden (vgl. neuerdings auch: Hartung/Schönfeld 1981).

3.7. Zur Methode der empirischen Soziolinguistik

Die Soziolinguistik ist bei aller Theorie- und Modellbildung auch und vor allem eine empirische Wissenschaft, d. h. sie ist auf die Sammlung, Aufbereitung und hinlängliche Erklärung beobachtbarer Daten angewiesen. Sie ist von ihrer Konstitution her sowohl der spekulativen Theorie und ‚Introspektion' wie auch der positivistischen Empirie in gleichem Maße verpflichtet. Je nach Standpunkt wird einmal mehr die spekulative Seite betont: „Es gibt keine rein beobachtende Wissenschaft, sondern nur Wissenschaften, die mehr oder minder bewußt und kritisch theoretisieren. Das gilt auch für die Sozialwissenschaften." (Hess-Lüttich 1977, 10 nach Karl Poppers 21 Thesen zur ‚Logik der Sozialwissenschaften'.) Auf der anderen Seite wird einer theoretisch-spekulativen Wissenschaft ohne empirische Grundlage die Legitimation zu gültigen Aussagen geradewegs abgesprochen (Schank 1973, 21). Beide Auffassungen bestätigen den ‚integrativen' Charakter der Soziolinguistik als eine spekulative Wissenschaft auf empirischer Grundlage.

Soziolinguistik als die Erforschung der Sprache des „Konsoziums", nicht des Individuums (Große/Neubert 1976, 11) ist auf Fremderfahrung angewiesen. Zu einer vollständigen ‚Theorie' der Soziolinguistik gehören also auch die Methoden der empirischen Sprach- und Sozialforschung. Die Methoden der Spracherhebung können dabei auf die Tradition der Dialektforschung zurückgreifen. In den letzten Jahrzehnten wurden durch die empirische Sozialforschung die Techniken der Sprach- und der Sozialdatenerhebung beträchtlich verfeinert.

3.7.1. Stufen des Vorgehens

Anstelle einer systematischen ‚Methodik' seien hier die wichtigsten Etappen oder Schritte skizziert, an die sich jede soziolinguistische Untersuchung mehr oder weniger schematisch hält. Man unterscheidet bei der Datenerhebung drei Stufen: (1) die Erhebungsstufe, (2) die Aufbereitungsstufe und (3) die Korrelations- oder Erklärungsstufe.

1. Erhebungsstufe

Zur Erhebungsstufe gehören folgende Schritte: (1) Befragungstechniken mittels (a) Fragebogen (= indirekte Befragung), (b) Interviews (= direkte Befragung), (c) Fragebogen, Fragebuch in Interviewtechnik (= kombinierte Methode oder ‚gezieltes' Interview) und schließlich (d) teilnehmende Beobachtung (vgl. R. König 1973, Bd. 2).

(1) Befragungstechniken:

In der empirischen Sozialforschung wird immer wieder vom sogenannten ‚Beobachterparadox' gesprochen (Labov 1971, 171—177; Dittmar 1973, 235—239; Hess-Lüttich 1977, 15 u. 24), wonach Ziel einer Sprach-Erhebung sei, die sozialen und kommunikativen Prozesse in ungestörtem Verlauf zu beobachten, — und gerade durch den Prozeß des Beobachtens werde eben diese Ungestörtheit beeinträchtigt. Somit seien alle Daten nur bedingt objektiv, so wie in der Physik beim Messen von sehr kleinen Quantitäten (z. B. Temperaturen) oder Vorgängen, das zu grobe Meßinstrument das Ergebnis verfälsche. Das ‚Paradoxon' ist jedoch nur ein scheinbares. Die objektive Darstellung und Interpretation eines natürlich verlaufenden, ungestörten Sprachprozesses dürfte eine Fiktion sein, wenn man die Anwesenheit Dritter als Beeinträchtigung der Natürlichkeit ansieht. Stellt man die Anforderungen an das Forschungsobjekt so, daß man Kommunikationsprozesse in bestimmten Situationen, also auch unter Anwesenheit eines Dritten, beobachten will, so besteht das Beobachterparadox nicht. Die traditionell durch Fremdbeobachtung gewonnenen Kenntnisse der Ethnologie, der Volkskunde oder Dialektologie müßten sonst alle als ungültig angesehen werden. Wichtiger als die Verwischung der Beobachtersituation scheint bei der Erhebungsphase zu sein, daß der Explorator seine Vorgehensweise im einzelnen durch ein explizites Forschungsziel und Erkenntnisinteresse legitimiert.

Er muß von jeder Frage, die er stellt, wissen, warum und wofür er sie stellt und wozu sie am Ende gut sein soll. Es gibt keine universellen Erhebungen und Befragungen, die sozusagen auf Vorrat angelegt und später zu allen möglichen Zwecken ausgewertet werden könnten. Erhebungen sind immer projektgebunden. Als weiterer Grundsatz kann gelten, daß Vorgänge und Zustände, die durch Beobachtung zerstört und verfälscht würden, wahrscheinlich auch jenseits einer Tabu-Schwelle liegen, die mit Recht zwischen der zu schützenden Privatsphäre und einem legitimen wissenschaftlichen Interesse des Beobachters besteht und respektiert werden muß. Gerade in der empirischen Phase der Soziolinguistik ist diese natürliche Hemmschwelle öfters überschritten worden.

Mit dem Stichwort ,Datenschutz' wird dieses Problem der Veröffentlichung persönlicher Sozialdaten und Sprachverhaltensmerkmale oder Fehler neuerdings auch in der Linuistik diskutiert. Hier erweist sich einmal mehr der besondere Charakter der Soziolinguistik als eine aktuelle ,Gegenwartswissenschaft'. Die Befragungstechniken brauchen im einzelnen nicht dargestellt zu werden. Es sei auf die entsprechenden Veröffentlichungen (R. König 1973 Bd. 2; Löffler 1980, 45 ff., Bielefeld 1977 u. a.) und die Methodenbeschreibungen in den neueren empirischen Arbeiten zur Soziolinguistik verweisen. Im Gegensatz zu älteren empirischen Arbeiten gehört es zum soziolinguistischen Verfahren, daß die einzelnen Vorgehensschritte einer Untersuchung bekanntgegeben und begründet werden.

(2) Notationstechniken für sprachliche und nichtsprachliche Äußerungen:

Für die Notation sprachlicher Äußerungen bietet sich die normale Schrift an. Sollen phonetische Besonderheiten aufgezeichnet werden, können bestimmte Alphabete und Transkriptionssysteme verwendet werden (Löffler 1980, 65 ff.). Für die Notation nonverbaler Äußerungen (Gestik, Mimik, Körperhaltungen und -bewegungen) wurden in letzter Zeit verschiedene Notationsvorschläge gemacht, die sich jedoch alle noch nicht recht bewährt haben. Vor allem ist das Problem der Notation komplexer Redekonstellationen und -abläufe mit mehreren Beteiligten noch nicht gelöst. Durch die neue Technik der Video-Aufzeichnung mit beliebiger Wiederholbarkeit wird eine Transkription zwar nicht überflüssig, die Möglichkeit zu partiturähnlichen Transkripten mit mehreren Ebenen und Kommunikationskanälen wird hierdurch jedoch erheblich verbessert. Beispiele komplexer Transkriptionen finden sich bei Henne/Rehbock 1979, 89 ff.; Ehlich/Rehbein 1979, 1981; Frey u. a. 1981; Hirsbrunner u. a. 1981).

Neben den grundsätzlichen Notationsproblemen stellt sich für alle Daten größeren Umfangs die Frage nach der Maschinenlesbarkeit und EDV-Aufbereitung. Auch hier muß die Entscheidung zu einer bestimmten Technik vom Forschungsziel und nicht vom Vorhandensein einer Möglichkeit abhängig gemacht werden. Selbst bei manueller Bearbeitung und Auswertung können bestimmte Formulartechniken und Mechanisierungen sich als rationell erweisen und auch größere Mengen noch bearbeitbar machen.

(3) Die Speicherung:

Notation und Speicherung gehören im Grunde zusammen. Manche Primär-transkriptionen müssen zur Speicherung noch einmal transcodiert werden. Die Art und Technik von Primär- und Sekundär-Kodierung und die Wahl der technischen Speicherungsmittel (Tonband, Videotape, Protokoll, Lese-bogen, Frage- oder Antwortformulare, Translitterationen, teilaufbereitete Corpora in Maschinen- oder ‚Menschen'-Lesbarkeit) hängen wie die Befra-gungstechnik selbst wiederum vom intendierten Forschungsziel ab. Der Vor-teil des schnellen Zugriffs zu großen Datenmengen und der maschinellen Bearbeitung und Berechnung von Korrelationen und Signifikanzen muß in der Regel durch einen immensen Kodierungsaufwand erkauft werden. Der vorgesehene Einsatz bestimmter Speicherungs- und Auswertungsapparaturen kann so wiederum auf die Art der Erhebungstechnik und die vorgesehene Menge an Daten zurückwirken. Gerade wegen der neuen Möglichkeiten zur Bewältigung großer Datenmengen um den Preis stupider Einlese- und diffi-ziler Programmierbarkeit ist eine exakte Formulierung des Forschungszieles und des Erkenntnisinteresses im Vorfeld eines Unternehmens von besonde-rer Wichtigkeit.

2. Aufbereitungsstufe

Nachdem das Material erhoben, notiert, transcodiert und gespeichert ist, wird es nach inhaltlichen oder formalen Kriterien segmentiert und klassifi-ziert, d. h. die Sozialdaten, die Interaktionsschritte und die sprachlichen Äußerungen werden soziologischen, handlungstheoretischen und linguisti-schen Kategorien zugeordnet. Aus Sozialdaten werden Schichten oder soziale Gruppen herausgefiltert, aus nonverbalen Informationen werden Situationstypen konstruiert, aus sprachlichen Äußerungen werden Sprech-akte, Erzählschritte oder bestimmte Sprachverwendungsweisen abstrahiert. Diese Aufbereitung der ‚Rohwerte' ist besonders schwierig, da sich die Kate-gorien erst nach ihrer Relevanz in bezug auf das Untersuchungsziel heraus-bilden müssen. Das Segmentieren und Abzählen von Konjunktiven, be-stimmten Wörtern, Satzmustern, Sprechakten, Satzkomplexen, der semanti-schen Dichte oder der Linearität der Gedankenfolgen haben nur im Hin-blick auf ein bestimmtes Untersuchungsziel einen Sinn. Die Aufbereitung in quantifizierbare Größen ist jedoch nötig, um Daten aus den drei Merkmals-bereichen oder ‚Dimensionen' Sprache, Sozialcharakteristik und Interaktion überhaupt in eine ursächliche oder determinative Relation zu bringen. Die Anwendung statistischer Verfahren wie Gewichtung der Daten, Durch-schnittswert- oder Mittelwert-Bestimmung (Mediane), Korrelierungsverfahren oder Validitäts(= Gültigkeits-)-, Reliabilitäts(= Echtheits-)- und Signifikanz(= Aussagekraft)-Tests sind nur sinnvoll, wenn die Rohdaten inhaltlich, das heißt nach fachspezifischen Gesichtspunkten ‚gewichtet‘ sind. Die qualitative Aufbereitung der Daten ist auch Bedingung dafür, daß die Ergebnisse der statistischen Rechenverfahren, die in Zahlenform tabellarisch vorliegen, für die Interpretation wieder ‚sprechend‘ gemacht werden können.

Die statistischen Verfahren ermöglichen es, einerseits große Datenmengen zu bewältigen, andererseits aber auch, auf Grund von Stichproben bei einer Auswahlgruppe (Sample) Schlüsse auf die gesamte Population zu ziehen.

Die Signifikanztests sollen dabei Zufälle ausschließen. Oft wird die Leistung der Statistik gerade von Nichtfachleuten überschätzt. Eine breitere Materialbasis, Gegenproben, Sample-Erweiterung, Kontrollaufnahmen, durchdachtere Kriterienkataloge sind für die Gültigkeit der Ergebnisse oft wichtiger als umständliche Rechenoperationen über zu kleinen Stichproben.

(Zu den statistischen Verfahren: Clauss/Ebner 1971; R. König 1973 Bd. 3a und 3b; Muller 1972; Walker 1970; vgl. auch die in den konkreten Untersuchungen angewandten Verfahren und Techniken, die jeweils genau beschrieben sind.)

3. Korrelations- oder Erklärungsstufe

Nach der statistischen Aufbereitung ist die Deutung und Interpretation der Ergebnisse als letzter Schritt wiederum Aufgabe der theoretischen Soziolinguistik. Deutung der Korrelations-Befunde als Aufdeckung von Ursachen ist nur möglich im ‚Erklärungsrahmen‘ eines soziolinguistischen Modells, welches Abläufe, Relationen, Faktoren und Konstituenten bereits im Vorgriff auf mögliche Ergebnisse simulieren kann. Erst die Rückführung der Zahlenwert-Korrelationen in den ursprünglichen Modellzusammenhang, von dem die empirische Untersuchung ausgegangen war, führt zur eigentlichen Deutung. Dabei kommt die ‚Introspektion‘ als Rückgriff auf allgemeine Einsichten und Welterfahrungen trotz gesicherter Datenbasis wiederum zur Geltung. Die Faktoren- und Variablenanalysen lassen nämlich mehrere Begründungen und Einordnungsmöglichkeiten zu, da nur selten eine Monokausalität anzunehmen ist.

Da die Soziolinguistik vorwiegend mit sprachlichen Daten arbeitet, ist ihr Hauptproblem nicht nur der Einsatz statistischer Verfahren mit oder ohne elektronischer Datenverarbeitung, sondern die Tatsache, daß sich komplexe Beobachtungsphänomene, die in einem Kontinuum ablaufen und vom Betrachter nur ausschnittweise und simultan wahrgenommen werden, erst einmal zählbar gemacht werden müssen. Vor jedem Rechenverfahren muß daher Klarheit herrschen über die Relevanz der verwendeten linguistischen Kategorien in bezug auf eine zu untersuchende Sprechergruppe und das anvisierte Untersuchungsziel. Die Vorauskenntnis der vermutlichen Zusammenhänge ist nötig, um das Erhebungsverfahren mit Informantenauswahl, Fragenkatalog, Auswertungskriterien, dem vermuteten Ergebnis oder der Generalhypothese anzupassen. Fehler im Vorfeld der Statistik lassen sich auch mit Rechenoperationen nicht wieder ausgleichen. Neben den erwähnten Rechenverfahren kann daher auch der ‚gesunde Menschenverstand‘, die kommunikative Kompetenz bzw. die allgemeine Welterfahrung des Forschers durchaus als Garantie der Authentizität dienen.

Fehler in der grundsätzlichen Anlage eines Projekts sind auch deshalb verhängnisvoll, weil die meisten größeren Unternehmungen im Grund unwiederholbar sind. Die allgemeinen Bedingungen wechseln rasch, und selten hält sich eine Untersuchungsgruppe ein zweites Mal nach längerer Zeit zur Verfügung. Überhaupt gilt die Nichtwiederholbarkeit empirischer Beobachtungen im Sprachbereich — zwar nicht theoretisch, aber doch im praktischen Einzelfall — als besonderes Erschwernis der empirischen Sprachforschung.

3.7.2. Beispiele

Zur Illustration der Grundsätze des empirischen Vorgehens der Soziolinguistik sollen im folgenden einige neuere Projekte der germanistischen Soziolinguistik vorgestellt werden. Der Schwerpunkt der Darstellung wird sich dabei recht schematisch an die eben dargelegten methodischen Schritte halten. Die Auswahl richtet sich nach den in einem unlängst erschienenen Methodenband dargestellten Projekten, deren Auswahl einen thematisch repräsentativen Querschnitt der germanistischen Soziolinguistik darstellt. Der Vorteil dieser Auswahl liegt darin, daß die methodischen Ausführungen von den Projektteilnehmern selbst stammen, so daß sie nicht erst nachträglich rekonstruiert werden müssen.

Der besseren Übersichtlichkeit wegen sollen die Projekte stichwortartig nach folgendem Raster vorgestellt werden nach:

1. Ziel
2. Art und Auswahl der Gewährspersonen (Probanden)
3. Aufnahmeverfahren für Sozial- und Sprachdaten
4. Auswertungs- und Korrelationsverfahren
5. Ergebnisse (und Interpretationen)
6. Parallel-Untersuchungen (thematisch)

(1) Sprachvariation und Sprachwandel in gesprochener Sprache ('Erp-Projekt'; Besch-Mattheier 1977, 30—52; 7 Mitarb.)

Ziel: Probleme des Sprachwandels unter dem Einfluß von Verstädterung und Industrialisierung. Sprachveränderung bei Berufspendlern.

Auswahl der Probanden: Alle 356 männlichen Berufstätigen einer Wohngemeinde (Erp/Erfstadt) im Einzugsgebiet Köln: Von 356 Personen wurden die Sozialdaten erhoben, 120 davon wurden in die Sprachuntersuchungen einbezogen.

Aufnahmeverfahren: Die Sozialdaten wurden mit einem Fragebogen und durch persönliche Befragung ermittelt.

Die Sprachdaten wurden in Interviewform in einem Gespräch von 40 bis 60 Minuten in drei Stufen aufgenommen: 1. Freies Gespräch zwischen zwei Informanten, 2. Interview zur beruflichen Tätigkeit, 3. Interview zur Sprachempfindung und sprachlichen Einschätzung.

Auswertungsverfahren: Zunächst wurden die sprachlichen Äußerungen transkribiert, nach grammatisch/linguistischen Kategorien klassifiziert und besondere Merkmale dann mit bestimmten Merkmalen der Sozialdaten korreliert.

Ergebnisse: Die Publikation ist angekündigt. Der erste Band mit der Versuchsbeschreibung und Band 2 über Sprecherurteile liegen vor (Besch u. a. 1981/1983).

Ähnliche Projekte: 'Schwarzwaldprojekt', Ruoff 1973, 111 ff. und Einzelprobleme der Tübinger Arbeitsstelle [TA]; Muhr 1981.

(2) Pidgin-Deutsch spanischer und italienischer Arbeiter ('Heidelberger Forschungsprojekt') (Dittmar/Rieck 1977, 59—89; 9 Mitarbeiter)

Ziel: „den verbalen und in der Regel stark abweichenden Gebrauch des Deutschen durch ausländische Arbeiter soziolinguistisch zu beschreiben". „Prozeß der Deutscherlernung spanischer und italienischer Arbeiter" (S. 59 f.).

Probanden: 48 Informanten aus dem Bereich des Arbeitsamtes Heidelberg.

(Große Schwierigkeiten bei der Informantensuche und Kontaktaufnahme) (S. 59)

Aufnahmeverfahren: Interviewtechnik in einem nichtstandardisierten Verfahren in drei Stufen:

1. Informelle Erläuterungen zur Kontaktaufnahme (Sozialdatenerfragung)

2. Zielgerichtetes Gespräch anhand eines „Leitfadens"

3. Zwanglose Unterhaltung zur Vertiefung des Kontaktes.

Sprachcorpus: Pro Interview zwischen 10 und 30 Minuten (∅ 15 Min.). Text über verschiedene Themen: Herkunft, individuelle Situation, Übersiedlung, Arbeitsplatz, Wohnsituation, Freizeit, Unfall, Krankheit, Rückkehr.

Auswertungsverfahren: Transkription von 48 gleich großen Segmenten der Interviewtexte und syntaktische Analyse mit 101 Phrasenstrukturregeln. Feststellung der Häufigkeit des Vorkommens der einzelnen Regeln pro Informant. Jedem Informanten wurde so ein ‚syntaktisches Profil‘ zugeschrieben.

Ergebnisse: Es gibt regelhafte Stufen der ‚natürlichen‘ Erlernung des Deutschen durch Fremdsprachige:

1. Stufe: Nominale Einwortsätze: „*Mann — Bahnhof*"
2. Stufe: Verbale Erweiterungen: „*Koffer — Tragen*"
3. Stufe: Sätze mit Subjekt: „*Mann Koffer tragen*"
4. Stufe: Pronominalisierungen: „*Du tragen Koffer*"
5. Stufe: Komplexere Formen: „*Du tragen langen Balken fort*"
6. Stufe: Adverbialsätze, Kopula, Modalverb etc.
7. Letzte Stufe: Auxiliare, Verberweiterungen, Kopula, Modalverben, Nominal-/Attributsätze.

Die Stufen der Erlernung sind an keine bestimmte Zeitdauer gebunden. Es gibt günstige und ungünstige ‚soziale‘ Faktoren in folgender Reihenfolge der Wichtigkeit:

1. Kontakt in der Freizeit
2. Alter bei der Einreise
3. Kontakt am Arbeitsplatz
4. Ausbildungsqualität in der Heimat
5. Ausbildungsdauer (Schulbesuch)
6. Aufenthaltsdauer

(Ergebnisdarstellung: ‚Heidelberger Forschungsprojekt‘ 1975)

(3) ‚Arbeitersprache‘ (Bielefeld/Lundt 1977, 97—135; 5 Mitarbeiter)

Ziel: Zu untersuchen, „wie unter den Bedingungen schichtspezifisch divergierender Sprach-, Handlungs- und Erfahrungsstrukturen sprachlich vermittelte Bildungsprozesse ablaufen". „Erfahrungen aus der Studentenbewegung, daß Gespräche zwischen Studenten und Arbeitern in der Regel an ‚Sprachbarrieren‘ scheitern . . ." (S. 97).

Probanden: 25 Arbeiter (von 35 zugesagten) aus Berlin. Auswahl aufgrund persönlicher Kontakte, nachdem betriebliche und gewerkschaftliche Kontakte fruchtlos geblieben waren.

Aufnahmeverfahren: Informelles Interview nach Gesprächsleitfaden auf Tonband mit schriftlichem Protokoll des nichtverbalen Verhaltens (kein Video!), freie Themen. Transkription und sprachliche Analyse nach Kategorien der Erforschung gesprochener Sprache des Instituts für deutsche Sprache (Texte I 1971).

Ergebnisse: (Aufgrund einer exemplarischen Einzelanalyse S. 121 ff.) Die ‚Arbeitersprache' ist gekennzeichnet durch: elliptischen Redestil, mangelnde Beherrschung der geforderten Kommunikationsform, hochgradigen Konkretismus, Vorherrschen von deiktischen und indexikalischen (d. h. situationsabhängigen) Ausdrücken. Hohes Maß an Taktilität, stereotype Ausdrücke, soziale Topoi („der Arbeiter ist benachteiligt, auf der ganzen Linie", S. 124), Behauptungshandlungen (performative Ausdrucksweise: *„nu werd ick ihnen mal wat sagen:…"*

Ähnliche Projekte: Bottroper Protokolle; Studentisches Seminar Bochum 1970; Schönfeld/Donath 1978, Senft 1982.

(4) Schichtenspezifischer Sprachgebrauch von Schülern (Jäger/Küchler 1977, 141—164; 14 Mitarbeiter und 30 Hilfskräfte)

Ziel: Den Zusammenhang zwischen Sprachgebrauch und sozialen Merkmalen zu erforschen; eine möglichst repräsentative Kontrolluntersuchung zum Sprachbarrierenbegriff (S. 157). Soziale Parameter sind: Kindsein, Alter als Sozialisationsstufe, Geschlecht als soziologische Größe, soziale Herkunft.

Probanden: 240 Schüler aus 16 Duisburger Schulen. 160 Grundschüler, 40 Hauptschüler, 40 Gymnasiasten (ausgewählt aus einer Gesamtzahl von 600 Kindern).

Aufnahmeverfahren: Einem Teil der Klasse wird ein Stummfilm vorgeführt. Jeder Proband muß den Inhalt des Filmes einem Kind des anderen Teils der Klasse erzählen. Erzähldauer ca. 15 Minuten. Aufnahme auf Tonband.

Auswertungsverfahren: Sprachliche Segmentierung erfolgte nach ‚Ereignissegmenten' und ‚Ereignisfolgen' (d. h. nach erzählstrukturellen Kategorien) oder nach ‚Spielzügen' und deren Elementen. Die sprachlich aufbereiteten Daten wurden mit Hilfe von EDV mit den Sozialdaten korreliert.

Ergebnisse: Eine genaue Darstellung der Einzelergebnisse findet sich im 3. Bd. der Projektbeschreibung „Warum weint die Giraffe?" (Jäger 1978, 462 ff. u. 517 ff.). Hier einige Ergebnisse in Kurzfassung: Unterschichtskinder zeigen schlechtere Ergebnisse in folgenden Bereichen: 1. Logische Schlußfolgerung; 2. Aufnahme und Wiedergabe von Sachverhalten; 3. Plastisches Erzählen; 4. Strukturierung von Handlungen; 5. Ökonomie der Verbalisierung; 6. Erzählfluß; 7. Verwendung dialogischer Mittel; 8. Abstraktion; 9. Normbeachtung; 10. Wahl geeigneter Mittel überhaupt; 11. Anteil der Schülereinzelleistung an einer Gruppenleistung; 12. Detailliertes Erzählen (S. 517 ff.). Im einzelnen: Unterschichtskinder gebrauchen weniger Verben, weniger stellungnehmende Elemente, heben Handlungsintensität hervor (*„sehr traurig"*). Jungen verwenden einen nüchterneren Stil als Mädchen. Mädchen haben mehr ‚Verbalprädikate' (*„bitterlich weinen"*), verwenden weniger dynamische Verben; 14jährige kommentieren häufiger als 10jährige usw. (S. 462 ff.).

3.7.2. Beispiele

Projekte desselben Themenbereichs:

Oevermann 1972, H. Bühler 1972, Ort 1976, Neuland 1975, Klann 1972, Steinig 1976, Mihm 1981.

(5) Schulschwierigkeiten von Dialektsprechern (Ammon 1977, 165—183)

Ziel: Nachweis, daß Dialektsprechen in Deutschland (im Schwäbischen) zu schulischer Chancenungleichheit führt und daß Dialektsprechen ein Zeichen der sozialen Unterschicht-Zugehörigkeit (Arbeiter, Landwirte) ist.

Probanden: 457 Schüler aus 14 Klassen der 4. Grundschulstufe (9 bis 11 Jahre) aus verschiedenen Dörfern im Kreis Reutlingen/Baden-Württemberg und aus der Stadt Reutlingen.

Aufnahmeverfahren: Vereinfachte Sozialdatenerhebung: Berufsangabe der Eltern (aufgeschlüsselt nach Dauer der Schulbildung, Berufsprestige und geschätztem Einkommen). Stadt/Land-Unterschied; ferner wurde von allen Probanden ein „sprachfreier" Intelligenztest (RAVEN-Progressive-Matrizes-Test) angefertigt. Die Einweisung in Dialektsprecher, gemäßigte Dialektsprecher und Einheitssprachesprecher erfolgte nach dem Vorkommen bestimmter dialektaler Merkmalbündel (‚Dialektniveaubestimmung', vgl. Ammon 1973 a, 159 ff.). Sprachaufnahme: Alle Probanden hatten (1) ein Diktat (mit eingebauten ‚Interferenzfallen'), (2) einen Aufsatz zu schreiben. Beobachtet wurde ferner die (3) Lesegeschicklichkeit und (4) die Unterrichtsbeteiligung der Schüler. Schließlich wurde (5) das Lehrerurteil über die Unterrichtsbeteiligung der einzelnen Schüler erfragt, (6) die Noten in den Fächern Deutsch und Mathematik. (7) In einem ‚matched guise'-Verfahren wurden einigen erwachsenen Probanden zwei Sprachaufnahmen desselben Sprechers vorgelegt, der denselben Text einmal mit dialektalen Merkmalen, das andere Mal in Hochlautung vorspricht.

Auswertung: Die sprachlichen Äußerungen in Form der Diktate, Aufsätze und Leseproben wurden einer Fehleranalyse unterzogen. Die Fehlerarten und -anteile wurden dann mit den Faktoren: ‚Dialektsprecher', gemäßigter Dialektsprecher' und ‚Einheitssprecher' verglichen.

Ergebnisse:
1. Dialektsprecher machen in Diktaten mehr Fehler überhaupt und vor allem dialektbedingte Fehler.
2. Dialektsprecher haben auch in Aufsätzen mehr Fehler. Sie schreiben aber nicht unbedingt die kürzeren Aufsätze. Sie verwenden jedoch weniger verschiedene Wörter.
3. Dialektsprecher machen beim Lesen mehr Pausenfehler, mehr Intonationsfehler, Satzakzentfehler und ‚Verleser'.

4. Dialektsprecher beteiligen sich auffallend weniger am Unterricht und machen wesentlich kürzere Äußerungen (nur 0,7 % der Äußerungen haben mehr als drei Wörter; bei Nichtdialektsprechern: 1,2 %).

5. Das Lehrerurteil über Unterrichtsbeteiligung ist bei Dialektsprechern fast doppelt so schlecht als bei anderen Schülern.

6. Die Noten in den Fächern Deutsch und Mathematik bestätigen das negative Urteil: Dialektsprecher haben schlechtere Noten.

7. Der Einschätzungstest aufgrund der Aussprache (derselben Person) ergab: Dialektsprecher gelten als weniger intelligent, ungebildeter, weniger angesehen, einflußloser, ökonomisch schwächer.

(Gesamtdarstellung: Ammon 1978)

Ähnliche Projekte: Hasselberg 1976; 1979; Henn 1979; Reitmajer 1981.

II. Spezieller Teil

Soziolinguistik des Deutschen

4. Das Deutsche und seine Sprecher oder: Soziologie des Deutschen

4.1. Vorbemerkung

Soziolinguistik befaßt sich mit dem Zusammenhang von Sprache und Gesellschaft oder Sprachstruktur und Gesellschaftsstruktur. Ihre Frage lautet: In welcher Gesellschaft gilt welche Sprache? Oder: Welcher Kultur ist welche Sprache als Ausdrucksträger zugeordnet? So fragt die ‚germanistische‘ Soziolinguistik entsprechend: Wer spricht eigentlich welches Deutsch, welchen Sprechergruppen, Nationen, Kulturen, Gemeinschaften ist die deutsche Sprache als Ausdrucksträger zugeordnet? Die Fragestellung ist nicht nur aus einem systematischen Einteilungszwang heraus zu stellen. Wäre die Antwort nämlich die, daß die Sprecher des Deutschen die Deutschen in Deutschland seien, so müßte sie als trivial gelten. Da aber die deutsche Sprache in vier Ländern Staatssprache ist und darüber hinaus noch vielfach in der Welt bei einzelnen Gruppen vorkommt, ist die Frage nach den Sprechergemeinschaften durchaus berechtigt und gehört bereits zu den ‚schwierigen‘ Problemen einer germanistischen Soziolinguistik. Die Verbreitung der deutschen Sprache läßt sich nicht beantworten ohne die zusätzliche Frage, was eigentlich ‚das Deutsche‘ sei, so daß man sagen könne, eine Sprachgemeinschaft spreche ‚deutsch‘. „Was ist Deutsch?“ und „Wer spricht deutsch?“ sind also vorzügliche Themen einer germanistischen Soziolinguistik (vgl. Steger 1980, 348).

4.2. Was ist Deutsch?

Sprachhistorisch-genealogisch läßt sich diese Frage einigermaßen klar beantworten: Deutsch ist jene aus dem Westgermanischen durch die ‚Hochdeutsche Lautverschiebung‘ herausgelöste Dialektgruppe, aus der sich seit dem

15. Jahrhundert eine überregionale Schriftsprache gebildet hat mit mehreren regionalen Varianten im gesprochenen Bereich. Es ließen sich noch eine Reihe sprachstruktureller Merkmale dieser germanisch-stämmigen Literatursprache nennen, um sie gegen die lateinisch orientierten romanischen Nachbarn einerseits und gegen die lexikalisch verwandten germanischen Nachbarsprachen im Norden (Niederländisch, Englisch, Dänisch) als auch gegenüber den slawischen Sprachen im Osten abzugrenzen. Die genealogisch-strukturelle Kennzeichnung ist jedoch nicht gemeint, wenn die Soziolinguistik fragt, was mit ‚Deutsch‘ gemeint sei und wer eigentlich deutsch spreche. Das Deutsche kann die geschriebene Literatur- und Kultursprache, es kann die gesprochene Hochsprache sein als genormte Sprechvariante der Schriftsprache, es kann eine landschaftliche Abwandlung oder ein historischer Dialekt sein. Diese Möglichkeiten gelten bereits im deutschsprachigen Binnenland. Wenn Deutsch auch in nichtdeutschsprachigen Ländern vorkommt, wird die Frage komplizierter: Gilt in Südtirol (Italien) die deutsche Sprache, spricht man im Elsaß, in Lothringen (Frankreich) oder in Luxemburg deutsch? Zählt man jene Personen zu den Sprechern des Deutschen, die z. B. in Danzig oder Oberschlesien als ehemalige deutsche Staatsangehörige, nun aber bereits seit 35 Jahren polnischer Nationalität, zu Hause unter sich noch einige deutsche Ausdrücke benutzen? Gehört Pennsylvania in den USA zum Verbreitungsgebiet des Deutschen, weil dort in manchen Orten noch ein hessisch-pfälzischer Dialekt bekannt ist, das sogenannte ‚Pensilfanische‘? Ein neueres Konversationslexikon macht es sich vergleichsweise einfach, wenn es unter dem Stichwort ‚Deutsche Sprache‘ heißt: „Deutsche Sprache (ist) die Muttersprache der deutschen Sprachgemeinschaft“ (Brockhaus Enzyklopädie Bd. 4, 1968, 576). Vor über hundert Jahren wußte es die Enzyklopädie schon einmal genauer:

> „Am gewöhnlichsten bezeichnet man damit die im eigentlichen Deutschland oder vielmehr in den Gebieten, in welchen man sich des Hochdeutschen als Literatursprache bedient, herrschenden Sprachen und Mundarten (natürlich die Schriftsprache inbegriffen).“ (Meyers Konversationslexikon Bd. 4, 1889, 786)

Ob das Niederländische ein deutscher Dialekt oder überhaupt zum Deutschen zu zählen sei (Goossens 1976) oder ob im Elsaß deutsch gesprochen wird, ist damit noch nicht geklärt. Die germanistisch-linguistischen Nachschlagwerke der neueren Zeit schweigen sich über das soziolinguistische Thema ‚Deutsch‘ ganz aus. Die neubearbeitete zweite Auflage des ‚Lexikons der germanistischen Linguistik‘ von 1980 hat keinen Artikel ‚Deutsch‘ oder ‚Deutsche Sprache‘.

Die Schwierigkeit, den Begriff ‚Deutsch' nach Umfang und Inhalt zu bestimmen, hat mehrere Gründe. Eine Sprache ist zwar eng mit einer Kulturgemeinschaft verbunden, doch muß der Sprachbegriff Deutsch vom Nationalitäts- oder Kulturbegriff ‚deutsch' getrennt werden. Sprachgemeinschaft kann in einem weiteren Sinn die Gesamtheit aller Sprecher oder Sprachteilhaber an einer historisch-genetisch kennzeichenbaren Kultursprache sein wie dem Englischen, dem Französischen oder Deutschen, sie kann sich eng gefaßt auch nur auf eine gemeinsame Sprachlichkeit beziehen. Deutsch ist aber weder mit einem bestimmten Staatsgebiet noch mit einer eindeutig abgrenzbaren Sprachgemeinschaft eindeutig zu verbinden.

Deutsch steht als Ober- oder Überbegriff für eine Reihe möglicher Haupt- und Neben-Existenzformen. Der ‚Normalfall' gilt in den vier deutschsprachigen Ländern Bundesrepublik Deutschland (D), Deutsche Demokratische Republik (DDR), Österreich (A) und Schweiz (CH). Hier kommt Deutsch in drei Erscheinungsweisen vor:

1. Als Schriftsprache, die in ihrer Grundgrammatik und Orthographie nach dem Vorbild der Literatursprache streng und einheitlich normiert ist. 2. Eine an der hochsprachlichen Einheitsnorm orientierte, gepflegte Sprechsprache mit genormten Grundregeln, die jedoch regionale Varianten zuläßt (gemäßigte Hochlautung). Diese Standard-Sprechsprache dient dem öffentlichen Gebrauch in manchen Regionen und bei sozial höher stehenden Gruppen auch als private Sprechsprache. 3. Im gesamten deutschen Sprachgebiet sind daneben noch regionale Dialekte in Gebrauch, die mit der schriftsprachlichen Einheitssprache genetisch verwandt sind. Der Verwendungsbereich der Dialekte ist komplementär verteilt zur hochsprachlichen Sprechsprache. Die Schweiz stellt gegenüber den übrigen deutschsprachigen Ländern einen Sonderfall dar, da dort zwischen Schriftsprache und Dialekt eine ‚Umgangssprache' fehlt. Doch zählt die Schweizer Situation zum Normalfall, da kein Zweifel besteht, daß es sich auch hier eindeutig um das ‚Deutsche' handelt, von dem hier die Rede ist.

Operational formuliert ist also das Deutsche jene Sprache, die in den vier deutschsprachigen Ländern von der angestammten Bevölkerung in welcher Variationsbreite auch immer in Schrift und Wort verwendet wird. Die Außenumgrenzung von ‚Deutsch' ist somit normalerweise kein besonders schwieriges Problem.

Zieht man die Außengrenzen über den Normalfall hinaus, so wird die Frage, ob man die eine oder andere spezifische Sprachsituation in manchen Ländern noch zum ‚Deutschen' rechnen kann (Elsaß, Luxemburg, Ostbelgien, Südtirol, ehemalige deutsche Ostgebiete mit Restdeutschen und ehemalige Sprachinseln), zu einem soziolinguistischen, manchmal auch sprachpolitischen Problem. Zwar könnte jede wie immer geartete Variante des Deutschen auf der Basis gemeinsamer Sprachmerkmale (lexikalische Basis) an jedem Ort der Welt als zur deutschen Sprache gehörig angesehen werden: ob man aber jeden Fall zum Verbreitungsbild des ‚Deutschen‘ zählen darf, ist eine schwierige Frage.

4.3. Deutsch als Weltsprache (Rangfolge)

Über die Zahl der Sprecher und den genauen Rang in der Reihe der sogenannten Weltsprachen gibt es keine einheitlichen Angaben. Alle Zahlen beruhen auf Schätzungen, die im Auftrag der UNESCO von mehr oder weniger kompetenten Stellen vorgenommen wurden.

Die Zahlen für das Deutsche lassen darauf schließen, daß nicht nur die Einwohnerzahlen der vier deutschsprachigen Länder berücksichtigt wurden, sondern auch deutschsprachige Minderheiten in anderen Gebieten. Nach Fischers Weltalmanach 1982 (S. 685 f.) sprechen in Europa 92 Millionen Menschen in 16 Staaten deutsch (in: A, B, D, CS, CH, DDR, DK, F, FL, H, I, L, PL, R, SU, YU).

Ob außerhalb Europas tatsächlich noch annähernd 30 Millionen Deutschsprachige wohnen, muß sehr in Frage gestellt werden. Die Zahlen betreffen zum geringeren Teil zusammenhängende deutschsprachige Gebiete außerhalb Europas (sogenannte Sprachinseln), vielfach sind es ehemalige Einwanderer, die bei Volkszählungen angeben, deutschsprachig zu sein, in Wirklichkeit aber seit Generationen sprachlich integriert sind. Andere Zahlen beruhen auf noch vageren Schätzungen von Außenstehenden. So ist es auch nicht möglich, die Kriterien festzustellen, nach denen bestimmte Sprecher und Bevölkerungsteile noch zur Gemeinschaft der Deutschsprachigen oder Deutschsprechenden zu zählen sind. Dies wäre jedoch für die Betroffenen von Bedeutung, wenn einer Gruppe ein sprachlicher Minderheitenstatus zugestanden oder entsprechende Rücksichten in Schule und Beruf genommen werden sollen. Deutsch zählt zu den Weltsprachen und nimmt in allen Schätzungen zur Rangfolge einen Platz unter den ersten zehn ein. Am zweifelhaftesten zwar, aber nicht minder interessant wären dabei jene Zahlen, welche die Sprecher außerhalb des geschlossenen Sprachgebietes betreffen, weil sich dort gruppensprachliche Phänomene ergeben, die unter jeweils anderen soziokulturellen und (sprach)politischen Umständen zu Varietäten und Sprachwandelerscheinungen führen, die im Mutterland nicht vorkommen.

Die Rangfolge der wichtigsten Weltsprachen

	1974[1]		1977[2]		1981[3]	
1. Chinesisch	750–800 Mio.	Chinesisch	607 Mio.	Chinesisch	über 800 Mio.	
2. Englisch	320–330 Mio.	Englisch	330 Mio.	Englisch	320 Mio.	
3. Spanisch	210–220 Mio.	Russisch	209 Mio.	Spanisch	220 Mio.	
4. Hindi	170–180 Mio.	Spanisch	206 Mio.	Hindi	220 Mio.	
5. Russisch	140–145 Mio.	Hindi	194 Mio.	Russisch	142 Mio.	
6. Arabisch	125–140 Mio.	Portugiesisch	122 Mio.	Arabisch	130–140 Mio.	
7. Bengali	115–120 Mio.	DEUTSCH	117 Mio.	Portugiesisch	125–135 Mio.	
8. Portugiesisch	110–122 Mio.	Japanisch	115 Mio.	Bengali	125–130 Mio.	
9. Japanisch	110 Mio.	Bengalisch	111 Mio.	DEUTSCH	115–120 Mio.	
10. DEUTSCH	100–110 Mio.	Arabisch	110 Mio.	Japanisch	115 Mio.	
11. Indonesisch	80–90 Mio.	Französisch	65 Mio.	Sudan-Sprachen	über 100 Mio.	
12. Französisch	80 Mio.	Italienisch	55 Mio.	Französisch	80–90 Mio.	
13. Italienisch	65–70 Mio.			Bantu-Sprachen	70–80 Mio.	
14. Telugu	50 Mio.			Italienisch	60–65 Mio.	
15.				Javanisch	55 Mio.	
16.				Koreanisch	55 Mio.	
17.				Telugu	54 Mio.	
18.				Tamil	50–54 Mio.	
19.				Suaheli	über 50 Mio.	
20.				Esperanto	(3–16 Mio.)	

[1] Nach W. König (1978) S. 37.
[2] Nach Sprachdienst 22 (1978) S. 27.
[3] Nach Fischer-Weltalmanach 82 (1981) Sp. 683.

4.4. Das Konzept der ,sprachlichen Überdachung' und der ,Sprachloyalität'

H. Kloss (1976, 1980) unterscheidet im binnensprachlichen Verhältnis Übersprachen, Unter- oder Subsprachen. Subsprachen (Dialekte) können in ihrem Verbreitungsgebiet eine sprachverwandte hochsprachliche ,Überdachung' haben. Dies ist der ,Normalfall'. Die ,Überdachung' kann auch fremdsprachlich sein, wie z. B. im Elsaß, wo ein alemannischer Dialekt vom Französischen als Übersprache dominiert wird. Kloss unterscheidet ferner ,Abstandssprachen' und ,Ausbausprachen', immer bezogen auf das Verhältnis sprachlicher Varianten zueinander.

Abstandsprachen sind solche, die in einem beobachtbaren grammatisch-systemaren Abstand zueinander stehen, wie es normalerweise zwischen Fremdsprachen der Fall ist. Abstandsprachen haben eine unterschiedliche Lexik mit eigener Morphem- oder Silbenstruktur. Die eine Sprache kann nicht aus den Basisregeln der andern abgeleitet werden. So sind das Baskische und das Französische, das Elsässische und das Französische, das Friesische und das Deutsche in diesem Sinne Abstandsprachen. Ausbausprachen sind solche ,Dialekte' und Subsprachen, die in einem erkennbaren Verwandtschaftsverhältnis zueinander stehen, sich also lediglich im unterschiedlichen Ausbau von lexikalischen, morphologischen und syntaktischen Merkmalen oder durch die Häufigkeit ihres Vorkommens (Frequenz) unterscheiden.

Dialekte sind also gegenüber ihrer stammverwandten Hochsprache Ausbausprachen. In die Nähe der Abstandsprachen geraten sie, wenn sie im Verhältnis zur Schriftsprache voll funktionsfähige Systeme bilden, die in allen Bereichen der Sprachverwendung die ,Übersprache' ersetzen können, was zu einer Art innersprachlichem Bilingualismus führt. (Vgl. Ammon 1978, 50 ff.)

Das Niederländische, ursprünglich eine regionale Variante der deutschen Sprache, hat sehr früh diesen Abstandscharakter gegenüber der deutschen Schriftsprache gewonnen und stellt trotz der Stammverwandtschaft und einer gewissen Strukturgleichheit mit den deutschen Dialekten keine Subsprache des Deutschen dar, sondern ist eine selbständige Sprache mit eigenem, hochsprachlichem ,Dach' über den dialektalen ,Subsprachen' (Goossens 1976). Die niederländischen Dialekte können gegenüber den benachbarten deutschen Dialekten als Ausbausprachen angesehen werden, nicht jedoch die beiden Hochsprachen.

Mit dem Konzept der hochsprachlichen Überdachung soll die Frage lösbar sein, ob irgendwo noch Deutsch gesprochen wird oder nicht. Man ist aus dieser Sicht geneigt, eine Sprachsituation als ,deutsch' zu betrachten, wenn eine obere Schicht die Überdachungssprache spricht. Die Verwendung einer Standardvarietät als Kolonisten-, Bildungs- und Geschäftssprache ohne lokale Basis wird leichter zur Verbreitung dieser Sprache gerechnet als der umgekehrte Fall, wo einem Dialekt die sprachverwandte Überdachung fehlt. So wurde gewöhnlich die Sprache deutscher Siedler und Kolonisten und die deutsche Sprache in den ehemaligen Hansestädten Nordeuropas als Überdachungssprache zum Verbreitungsgebiet des Deutschen gezählt. Hingegen dürften isolierte Dialekte wie das Elsässische in Frankreich, das Südbairische in Norditalien (Südtirol), das Alemannische in den südlichen

Alpentälern der italienischen Region Aosta im strengen Sinne nicht mehr zum Verbreitungsgebiet der deutschen Sprache gezählt werden, weil die Überdachung eine anderssprachige (Französisch oder Italienisch) ist.

Dasselbe gilt für Luxemburg, Ostbelgien und die deutschen Siedlungs- und Auswanderergebiete im europäischen Osten, in Nord- und Südamerika. In manchen Konstellationen hat der Sprechdialekt durchaus eine schriftsprachliche Überdachung in Form einer halbamtlichen Schriftsprache oder einer deutschsprachigen Regional- oder Minderheitenzeitung, wobei die Kenntnis der Schriftsprache zumindest bei einem Teil der Sprecher noch vorhanden ist.

Hier scheint das Konzept der sprachlichen Loyalität eine Lösung anzubieten. Sprachzugehörigkeit wird durch Sprachloyalität konstituiert, das heißt, die Sprecher müssen sich als zur Sprachgemeinschaft zugehörig empfinden und die Bereitschaft zeigen, sich den pragmatischen und sprachlichen Regeln der Gemeinschaft dieser Sprache anzuschließen. Diese Loyalität dokumentiert sich gegenüber der ‚Muttersprache' (Hauptsprache) normalerweise dadurch, daß auch eine Schriftsprache (Zeitungen, Bücher) vorhanden ist und diese Sprache als Schul- und Amtssprache gilt, wenn auch mit oder neben einer anderen Sprache. (Zur Sprachloyalität: Weinreich 1977, 131—135.) So kann außerhalb der vier deutschsprachigen Länder nur noch in wenigen Fällen von Verbreitung des Deutschen gesprochen werden, am ehesten in Südtirol, wo das Deutsche Amtssprache einer autonomen Region ist oder in Siebenbürgen, wo das Deutsche noch als Schul-, Zeitungs- und Buchsprache gilt und in beschränktem Maße zweite Amtssprache ist. Die Loyalität der Sprecher muß nicht auf das ‚Mutterland' der Hauptsprache Deutsch gerichtet sein, sondern auf die Sprache selbst und ihre geltenden Regeln. Wird Deutsch nur noch als Erinnerung an die eigene Herkunft oder als ein Gruppenkennzeichen verwendet, kann von Loyalität zur Hauptsache nicht gesprochen werden.

4.5. Viermal Deutsch als Nationalsprache (Deutsch als Vollsprache)

Als Vollsprache ist das Deutsche National- oder Landessprache in vier aneinandergrenzenden Staaten: In der Bundesrepublik Deutschland, der Deutschen Demokratischen Republik (DDR), der Republik Österreich und im deutschsprachigen Teil der Schweiz. In den genannten Ländern leben ca. 85 Millionen deutschsprachige Einwohner. Die Besonderheiten dieser vier

Landessprachen und die Auseinanderentwicklung des öffentlichen Wortschatzes, insbesondere in den beiden jüngeren Staatsgebilden Bundesrepublik und DDR, sind Gegenstand zunehmenden Interesses (vgl. hierzu 5.4.2.). Unter dem Aspekt ‚Sprecher des Deutschen' ist hierbei bedeutsam, daß Deutsch die ‚National- oder Landessprache' von vier unabhängigen Staaten ist, deren politische Eigenständigkeit historisch auf verschiedene Art zustande gekommen ist und deren Ursprung und Identität nicht durch sprachliche Kriterien geprägt ist. Die deutsche Sprachgemeinschaft war offensichtlich trotz aller groß- und kleindeutschen Einheitsbestrebungen nicht tragend genug, um ein nationales Staatsgebilde in der Mitte Europas zu konstituieren, dessen Identität in der einheitlichen deutschen Sprache begründet gewesen wäre. Die Nichtübereinstimmung von deutschem Sprachgebiet und Staatsgebieten scheint überdies so alt zu sein wie die deutsche Sprache selbst.

Gerade im Mittelalter bildete die deutsche Sprache nicht das staatstragende Element, da Deutsch, von den wenigen literarischen Versuchen abgesehen, in der Hauptsache nur als regionale Sprechvarianten existierte und Latein die Staatssprache war. Es existierte auch kein ‚Hof' als Reichsmittelpunkt oder Hauptstadt. Die deutschen Kaiser residierten überall, auch außerhalb des deutschen Sprachgebietes (Spanien, Sizilien, Böhmen) und waren oft des Deutschen nicht mächtig. Selbst die Ausrufung des zweiten deutschen Reiches 1871 erfolgte aus einem großdeutschen Siegerwahn heraus im französischen Ausland (Versailles). Die Gemeinsamkeit der vier deutschsprachigen Länder basiert auf einer sprachhistorischen und kulturell-literarischen Gemeinsamkeit, die man mit der Latinität des Mittelalters vergleichen könnte. Die sprachliche Gemeinsamkeit betrifft einen Teil der Geschichte in einer weiter zurückliegenden Zeit, in der Hauptsache aber die literarisch-geistesgeschichtliche Tradition z. B. der Reformation, der Philosophie des deutschen Idealismus, der deutschen Klassik und Romantik und der Musik bzw. des Musiktheaters. Aus dieser kulturhistorischen Gemeinsamkeit heraus haben sich die ‚Intellektuellen' der deutschsprachigen Staaten in einem mühsamen Prozeß auf eine gemeinsame Schriftsprache verständigt mit gemeinsamer grammatischer und orthographischer ‚Grundnorm'. Dieser Konsens kam gegen Ende des 19. Jahrhunderts in einer deutsch-kulturellen Euphorie zuende und muß bis heute als ein bedeutendes Ereignis angesehen werden.

Die sprachliche Eigenständigkeit der vier Staaten zeigt sich hauptsächlich im lexikalischen Bereich. Gerade in jüngerer Zeit ist diese Sonderentwicklung im Wortschatz Gegenstand mehrerer Untersuchungen gewesen, nachdem lange Zeit die Gemeinsamkeit im Vordergrund des wissenschaftlichen Interesses gestanden hatte.

Die Inventarisierung von ‚Germanismen' (in der Schweiz auch ‚Teûthonismen' genannt), von ‚Helvetismen', ‚Austriazismen' oder DDR-Eigentümlichkeiten hat zu einigen Sonderwörterbüchern geführt und schlägt sich am offenkundigsten in den jeweils neuen Auflagen der Duden-Wörterbücher nieder (vgl. die Literaturangaben unter 5.4.2. (2) ‚Nationale Standards').

Die eingehende Erforschung der nationalsprachlichen Eigentümlichkeiten des Deutschen in den vier deutschsprachigen Ländern bleibt ein soziolinguistisches Desiderat. Solche Kenntnisse könnten zur Frage beitragen, ob Deutsch eine übernationale Einheitssprache sei oder in vier Teilsprachen zerfalle. Aber auch Probleme der nationalen Selbst- und Fremdeinschätzung, des National- oder Sprachprestiges mit allen sozialpsychologischen, kultur- und bildungspolitischen Konsequenzen sind damit angesprochen wie auch Unterschiede im Selbstverständnis der ‚Sprachgermanistik' und die Funktion des Deutschunterrichts in den deutschsprachigen Ländern.

4.6. Fremde Sprachen im deutschen Sprachgebiet

Die deutsche Sprache ist innerhalb ihres Hauptverbreitungsgebietes für die auf längere Zeit ansässigen ‚Ausländer' eine fremde Überdachung. Daß dies auch für seßhafte Einheimische gilt, ist weithin unbekannt. In allen vier deutschsprachigen Ländern leben Minderheiten, deren häusliche Sprechsprache ein Idiom auf nichtdeutscher Grundlage ist.

Nach Ortmann (1977, 22) wurden 1975 in der Bundesrepublik folgende nichtdeutsche Sprachen gesprochen:

Friesisch	17 000	(dürfte zu hoch angesetzt sein)
Dänisch	30 000	
Zigeunersprache	40 000	(zum Jiddischen: s. Kap. 5.3.4. [3]).

In Österreich waren es nach derselben Quelle (Ortmann 1977, 25):

Slovenisch	20 000
Tschechisch	unbekannte Anzahl
Kroatisch	unbekannte Anzahl
Ungarisch	unbekannte Anzahl

In der DDR (nach Ortmann 1977, 23):

Sorbisch	50 000

In der Schweiz verteilen sich die vier Landessprachen wie folgt (Ortmann 1977, 25; Schweizer Almanach 81):

	1975	1980	
Deutsch	4 000 000	4 140 000	(65 %)
Französisch	1 300 000	1 172 500	(18 %)
Italienisch	400 000	622 200	(9,8 %)
Rätoromanisch	40 000	51 100	(0,8 %)
	5 740 000	6 366 000	

Die Geltungsbereiche der vier Landessprachen sind territorial scharf abge-. grenzt. Sie überschneiden sich nur in den Städten Fribourg und Biel. Als fremdsprachige Überdachung fungiert Deutsch für eine große Zahl der Rätoromanen. Obwohl Rätoromanisch auch Schulsprache ist, gilt Deutsch für die meisten als Obersprache.

Die Zahl der dauernd ansässigen sprachlichen Minderheiten beläuft sich in allen vier Ländern also auf ca. 100 000 Menschen.

Nimmt man jedoch die temporären Gastarbeiter hinzu, deren Muttersprache wenigstens für die Dauer ihrer Anwesenheit vom Deutschen ‚überdacht' wird, sind es mehrere Millionen Fremdsprachige, die im geschlossenen deutschen Sprachgebiet leben.

Nach Ortmann (1977, 23) waren es 1975 in der Bundesrepublik folgende Gastarbeitersprachen:

Spanisch	250 000
Italienisch	600 000
Serbokroatisch/	
Slovenisch/	
Makedonisch	680 000
Griechisch	350 000
Türkisch	1 080 000

Im Jahre 1980 lebten in der Schweiz 892 807 Ausländer. Davon sprachen:

Deutsch	118 067	(Statist. Jahrbuch d. Schweiz
Französisch	46 177	1980, 27, 90)
Italienisch	420 700	
Spanisch	97 232	
Griechisch	8 824	
Jugoslawisch	43 898	
Türkisch	38 073	
Englisch	23 215	

Tschechisch	13 924
Portugiesisch	10 687
Niederländisch	9 957
Ungarisch	6 039
Schwedisch	3 242

Obwohl 67,4 % der Ausländer eine der drei Schweizer Landessprachen sprechen (13,7 % deutsch, 48,4 % italienisch, 5,3 % französisch), leben diese Ausländer nicht immer in dem ihrer Sprache entsprechenden Landesteil. In der Deutschschweiz kommt noch als grundsätzliches Erschwernis hinzu, daß die Sprache der Ausländer von einer fremden Diglossie-Situation dominiert wird. Sie müssen zwei Sprachen neu erlernen: Die deutsche Schriftsprache zum Schreiben und Lesen und einen Dialekt (Schweizerdeutsch) zum Sprechen. Hieraus ergeben sich für die Vermittlung des Deutschen als Fremdsprache in der Schweiz spezifische Probleme.

4.7. ‚Randdeutsch‘ oder: Deutsch im Kontakt mit den Nachbarsprachen

Die Außengrenzen des zusammenhängenden deutschen Sprachgebietes sind auf weite Strecken hin unscharf. Grenzen mit übergangslosem Nebeneinander zweier Vollsprachen gibt es eigentlich nur im Südwesten an der deutsch-französischen Sprachgrenze in der Schweiz und im Südosten gegenüber den slawischen Sprachen. Die Ostgrenze, die früher mit allmählichen Übergängen und zahlreichen Sprachinseln kaum als Grenze zu bezeichnen war, ist als Folge der Bevölkerungsumsiedlungen nach dem Zweiten Weltkrieg zunehmend schärfer geworden.

An der Westgrenze des deutschen Sprachgebietes gibt es Überlappungen verschiedener Art: Im Norden bildet die Staatsgrenze gebenüber den Niederlanden zwar die Scheide zwischen zwei Hauptsprachen, darunter liegt jedoch eine niederdeutsche Dialektsprache mit gleicher Merkmalsstruktur ohne merkliche Verstehensbarriere. Im Bereich der ‚Untersprache‘ ist die Sprachgrenze dort fließend. In Ostbelgien sind die Gebiete um Eupen und St. Vit noch deutschsprachig. Deutsch ist dort noch Vollsprache, das heißt, es hat den Status einer Amtssprache. Es gibt deutschsprachige Beschilderungen und deutschsprachige Zeitungen. Ungefähr sechzigtausend Menschen leben in dem Gebiet (Nelde 1979). Im Großherzogtum Luxemburg gilt Deutsch neben Französisch und ‚Letzeburgisch‘ als Amtssprache. Der moselfränkische Dialekt hat dort eine dreifache Überdachung: das geschriebene Letzeburgisch, das Französische und das Deutsche, wenngleich das Französische eine gewisse Priorität hat. Im gesprochenen Bereich tritt das Hochdeutsche hinter der letzeburgischen Umgangssprache zurück (Magenau 1964; Hoffmann 1979).

Besondere Verhältnisse liegen in Ostfrankreich vor: Im Elsaß (Departemente Haut-Rhin und Bas-Rhin) und in Teilen Ostlothringens (Lorraine Germanophone) sprechen noch viele Einheimische ihren regionalen Dialekt, im Elsaß eine niederalemannische Variante und in Lothringen rheinfränkisch (Magenau 1962; Hoffmeister 1977). Die Dialekte haben jedoch kaum noch öffentliche Domänen, von wenigen zweisprachigen Publikationsorganen abgesehen. Amts- und Schulsprache und öffentliche Sprache in allen Bereichen ist das Französische. Seit einiger Zeit wird im Elsaß in den Schulen wieder stundenweise Deutsch unterrichtet, allerdings als Fremdsprache und durch innerfranzösische Lehrer. Als Haussprache werden die Dialekte noch von der älteren Generation verwendet. Dabei ist der Dialekt seit langem regressiv. Es werden keine Neuwörter mehr integriert. Fachwortschatz und ein großer Teil öffentlicher Ausdrücke sind seit langem schon französisch, was zu einer eigenartigen Mischsprache geführt hat. Die Erhaltung des Elsässischen wird zwar in letzter Zeit immer häufiger gefordert. Trotz einer verbreiteten neueren Literatur auf Elsässisch (nicht auf Schriftdeutsch) und trotz der Tatsache, daß man in Kursen der Volkshochschule diese Mundart wieder lernen kann, wird der Status dieser Regionalsprache auf die Dauer nicht verbessert. Hierzu fehlt die Anbindung an eine deutschsprachige Überdachung. Die Dialekte im Elsaß und Lothringen haben daher bereits museale Züge angenommen. (Vgl. Ladin 1982: Der elsässische Dialekt — museumsreif?) In der Schweiz ist die Grenze des Deutschen zu den Nachbarsprachen Französisch und Italienisch auf Grund historischer Entwicklungen und einer eindeutigen territorial ausgerichteten Sprachenregelung recht scharf ausgebildet. Nur in den beiden Städten Fribourg und Biel wohnt deutsch- und französischsprechende Bevölkerung neben- und durcheinander. Man spricht jedoch familienweise entweder mehr die eine oder die andere Sprache. Jede Familie läßt sich so einer der Sprachgruppen zuordnen. Es sind selbst Beispiele der Sprachspaltung innerhalb einer Familie bekannt. Bezogen auf den einzelnen Sprecher ergibt sich echter Bilingualismus nur selten oder ist auf eine gehobenere Bildungsschicht beschränkt.

Die Südgrenze des deutschen Sprachgebietes im Alpenraum ist gegenüber dem Französischen und Italienischen ebenfalls recht scharf ausgebildet. Lediglich ein halbes Dutzend Ortschaften auf italienischem Territorium (Issime, Gressoney, Alagna, Macugnaga, Rima, Rimella, Saley, Bosco-Gurin) südlich der Alpen haben die deutsche Sprache auf der Basis der

Walser-Mundart, einem aus dem Wallis ausgewanderten höchstalemanni-
schen Dialekt, erhalten (Zinsli 1968). Die Orte liegen in der norditalieni-
schen Region Aosta, in der Französisch als Amtssprache gilt, so daß sich in
den genannten Dörfern eine Art Dreisprachigkeit ergibt. Häusliche Sprechsprache und öffentliche Sprache (Straßennamen und Beschriftungen) sind
deutsch. Italienisch ist überregionale Amtssprache und Französisch die regionale Amtssprache der Region Aosta. In den alten Walserorten wird in der
Schule in drei Sprachen Unterricht erteilt. Dabei ist das Deutsche die eigentliche Muttersprache. Obersprache ist das Italienische als Staatssprache. Das
Amts-Französische hat im Sprachleben keine Verankerung und wird als
Fremdsprache empfunden.

Nur noch in Resten ist deutsche Mundart zu hören in den „Sieben Gemeinden bei Vicenza" und den „13 Gemeinden bei Verona" (Wiesinger 1980,
496, Hornung 1980). Hingegen gilt in Norditalien im ehemals österreichischen Südtirol und in den Zentren der Städte Bozen und Meran Deutsch
noch als Vollsprache. Nach einer Phase starker Unterdrückung während der
faschistischen Zeit und gezielter Umsiedlungspolitik hat in jüngerer Zeit die
deutsche Sprache auf Grund eines Autonomiestatus und zwischenstaatlicher
Vereinbarungen zwischen Italien und Österreich eine recht große Selbstän-
digkeit bekommen. Das Deutsche gilt dort als Vollsprache und scheint sogar
expansiv zu sein. Das Italienische ist daneben zweite Amtssprache. Deutsch
wird zunehmend auch von den dorthin umgesiedelten Italienern erlernt, um
sich möglichst breite Berufschancen in der Region zu wahren (Rizzo-Baur
1962; Riedmann 1972; Egger 1980).

Im Südosten Österreichs gegenüber Jugoslawien und Ungarn sind in der
Nachkriegszeit die Staatsgrenzen zu eindeutigen Sprachgrenzen geworden,
nachdem zuvor durch Überlappungen und grenznahe Sprachinseln noch
Übergänge vorhanden waren (Wiesinger 1980, 496 ff.). Dasselbe gilt von
der Ost- und Nordostgrenze, wo östlich der heutigen deutschen Staatsgrenzen noch eine sprachliche Mischzone verlief. In der CSSR gibt es noch Reste
deutschsprachiger Bevölkerung, die nach dem Krieg im Lande geblieben
sind. Dasselbe gilt für die polnischen Gebiete Schlesiens, wo ebenfalls noch
Reste deutschsprechender Bevölkerung anzutreffen sind. Deren Sprache tritt
jedoch öffentlich nicht in Erscheinung. Im Norden der Bundesrepublik
reicht die deutsche Sprache ein Stück auf dänisches Gebiet (Nordschleswig).
Deutsch hat dort halbamtlichen Status. Ungefähr 25 000 Dänen sprechen
Deutsch noch als Hochdeutsch, das sie in der Schule gelernt haben.

Darunter wird jedoch als Haussprache ein dänischer Dialekt gesprochen, der
auch noch südlich der Staatsgrenze um Flensburg herum auf deutscher Seite

gilt, wo eine dänische Minderheit mit deutscher Nationalität ein öffentliches Gymnasium betreibt, eine dänische Zeitung herausgibt und einen Abgeordneten ins Schleswig-Hosteinische Landesparlament schicken kann (Hyldgaard-Jensen 1980; Søndergaard 1980).

Die so skizzierten unscharfen Sprachgrenzen, die das Deutsche von seinen Nachbarstaaten trennen, sind offensichtlich noch nicht fest. Im nicht gesetzlich regelbaren Bereich der Untersprache ist noch eine Bewegung beobachtbar, die tendenziell vom Deutschen weg und hin zur jeweiligen nationalen Hauptsprache geht. In manchen Randgebieten ist der amtliche Status der deutschen Minderheit gesetzlich geregelt, so in Ostbelgien, im Aostatal, in Südtirol und in Dänemark. Soziolinguistisch gesehen sind die unscharfen Außengrenzen dort interessant, wo sich Zonen und Gruppen von echtem oder partiellem Bilingualismus ergeben (vgl. dazu Kap. 4.9.).

4.8. Deutsch in anderssprachiger Umgebung

(‚Sprachinsel-Deutsch‘)

Wenn man unter Sprachinseln solche Fälle versteht, wo außerhalb des geschlossenen Sprachgebietes in einzelnen oder mehreren zusammenliegenden Orten das Deutsche noch als Vollsprache gilt, so gibt es heute nur noch wenige deutsche Sprachinseln.

In Rumänien leben noch ungefähr 400 000 Siebenbürger Sachsen, deren mundartliches Heimatgebiet allerdings das Moselfränkische, nicht das Sächsische ist, und im Banat die Banater Schwaben, deren sprachliche Herkunft ebenfalls ins Fränkische weist. Im Gegensatz zu den Siebenbürgern, die bereits im 13. und 14. Jahrhundert ins Land kamen, sind die Banater erst im 19. Jahrhundert eingewandert. Die deutsche ‚mitwohnende Nationalität‘, wie die sprachlichen Minderheiten in Rumänien genannt werden (neben den Ungarn und den rumänischen Zigeunern) hat heute noch 250 deutschsprachige Volksschulen, zehn Oberschulen und solche mit deutschsprachigen Klassen, eine Universität (Klausenburg), zwei deutsche Staatstheater (Hermannstadt und Kronstadt) und mehrere deutsche Tages- und Wochenzeitungen. 1967 sind in Rumänien 107 deutschsprachige Schulbücher und 87 Bände Belletristik erschienen. Wegen der zahlreichen Auswanderungen in die Bundesrepublik nimmt die Zahl der Deutschsprachigen zur Zeit rapide ab, und das bislang noch zusammenhängende Gebiet von fast 140 deutschsprachigen Orten droht allmählich auseinanderzufallen.

Trotz der verfassungsmäßigen Garantie der sprachlichen Autonomie sind auch im deutschsprachigen Gebiet Namen und Beschriftungen nur rumänisch, und das Deutsche scheint auf Grund der genannten Umstände in schnellem Rückzug begriffen, obwohl Rumänien das einzige osteuropäische Land ist, das nach dem Zweiten Weltkrieg keine systematische Rücksiedlungspolitik betrieben hat (Rein 1980; Kloss 1980, 541 f.).

In der Sowjetunion lebten bis zum Zweiten Weltkrieg eine halbe Million hessisch sprechender Wolgadeutsche, die seit 1924 eine eigene autonome ‚Wolgarepublik' bildeten. Daneben gab es in der Ukraine, in Georgien und anderswo fast noch eine Million Deutschsprechende. Zu Beginn des Krieges wurden die meisten zwangsweise nach Innerasien (Kasachstan) umgesiedelt. Im Jahre 1969 bezeichneten immer noch 1,2 Millionen Sowjetbürger Deutsch als ihre Sprache. Schulbücher für den Deutschunterricht in Kasachstan werden heute in der Regel aus der DDR bezogen (Kloss 1980, 542).

‚Dialekt'-Sprachinseln

Viele Deutschsprachige lebten bis zum Kriegsende im heute sowjetischen Gebiet des Baltikums, in Ostpreußen, in Estland, Lettland und Litauen. Heute sollen dort nur noch weniger als 10 000 Deutschsprechende wohnen (Thierfelder 1966, 1401 ff.). Auch in vielen anderen Ländern der Welt lebten Deutsche eine zeitlang in echten Sprachinseln oder deutschsprachigen Stadtteilen. Heute treten deutschsprechende Bevölkerungsteile kaum noch irgendwo in Erscheinung. Insbesondere bilden sie kaum zusammenhängende, in sich geschlossene Gebiete. Am ehesten ist dies der Fall, wo der Zusammenhalt der Sprachgemeinde noch durch eine gemeinsame Religion als Sekte verstärkt wird (Rein 1977).

Der folgende kurze Überblick skizziert (nach Angaben von Kloss 1980, 541 ff. und Thierfelder 1966) die Verhältnisse in einzelnen Ländern, wobei die Zahl der wirklich noch deutsch Sprechenden meistens nach unten abzurunden sein dürfte. In Polen soll es noch 20 000 Deutschsprechende geben. Bis zum Zweiten Weltkrieg lebten im damals deutschen Schlesien 9 Millionen Deutsche, die bis auf wenige Einbürgerungswillige 1945 geflohen oder 1946/47 vertrieben worden sind. In der Tschechoslowakei (CSSR) seien es noch knapp 100 000 Deutschsprechende. Bis vor dem Ersten Weltkrieg waren es 3,2 Millionen gewesen. Die Stadt Prag war teilweise deutschsprachig.

In Ungarn gibt es noch Reste der sogenannten Donauschwaben mit eigenen Sprachrechten und vier deutschsprachigen Oberschulen, die aber nicht besonders frequentiert seien (nach Kloss 1980, 541).

In Jugoslawien soll es noch 20 000 ehemalige Donauschwaben geben, jedoch ohne sprachliche Bedeutung.

In Kanada gaben bei der Volkszählung von 1971 eine halbe Million Menschen Deutsch als Muttersprache an. In Toronto waren es allein 70 000. Die übrigen wohnten über das ganze Land verstreut. Welchen aktuellen Status diese angebliche Muttersprache noch hatte, läßt sich aus der Zahlenangabe nicht erkennen. Ein sprachlicher oder kultureller Eigenstatus, wie ihn die Frankokanadier haben, ergibt sich wegen der geringen Zahl und der großen Streuung nicht (Wacker 1965; Kloss 1980; 542 f.; Auburger u. a. 1977).

In den USA gab es nach einer Repräsentativbefragung von 1971 6,1 Millionen Menschen, die Deutsch als die Sprache ihrer Kindheit angaben, was immer das heißen mochte. Trotz einer großen Zahl von Traditionsvereinen zur Wahrung der alten Heimatsprache ist die Zahl der Deutschsprachigen in den USA stark rückläufig. 1910 wurden noch 9 Millionen Sprachdeutsche gezählt, wovon 1,1 nicht aus Deutschland stammten: 370 000 aus Österreich, 245 000 aus Rußland, 263 000 aus der Schweiz. Bis zum Ersten Weltkrieg hatte es noch zahlreiche zweisprachige Schulen gegeben. Danach war das Deutsch auf Grund der politischen Verhältnisse keine gesellschaftliche relevante Sprache mehr. Erst ab 1939 erhielt das deutschsprachige Kulturleben durch die große Zahl deutscher Emigranten, insbesondere von Intellektuellen, einen neuen Aufschwung. 1950 waren wieder 50 deutschsprachige Zeitschriften vorhanden, und über 100 Radiostationen sendeten deutsche Programmbeiträge. Heute beschränken sich deutschsprachige Publikationen auf die genannten Traditionsvereine oder den wissenschaftlichen Bereich der Germanistik (Wacker 1964; Kloss 1980, 543; Auburger u. a. 1979).

In Mexiko leben knapp 20 000 aus Kanada eingewanderte Mennoniten, deren Nachkommen ohne Schulbildung praktisch Analphabeten seien. Sie sollen jedoch (nach Kloss 1980, 544) ihre ‚plautdietsche‘ Sprache aus dem Niederdeutschen der Weichselmündung beibehalten haben.

In Paraguay gibt es neben 12 000 Mennoniten seit 1880 noch weitere 30 000 deutschsprachige Einwohner. Die Mennoniten haben eine Art deutschsprachige Selbstverwaltung.

In Chile haben 35 000 Deutschsprachige ein eigenes Schulwesen auf privater Basis. Allerdings sei eine fortschreitende Assimilation im Gange.

In Argentinien gibt es eine halbe Million Deutschsprachige. Die Hälfte davon lebt in Buenos Aires. Die älteste Sprachinsel in Argentinien ist Sta.Fé.

Sie wurde 1874 von Schweizern gegründet. In Argentinien gibt es mehrere deutschsprachige Zeitungen.

In Brasilien werden die Einwohner mit Deutsch als erster Muttersprache auf 1,5 Millionen geschätzt. Vor allem in den Südstaaten Rio Grande do Sul, Sao Paolo sei Deutsch bei vielen noch eine Art Haussprache.

In Venezuela gibt es unweit Caracas in den Bergen einen Ort Tovar, dessen Einwohner vor der Mitte des 19. Jahrhunderts geschlossen aus einigen Kaiserstühler Gemeinden des badischen Breisgaus eingewandert sind. Bis heute haben sie neben altem Brauchtum die alemannische Mundart von Endingen/Kaiserstuhl beibehalten.

In Südafrika soll es einzelne deutschsprachige Siedlungen geben mit 60 000 Einwohnern von meist niederdeutscher Herkunft. Dank einer großzügigen Schulpolitik hätten sich die Sprachinseln lange halten können, seien aber jetzt im Zurückgehen (Wacker 1965).

In Israel ist Deutsch im öffentlichen Bereich eine wenig geachtete Sprache. Andererseits ist es die Muttersprache vieler Immigranten seit 1933. Die deutschsprechenden Einwanderer bildeten die größte zusammengehörige Gruppe aus einer Industriegesellschaft, die daneben noch eine ansehnliche deutschsprachige Literatur hervorgebracht hat. Von den 2,4 Millionen Einwohnern sollen 100 000 deutschsprachig sein. Während das Deutsch öffentlich so gut wie nicht in Erscheinung trete, spiele es im privaten gesellschaftlichen Leben noch eine gewisse Rolle. Ehemals deutsch-jüdische Familien großbürgerlicher Herkunft pflegten ihr Deutsch als ihre Kultursprache, letztlich als eine Art Soziolekt zur sozialen Abgrenzung und zur Wahrung der kulturellen Identität gegenüber den sonst eher unterschichtigen Einwanderern aus Osteuropa, deren Jiddisch als nicht sehr geschätzter Soziolekt gilt.

In Australien gab es 1966 110 000 in Deutschland und 25 000 in Österreich geborene Einwanderer, deren Kinder aber bereits zweisprachig waren. (Zur deutschen Schriftsprache in Australien und Palästina: Wacker 1965.)

Aus der Verbreitung des Deutschen in anderssprachiger Umgebung lassen sich soziolinguistische Beobachtungsbereiche ableiten, insofern es sich um echte Sprachinselprobleme handelt. Interessant und wissenswert wären jeweils Status, grammatisch-phonologische Charakteristik und pragmatische Funktion der vorkommenden Varietäten, sei es Deutsch als Vollsprache mit geschriebener und literarischer Überdachung oder nur noch Reste eines deutschen Dialekts. In einigen Fällen dürften sich aus der geschilderten Streuung echte Bilingualismus-Situationen ergeben. Die Soziolinguistik hat sich des Auslanddeutschen erst zögernd angenommen. Sprachinselforschung, die insbesondere den lautlich-lexikalischen Status der Dialekte und deren Nähe und Distanz zu den heimatlichen Ausgangsdialekten nachweist, ist bislang eine Domäne der Dialektforschung gewesen. Interessante Nebenaspekte haben sich u. a. ergeben, als während des Zweiten Weltkrieges Bessarabiendeutsche in ihre vor 150 Jahren verlassenen Heimatorte zurücksiedelten. Eine Spracherhebung bei diesen Rückkehrern und der Vergleich mit der Ausgangsmundart hat ergeben, daß die Entwicklung des Sprachinsel-Schwäbischen in der Isolation Merkmale der ehemals in der Heimat benachbarten fränkischen Mundarten angenommen hat, die dann Kennzeichen einer Sprachinsel-Koiné wurden. Genauere Analysen haben ergeben, daß die angeblichen fränkischen Merkmale laut-generativ eben Ausgleichsmerkmale oder Kompromißformen zwischen den schwäbischen Varianten darstellten, die zudem näher an der deutschen Standardlautung lagen. Die ,fränkische' Entwicklung war im Grunde eine Tendenz hin zu einheitssprachlichen Ausgleichsformen (Fiess 1975).

4.9. Deutsch in Bilingualismus-Situationen

Unter eigentlichem Bilingualismus versteht man den Fall, daß ein Sprecher oder eine Sprechergruppe in der Lage ist, „sich in zwei Sprachen so gut wie in der Muttersprache auszudrücken". Partieller Bilingualismus ist dann gegeben, wenn ein Sprecher oder eine Sprechergruppe in der Lage ist, sich in zwei Sprachen zu verständigen, wobei die zweite „nur so weit beherrscht zu werden braucht, um sich der ersten gegenüber unabhängig zu fühlen" (vgl. Lewandowski I, 1976, 121; Fishman 1975, 95—109; Ebneter 1976 1, 104—109).

Da der Geltungsbereich von gleichberechtigten Amts- oder Landessprachen oft territorial scharf abgegrenzt ist, ergibt sich eine natürliche Zweisprachigkeit nur in sprachlichen Mischehen und bei einer bestimmten Berufsgruppe im Dienstleistungsbereich (Post, Bahn, Verkehr, Verwaltung etc.). Der gewöhnliche Schul- und Fremdsprachenunterricht führt in der Regel nicht zu echtem Bilingualismus. Bilingualismus-Situationen, an denen das Deutsche beteiligt ist, sind also dort am ehesten zu erwarten, wo Deutsch neben anderen Sprachen Landessprache ist oder einen öffentlichen, halbamtlichen Status hat. Das ist der Fall in Luxemburg, Ostbelgien, in der Schweiz, in Südtirol/Italien, partiell in Nordschleswig/Dänemark und in den oben genannten Sprachinseln in Rumänien und der Sowjetunion.

Bilingualismus als Dauerzustand ist für größere zusammenhängende Gebiete und breitere Bevölkerungskreise eher selten. Selbst in den sogenannten zweisprachigen Städten Biel/Bienne und Freiburg/Fribourg in der Schweiz sind die Sprachen nach Quartieren, Straßenzügen oder — wie in Biel — auch häuser- und familienweise geschieden (Kolde 1980; 1981). Dies gilt auch für die zweisprachigen Städte Hermannstadt/Sibiu oder Kronstadt/Brasov in Siebenbürgen/Transsilvanien in Rumänien. Man spricht normalerweise die eine oder die andere Sprache als Muttersprache und jedermann weiß, zu welcher Sprachgemeinschaft man sich zählt (Rein 1980). Das enge Zusammenleben in zweisprachigen Städten führt bei vielen aus praktischen Gründen zu einem partiellen Bilingualismus. Dieser kann auch überall dort entstehen, wo die Staatsgrenze nicht gleichzeitig Voll-Sprachgrenze ist (vgl. Kap. 4.7.).

In manchen Nachbarländern des deutschen Sprachgebietes gilt noch ein partieller Bilingualismus zwischen der Haupt- oder Staatssprache und dem Deutschen als ehemals obligatorischer erster Fremdsprache (vgl. Kap. 4.11.). In diesen Gebieten hatte Deutsch bis zum Zweiten Weltkrieg einen privilegierten Status oder war unter früher andersgearteten politischen Konstellationen sogar Amtssprache. So ist gerade bei älteren Menschen Deutsch oft noch als Zweitsprache anzutreffen in Teilen Dänemarks (über das schon genannte Gebiet Nordschleswigs hinaus), in Polen, der Tschechoslowakei, in Ungarn; ja selbst in Namibia, dem ehemaligen Deutsch-Südwestafrika ist dieser Rest-Bilingualismus noch vorhanden (Kloss 1980, 540).

Partieller Bilingualismus ist auch anzunehmen als Durchgangsstadium für die meisten Gastarbeiter in deutschsprachigen Ländern (vgl. 4.6. und 6.5.). Die Kinder der zweiten Generation leben dabei in der Regel in einer Phase echter Zweisprachigkeit. Sie lernen die eine Sprache zu Hause, die zweite fast gleichzeitig auf der Straße und in der Schule. In der folgenden Generation verschwindet dieser Bilingualismus jedoch wieder (Mahler 1974). In jüngerer Zeit gibt es eine große Zahl von Gastarbeitern mit starkem kulturellen, sprachlichem und religiösen Zusammengehörigkeitsgefühl. Die Auswirkungen auf deren Zweisprachigkeit können noch nicht untersucht werden, da die Entwicklungen gerade erst im Gange sind. Die Konsequenzen solcher Konstellationen, z. B. die Herausbildung neuer sprachlicher Minderheiten mit Tendenz zur Beharrung oder aber einer temporären Zweisprachigkeit mit nachfolgender sprachlicher Integration, sind noch nicht abzusehen. Sie werden auch sprach- und bevölkerungspolitisch kontrovers beurteilt. (Vgl. die Beiträge bei Molony u. a. 1977, 147 ff., 184 ff.) Hier hätte die Soziolinguistik unter Umständen eine gewisse Basisarbeit für politische Entscheidungen mit langfristiger Wirkung zu leisten (vgl. Kap. 6.5.).

Ein transitorischer Bilingualismus dürfte für die meisten Auswanderer deutscher Sprache in anderssprachigen Ländern gelten. Die zweite Generation ist eine Zeitlang zweisprachig, gliedert sich nach einem vorübergehenden partiellen Bilingualismus dann ganz in die neue Einsprachigkeit ein.

Wie das Deutsche in einer deutsch-anderssprachigen Bilingualismus-Situation ‚reagiert‘, das heißt, sich in bestimmten Merkmalsbereichen oder gar strukturell verändert, ist noch nicht systematisch untersucht worden (vgl. auch 5.3.4. [5],Pidgin-Deutsch‘).

Auch die Ausführungen bei Fishman 1975, 95 ff. über amerikanische Bilingualismus-Situationen behandeln mehr die sozialen und kommunikativen Aspekte als rein sprachliche. Die bekannteste Folge sprachlichen Kontaktes, die Fremd- und Lehnwortübernahme, bedarf allerdings nicht des Bilingualismus. Allein die Sprachgrenze und der damit verbundene Sprachkontakt genügen zum lexikalischen Austausch. In der Regel ist es jedoch ein Prestige-, oder im Fachsprachenbereich ein Funktionsgefälle, das Wortübernahmen in der einen oder anderen Richtung begünstigt. (Vgl. die Sammlungen der ‚Besonderheiten der deutschen Schriftsprache‘ in: Kanada, Australien, Südafrika, Palästina: Wacker 1965; USA: Wacker 1964; Auburger u. a. 1979; Südtirol: Rizzo-Baur 1962; Riedmann 1972; Elsaß-Lothringen: Hoffmeister 1977; Kanada: Wacker 1965; Auburger u. a. 1977.)

Eigentliche Mischsprachen in Form eines Pidgin-Deutsch als Folge eines nicht durchgehaltenen Bilingualismus sind bei Teilen der Gastarbeiter zwar zu beobachten, können aber nicht als normale Folge der Zweisprachigkeit angesehen werden, sondern eher als Folge eines natürlichen und ungesteuerten Zweitsprachenerwerbs mit sehr geringen kommunikativen Ambitionen (vgl. Kap. 6.5. [2]).

Es gibt allerdings Mischsprachen mit hohem deutschsprachigen Anteil, die in historischer Zeit aus nicht durchgehaltener Zweisprachigkeit oder Pidginisierung des Deutschen und einem Bedürfnis oder Zwang zur sozialen Absonderung als Sondersprachen entstanden sind. Dies trifft zu für das Jiddische, der ehemaligen Umgangs- und Identifikationssprache der in Europa verstreuten Juden, und das Jenische, die Sprache der ‚Fahrenden‘ (vgl. auch Kap. 5.3.4. [3] Sondersprachen).

Anzeichen einer Mischsprache infolge eines partiellen Bilingualismus mit starkem Prestigegefälle zeigt der elsässische Dialekt (zur Diskussion, ob Bilingualismus oder Diglossie: Philipp 1978; Ladin 1982, 79—85). Aus einem langen Nebeneinander von alemannischer Mundart und französischer Hochsprache hat sich eine für das Elsässische typische Mischung von deutscher Syntax und Funktionalwortgefüge mit eingestreuten französischen Wörtern herausgebildet. Die Grundstruktur wird dabei als deutsch empfunden. Diese Mischform betrifft allerdings nur die unterste kolloquiale Verwendungsstufe und gilt als volkstümlich-humoristisches Erkennungsschibboleth von der Art: „*Schang* (Jean) *schass'mer* (chasse — jag mir) *dr Kok* (coque — Gockel) *ussm schardäng* (jardin — Garten), *er frisst'mr sunsch s'ganz lägüm* (légumes — Gemüse) *rüss.*" (Andere Beispiele: Matzen 1973, 86.)

Soziolinguistisch interessant wird Bilingualismus dann, wenn die beiden Sprachen pragmatisch und in der Bewertung nicht symmetrisch oder gleichrangig sind. Es entsteht eine situationelle oder funktional-stilistische Hierarchie mit entsprechenden Auswirkungen auf die soziolektale Qualität der einen oder anderen Sprache und deren Sprechergruppen. (Vgl. hierzu das nächste Kap. 4.10. ‚Diglossie' und die neuen Untersuchungen zur Sprachlichkeit in zweisprachigen Städten von Kolde 1980, 1981; weitere Arbeiten zum Bilingualismus in: Nelde 1980.)

Der echte Bilingualismus versetzt die Sprecher in die Lage, sich je nach Situation dem an der einen oder anderen Sprache haftenden sozialen Stigma oder Druck zu entziehen. Welche Rolle jeweils der deutschsprachige Teil als Standard- oder Dialektversion für den zweisprachigen Sprecher spielt, ist nur teilweise erforscht (vgl. oben zum Elsaß und der Schweiz).

Die Stellung der deutschen Varietät in einer bilingualen Beliebtheits- oder Einschätzungshierarchie und deren Auswirkungen auf das obligatorische Sprachwechselverhalten Zweisprachiger könnte über die bisherigen Kenntnisse hinaus in Sprachkontakt-Zonen noch ausführlicher beobachtet werden. (Vgl. die komplizierten Verhältnisse in einer polylingualen Gemeinde Belgiens mit Französisch, Ortsmundart, Luxemburger-Platt [Deutsch] und Zwischenformen: Georg Fischer 1980.)

4.10. Deutsch in Diglossie-Situationen

Eine andere Art innersprachlicher Zweisprachigkeit, die für bestimmte Teile des deutschen Sprachgebietes kennzeichnend ist, wird nach Ferguson ‚Diglossia' oder Diglossie-Situation genannt (Ferguson 1959; ferner: Fishman 1975, 95—109; Ebneter 1976, 1, 104—109). Im Unterschied zum Bilingualismus, wo zwei Vollsprachen gleichfunktional einsetzbar und damit für den einzelnen Sprecher austauschbar sind, ist Diglossie eine funktionale

Zweisprachigkeit, die an der deutsch-schweizerischen Sprachsituation abgeleitet wurde (vgl. Ferguson 1959). Zwei sprachliche Varietäten derselben Sprache (Dialekt auf der einen und Standarddeutsch auf der anderen Seite) werden in unterschiedlichen Situationen und zu genau abgegrenzten Zwecken streng getrennt und ohne Zwischenstufen (Umgangssprache) eingesetzt. Die ‚Schriftsprache‘, d. h. ein an der Literatursprache ausgerichtetes Papierdeutsch wird für einen ‚higher level‘ (Ferguson) gebraucht, für den ‚lower level‘ dient eine örtliche Variante des Dialekts (Schweizerdeutsch). Standard und Dialekt sind in der Diglossie keine Varietäten mit unmerklichen Übergängen, sondern scharf getrennte Register, die phonologisch, morphologisch und durch andere Merkmale gekennzeichnet und kontextuell determiniert sind. (Vgl. aber eine andere Auffassung von Di-glossie und Poly-glossie als generelle Zwei- und Mehrsprachigkeit in einer Bilingualismus-Situation; hierzu Ebneter 1976, 1, 107; Wandruszka 1979, 25; 76.)

Die Aufteilung der situationellen oder überhaupt pragmatischen Domänen, deren genaue Abgrenzung temporären Schwankungen unterworfen ist, gilt für alle Mitglieder der Sprachgemeinschaft und ist praktisch obligatorisch. Während vor einiger Zeit ‚higher‘ und ‚lower‘ noch streng auseinandergehalten werden konnte als ‚öffentlich, offiziell, amtlich, formell, schulisch-didaktisch, wissenschaftlich, liturgisch etc.‘ gegen: ‚halböffentlich, kolloquial, familiär, alltags-, privat . . .‘ ist heute die kontextuelle Scheidung in der Schweiz einer medialen gewichen: geschrieben und abgelesen wird die Schriftsprache — gesprochen wird der Dialekt. Die mediale Trennung geht soweit, daß neuerdings auch Vorzulesendes je nach Gegenstand (z. B. Straßenzustandsbericht im Radio) in mundartliche Phonetik umgesetzt wird. ‚Mündliche Schriftsprache‘ ist nur noch auf das Ablesen formeller Texte oder das Zitieren beschränkt. Als Unterrichtssprache an höheren Schulen und Universitäten ist Schriftsprache in breitem Rückgang begriffen. Vielfach wird Schriftsprache als ‚thematische Sprache‘ verwendet, Dialekt als relationale, d. h. Schriftsprache betrifft den ‚digital‘-sachlichen Teil des Unterrichts, Dialekt den ‚analogen‘, d. h. den Beziehungsaspekt zwischen Lehrer und Schüler, Erläuterung, Kritik, Bewertung, Hilfen, Lob etc. Der Schriftsprache ist das Papier und das Gedruckte vorbehalten. Im privaten Bereich hält die geschriebene Mundart bereits Einzug (Briefe und Postkartengrüße, Ankündigung im Jugend- und Freizeitbereich etc.). (Zur Schweizer Diglossie: Keller 1973/74; Kühn 1980; Haas 1982, 102—112; Baur 1983.)

In nichtschweizerischen Gebieten besteht eine abgeschwächte Standard-Dialekt-Diglossie wenn auch mit unscharfen Grenzen und Übergängen sowohl nach Situationen als auch nach sprachlichen Merkmalen (‚Dialektniveaus‘,

‚sprachliche Bandbreite' etc. Vgl. Ruoff 1973, 193 ff. für das Schwäbische; Reiffenstein 1977, Mentrup 1980 für das Österreichische; Rein 1974, 1977 für Bayern; Stellmacher 1980 für das Niederdeutsche.) In Südtirol scheint eine der schweizerischen Situation vergleichbare Diglossie vorzuliegen (Egger 1980). Dort sei die bairisch-hochdeutsche Diglossie der deutschsprachigen Südtiroler Grund dafür, daß der anderssprachige (italienische) Bevölkerungsteil Mühe habe, zweisprachig zu werden, da er gleich zwei Varietäten erlernen müßte. Diglossie im Sprachkontakt verhindert also gewissermaßen Bilinguismus (vgl. auch Kolde 1980 u. 1981).

Die verschiedenartigen Beziehungen und Kontakte mit deren Folgen als Interferenzen (= Mischungen) und Transferenzen (= Übernahmen) unterliegen einer dauernden Veränderung. Gerade nach dem Zweiten Weltkrieg haben durch politische Ereignisse (Vertreibung, Sprachgesetze etc.) die allmählichen Entwicklungen sprunghafte Veränderungen erfahren, deren Auswirkungen in den Folgegenerationen sich erst in diesen Tagen beobachten und deuten lassen. Auch die binnensprachliche Zweisprachigkeit (Diglossie) ist einer unmerklichen Verschiebung unterworfen. Dialekt-Standard-Diglossie ist dabei nicht nur für eine innersprachliche Varietätenforschung (s. Kap. 5.) interessant, sondern auch für die Erforschung der Kontaktzonen des Deutschen zu seinen Nachbarsprachen (in Ostbelgien, Elsaß, Westschweiz, Norditalien). Deutsch als Nachbarsprache in Diglossie-Situation wirkt isolierend und verhindert die Zweisprachigkeit der Nachbarn (Südtirol, Deutschschweiz, Siebenbürgen). Nach innen übt Diglossie für Hinzukommende einen größeren und rigoroseren Sprachdruck aus, da erst die Beherrschung beider Varietäten und deren pragmatisch korrekte Verwendung die volle Integration garantiert (Gretler u. a. 1981).

Die Soziolinguistik hat hier als Sprachkontaktforschung (vgl. Weinreich 1977; Nelde 1980; Kolde 1981) ein weites Feld eröffnet, das für jede Sprache von neuem in allen Kontaktbereichen nach außen und innen erforscht sein will. (Berichte über neuere Projekte: vgl. die Beiträge Diekmann [deutsch-rätoromanisch], Hartweg [elsässisch], Hornung [deutsch-italienisch], Kern [deutsch-belgisch], Egger [deutsch-italienisch in Südtirol], Hyldgaard-Jensen und Søndergaard [deutsch-dänisch], Kolde [deutsch-französisch in der Westschweiz], Rein [deutsch-rumänisch in Siebenbürgen], Stellmacher [deutsch-niederdeutsch], Skala [deutsch-tschechisch] im Sammelband Nelde 1980.)

4.11. Deutsch als Fremdsprache

Zu den ‚Sprechern des Deutschen' im weiteren Sinne gehören auch jene, die Deutsch als Fremdsprache erlernt haben. Die Verbreitung einer Schulfremdsprache wird jedoch nicht mehr zum primären Geltungsbereich einer Sprache gerechnet. Wer Deutsch als Schulfremdsprache kennengelernt hat, kann somit als ‚sekundärer' Sprecher des Deutschen bezeichnet werden. ‚Deutsch als Fremdsprache' wird wie jede andere Schulfremdsprache neben kulturellen und ökonomischen Implikationen als Bildungswert angesehen. Kenntnisse und Fertigkeiten in der deutschen Sprache gelten wegen der vergleichsweise großen Schwierigkeit der Grammatik als Zeichen hoher sprachlicher Begabung. Deutschkenntnisse vermitteln eine Zweisprachigkeit, die nicht nur die Lektüre von literatur-, geistes- und religionsgeschichtlich wichtigen Texten ermöglicht, sondern auch den sprachlichen Anschluß an eine weltweit gefragte Technologie vermittelt. Deutsch als Fremdsprache ist Reflex einer besonderen kulturellen, geistigen und ökonomischen Beziehung zwischen den Ländern deutscher und anderer Zunge. Diese Beziehungen sind nicht einem Selbstregelungsprozeß überlassen, sondern oft Gegenstand bewußter bildungs- und kulturpolitischer Maßnahmen.

Nicht nur über die Institution der Schulfremdsprache in auswärtigen Bildungssystemen ist Deutsch in zahlreichen Ländern präsent, die Vermittlung als Fremdsprache wird auch von den Mutterländern selbst betrieben und gefördert. Das Goethe-Institut der Bundesrepublik und das Herder-Institut der DDR bieten in vielen Ländern neben anderen kulturellen Kontakten auch Sprachkurse an. Das Goethe-Institut unterhielt im Jahre 1975 (1981) in 59 (66) Ländern an 143 (198) Orten entsprechende Einrichtungen. Jährlich wurden dort 70 000 (73 000) Kursteilnehmer betreut. Weitere 18 000 aus 157 Ländern wurden in 17 Goethe-Instituts-Schulen im Inland unterrichtet (Ortmann 1977, 129. Goethe-Institut 1981/82, 24 ff.).

Je differenzierter Schulsysteme sind und je dezentralisierter die Schulverwaltungen, desto schwieriger sind statistische Angaben über eine Schulfremdsprache zu erhalten. Die folgenden Hinweise sollen denn auch nur in Umrissen die Größenordnung skizzieren, die das Deutsche für ‚sekundäre' Sprecher weltweit haben mag. (Alle Angaben beziehen sich auf Thierfelder 1966 und Ortmann 1977.)

Bis zum Ende der dreißiger Jahre war Deutsch in folgenden Ländern erste Fremdsprache: in Jugoslawien, Rußland, Tschechoslowakei, Ungarn, Finnland, Schweden, Norwegen, Dänemark, Luxemburg, USA, Südwestafrika. Seit dem Zweiten Weltkrieg ist Deutsch praktisch in keinem Land mehr erste Fremdsprache mit Ausnahme von Luxemburg und der Westschweiz, wo Deutsch jeweils die zweite Landessprache ist und als obligatorische erste Fremdsprache für die jeweils Anderssprachigen gilt.

An dritter Stelle hinter Englisch und Französisch steht Deutsch als Schulfremdsprache in noch 25 Ländern. Je nach Schulsystem, z. B. in Frankreich oder der Sowjetunion, kann Deutsch auch bereits zweite Fremdsprache sein. Nur auf Universitätsebene wird Deutsch, allerdings gerade in den letzten Jahren stark zunehmend, in der Volksrepublik China vermittelt. Nach dem Jahrbuch 1981/82 des Goethe-Instituts lernten in Europa 19,1 Millionen Schüler Deutsch in der Schule, in der übrigen Welt weitere 1,2 Millionen. Ferner werden weltweit 1,1 Millionen Germanistikstudenten gezählt, allein 800 000 in Japan (Europa: 88 073). (Alle Angaben aus: Goethe-Institut 1981/82, 24—34.)

Seit einiger Zeit ist Deutsch auch zugelassene Verhandlungssprache bei den Vereinten Nationen. Auf Kongressen, insbesondere in Osteuropa, ist Deutsch oftmals eine der Kongreßsprachen und wird auch außerhalb der Vortragssäle zwischen den Teilnehmern verschiedener Herkunft als Konversationssprache benutzt. Da Deutsch in ‚Mutterländern‘ unterschiedlicher Gesellschaftssysteme erlernt werden kann, läßt sich diese Sprache als unverfängliche Ausgleichssprache benutzen, da mit ihr kein politisches Bekenntnis nach Ost oder West hin verbunden ist.

Eine weitere Vermittlungsinstanz des Deutschen an sekundäre Sprecher sind 141 deutsche Auslandsschulen (Goethe-Institut 1981/82, 24—34), die meisten in privater Trägerschaft von den Heimatstaaten materiell unterstützt und offiziell autorisiert werden. Diese Schulen sollen primär den Kindern deutschsprachiger Eltern, die vorübergehend beruflich, insbesondere in diplomatischen Diensten, im Ausland wohnen, eine reguläre Schulbildung vermitteln, die den Anschluß an inländische Lehrpläne und Abschlüsse garantiert. Oft ist es jedoch am Schulort für Einheimische ein Prestige, auch die eigenen Kinder auf der deutschen Schule unterrichten zu lassen.

Zu den sekundären Sprechern des Deutschen, für die Deutsch als Fremdsprache gilt, sind schließlich die Gastarbeiter zu zählen, die ohne gezielten Unterricht oder mit nur spärlichen Unterweisungen mit dem Deutschen konfrontiert sind und für die diese Sprache eine dauernde Fremdsprache bleibt (vgl. Kap. 6.5.).

Die Kenntnis der Interferenzen und Vermischungen zwischen den einzelnen Ausgangssprachen und dem Deutschen und der Hauptschwierigkeiten beim Erlernen des Deutschen für die wichtigsten Fremdsprachen sind nicht nur grammatisch oder sprachdidaktisch interessant (vgl. die am Institut f. deutsche Sprache in Mannheim erarbeiteten ‚Kontrastiven Grammatiken‘ Deutsch-Französisch: Zemb 1979; in Vorbereitung sind: Deutsch-Spanisch, Deutsch-Japanisch, Deutsch-Rumänisch und Deutsch-Serbokroatisch), sondern auch als neue Formen oder Varietäten der deutschen Sprachwirklichkeit lohnendes Ziel soziolinguistischer Beobachtung. Systematische Erforschung sprachtypischer Fehler und Interferenzen ermöglichen erst eine adäquate Einschätzung des tatsächlichen Sprachzustandes, der oftmals korrekter und fortgeschrittener ist, als dies für das ungeschulte Ohr erscheinen mag (vgl. auch die Kap. 5.3. ‚Soziolekte‘ und 6.5. Die Sprachbarrieren der Gastarbeiter).

Ein weiterer soziolinguistischer Aspekt von ‚Deutsch als Fremdsprache‘ betrifft die Frage, welche Varietät des Deutschen, überhaupt wieviel Soziolinguistisches (verbunden mit Landeskundlichem) Gegenstand der Vermittlung an Anderssprachige sein soll. Welcher Standard des Deutschen soll als ‚Außensprache‘ angeboten werden? Die Vermutung drängt sich auf, daß das im Ausland vermittelte Deutsch nicht immer aus der zeitgenössischen Sprachwirklichkeit stammt. Es ist Aufgabe der germanistischen Soziolinguistik, die Grundlagen dafür zu erarbeiten, daß eine der tatsächlichen Wirklichkeit angenäherte Variante als jeweiliges ‚Heutiges Deutsch‘ gelehrt werden kann. (Vgl. hierzu die Beiträge der Zeitschrift ‚Deutsch als Fremdsprache‘ u. Helbig-Buscha 1980; Helbig 1981.)

4.12. Exkurs: Die Etymologie von ‚deutsch‘ aus soziolinguistischer Sicht

In den vorangehenden Abschnitten wurde gefragt: Was ist Deutsch und wer spricht wo Deutsch, bzw. in welchem Kontaktverhältnis steht die deutsche Sprache zu Nachbar- und anderen Sprachen? So gerieten bloße statistische Angaben über Sprecherzahlen und deren Zuordnung bereits zu soziolinguistischen Fragen, weil mit der Abgrenzung und Durchmischung zweier Sprachen immer auch Sprechergruppen und deren soziale, gesellschaftliche und kommunikative Möglichkeiten betroffen sind. Diese wiederum wirken zurück auf die Sprache selbst, die in solchen Kontakt- und Distanz-Konstellationen sich in Teilen verändert und immer neue Varietäten hervorbringt.

Bei einer solchen Bestandsaufnahme wird dann unversehens aus der Frage nach der Wortbedeutung und -geschichte des Namens ‚deutsch‘ eine soziolinguistische Angelegenheit. Es zeigt sich einmal mehr, daß die Soziolinguistik nicht durch einen bestimmten Gegenstand oder eine bestimmte

Methode gekennzeichnet ist, daß sie vielmehr eine Optik oder ein Interpretationsverfahren darstellt, das die sprechenden Menschen und ihre sozialen, politischen, d. h. konkret-historischen Bedingungen als Deutungsrahmen sieht. Wie bei den alten Griechen alles Nichtgriechische, Fremde und Unverständliche ‚barbarisch' hieß — wobei das Wort etymologisch mit ‚bärtig' zusammenhängt, was auf die barttragenden Perser bezogen wurde —, so bedeutet in vergleichbarer Weise ‚deutsch', althochdeutsch duit-isk: ‚volkhaft' oder ‚völkisch'. Der Sprachname ‚deutsch' ist also durchaus sprecherbezogen, indem er auf das eigene Volk als Träger der Sprache hinweist. Das Wort muß aus einem historischen Gegensatz der deutschen Sprache zu einer oder mehreren fremden Sprachen entstanden sein, einer ausgesprochenen ‚soziolinguistischen' Konstellation. Man kann sogar vermuten, die Bezeichnung ‚deutsch' verdanke ihre Entstehung einer Bilingualismus-Situation. Die Geschichte des Wortes und Begriffes ‚deutsch' ist durch die Jahrhunderte hindurch schillernd und nicht ohne politische Konnotation geblieben. Erinnert sei an die aktuellen Fragen nach der einen deutschen Nation und den zwei deutschen Staaten oder nach der politischen Definition von ‚deutschstämmig'. Andererseits gilt auch für die staatsübergreifende deutschsprachige Kultur der Name ‚deutsch', sobald sie an die deutsche Sprache gebunden ist. In der Westschweiz heißen die Deutschschweizer ‚Deutsche' (Les alémanniques), die Südtiroler bezeichnen sich ebenfalls als deutsch.

Andererseits sind im sozialistischen deutschen Teilstaat Bestrebungen im Gange, das Wort ‚deutsch' oder gar ‚Deutschland' aus den offiziellen Staatsbezeichnungen zu tilgen zugunsten der semantisch leeren Abkürzungen DDR und BRD. ‚Deutsch' bleibt so auf die staatsübergreifende gemeinsame Kultur und Sprache beschränkt, wobei zwischen DDR und BRD einerseits und den übrigen deutschsprachigen Staaten Schweiz und Österreich noch einmal unterschieden werden muß. Ob für alle deutschsprachigen Staaten ‚deutsch' überhaupt als sprachgeographische Bestimmung oder als gemeinsame deutsche Kulturzugehörigkeit gelten soll, deren Gemeinsamkeit irgendwo im frühen 19. Jahrhundert jedoch verblaßte und zu vier getrennten Gegenwartskulturen führte, ist von höchster kultur- und staatspolitischer Bedeutung.

So geraten die ausführlichen Angaben über den Stellenwert des Deutschen innerhalb der Weltsprachen und die Verbreitung des Deutschen als primäre oder sekundäre Sprache auch in Gefahr, als Sprachchauvinismus mißverstanden zu werden, weil mit Deutsch im Ausland immer auch politischer, kultureller, ja auch wirtschaftlicher Expansionismus gemeint sein könnte.

Selbst die Nomenklatur (vgl. den Titel dieses Buches: ‚Germanistische Soziolinguistik', nicht ‚Deutsche Soziolinguistik') und die Themenwahl der

Soziolinguistik wird, sobald sie sich von einer allgemein-übereinzelsprachlichen Problemspekulation hin zur Einzelsprache Deutsch wendet, unversehens selbst zu einem soziolinguistischen Thema, dessen historisch-sprachgeschichtliche Bearbeitung sicher ein reizvolles Unternehmen wäre. Die Materialien hierzu sind genügend aufgearbeitet, so daß lediglich die eben zitierte ‚soziolinguistische Optik‘ nötig wäre, um einen neuen Deutungszusammenhang zu eröffnen. (Zur Etymologie und Wortgeschichte von ‚deutsch‘: Weisgerber 1953; Eggers 1970; vgl. auch Kap. 8.)

5. Varietäten(linguistik) des Deutschen

5.0. Ein soziolinguistisches Varietäten-Modell

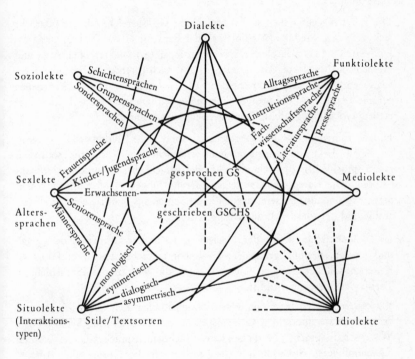

Die Graphik, die sich als eine Art ‚Sprachwirklichkeitsmodell‘ versteht, versucht die im Kapitel 5 zu behandelnden Varietäten des Deutschen darzustellen. Die Übersicht will gleichzeitig mit dem etwas verwirrenden Eindruck die Komplexität und Relativität jedes Einteilungsversuches der Sprachwirklichkeit optisch andeuten. Kreis und Striche sollen zeigen, daß die Sprachwirklichkeit ein übergangsloses Kontinuum darstellt und daß alle Klassifizierungsversuche eine Frage des Standpunktes sind und immer nur unzureichend sein können. Die Übergänge sind fließend, und die Unterscheidungskategorien überschneiden sich.

Die äußeren sechs Ecken stellen sprachliche Großbereiche (‚Lekte‘) dar, die sich nach dem Medium (Mediolekte), der Funktion (Funktiolekte), der arealen Verteilung (Dialekte), der Sprechergruppen (Soziolekte), nach Alter und Geschlecht (Sexolekte, Alterssprachen) und nach Interaktionstypen bzw. Situationen (Situolekte) unterscheiden. Von jeder dieser Hauptecken gehen Strahlenbündel aus, die weitere Unterteilungen innerhalb eines ‚Lektes‘ darstellen und sich gegenseitig überlagern und überschneiden.

Für alle Einteilungen gilt, daß es letztlich sprachliche Merkmale sein müssen, die einen ‚Lekt‘ von einem anderen unterscheiden. Varietäten sollen an ihrem sprachlichen Erscheinungsbild oder sprachlichen Symptomen erkennbar sein. Die Kategorien der Klassifizierung hingegen sollen im weitesten Sinne extralinguistisch sein, das heißt, sie sollten aus dem Bereich der Interaktion und der sozialen Gruppierung stammen.

Die schematische Skizze der Varietäten nach medial-situationalen, nach funktionalen, personal-gruppalen, areal-geographischen und interaktionalen Kriterien soll auch zeigen, wie sehr doch die Vielfalt des ‚Sprachlebens‘ Thema der Soziolinguistik ist.

Varietäten wurden bereits in vorsoziolinguistischer Zeit unterschieden und benannt. Man unterschied Gemeinsprache und Fachsprache, Schulsprache, Wissenschaftssprache, Predigtsprache, Nachrichtensprache. Dabei wurden die auffälligeren Situationen mehr beachtet als die Normalfälle. Alltagssprache ist denn auch eine der zuletzt entdeckten Varietäten, weil sie ‚alltäglich‘ ist. Untersucht wurden vorwiegend jene Fälle, bei denen eine Redekonstellation und ein von ihr gesteuerter Texttyp auch zu einem sprachlich beschreibbaren, auffälligen Merkmalinventar führten. Die Sprache des Wetterberichts (Rath/Brandstetter 1968) oder der Schlagzeile (Sandig 1971) wurden früher beachtet als die der normalen Meldung oder Reportage (Straßner 1975).

Die Soziolinguistik und mit ihr die Textsortendiskussion versuchen nun, in der Varietätendifferenzierung systematische Zusammenhänge zu sehen, wobei zur Einteilung die Dimensionen der kommunikativen Interaktion und der daran beteiligten Sprecher, Gruppen und personalen Konstellationen überhaupt dienen. Die folgende Darstellung will anhand dieser Einteilungsvorschläge ältere und neuere Aktivitäten der germanistischen Varietätenforschung behandeln. Man darf jedoch keine ,Varietätengrammatik' des Deutschen erwarten. Hierzu fehlen sowohl die nötigen Deteilergebnisse in der wünschbaren Vollständigkeit als auch der Raum für deren Präsentation. Vieles kann daher nur angedeutet werden, oder ein Hinweis auf eingehendere Bearbeitungen bzw. noch fehlende Detailkenntnisse muß die Darstellung ersetzen.

5.1. Mediale und situationale Varietäten

Die wissenschaftliche Beschäftigung mit der deutschen Sprache hat sich, von der Dialektforschung einmal abgesehen, über lange Zeit in der Hauptsache auf deren schriftlich-literarische Erscheinungsform beschränkt. Die heute gültige Standard- oder Einheitssprache, in der herkömmlichen Ausdrucksweise ,Neuhochdeutsch' genannt, ist ihrer Entstehung nach eine gelehrte Schriftsprache, die nach der Intention ihrer Schöpfer — es waren Literaten und Grammatiker — für literarische Zwecke und für Gegenstände höherer Natur bestimmt war. In dieser Funktion sollte die neue Schriftsprache das überkommene Latein ablösen. Nicht zufällig entwickelte sich das Neuhochdeutsche an der Bibelsprache und an religiösen Traktaten.

Mündliche Sprechweisen galten gegenüber der normierten Schriftsprache als verderbt und durch alltägliche Abnutzung depraviert. Dialekte waren als Sprachen der ländlichen Unbildung und als Provinzialismen erst Gegenstand wissenschaftlicher Beschäftigung, als man in ihnen die verblaßten Wiederspiegelungen ehemaliger literatursprachlicher Hochblüten zu erkennen glaubte. Die Beschränkung des wissenschaftlichen Interesses auf die Schrift hatte wohl auch technisch-instrumentale Gründe. Auf dem Papier läßt sich Sprache fixieren und ist wiederholter Lektüre und Analyse zugänglich. Die Beachtung auch der mündlichen oder gesprochenen Sprache setzte erst in dem Zeitpunkt ein, als es möglich war, die flüchtige Sprache des Augenblicks technisch zu konservieren und beliebig oft wiederholbar zu machen.

Eine Ausweitung des kommunikationstheoretischen Interesses auf visuell-aktionale Aspekte des Sprechens hat die neue Möglichkeit der Video-Speicherung gebracht.

Die heutige Unterscheidung von geschriebener und gesprochener Sprache ist nicht alt genug, als daß sich eine ökonomisch-verkürzende Terminologie eingebürgert hätte. Scriptura vs. oratio oder ‚skripturale' Sprache gegenüber ‚orationaler' wären denkbare Vorschläge. Hilfsweise versucht man es mit sprechenden Abkürzungen von einer gewissen terminologischen Unhandlichkeit: gesprochene Sprache wird als GS und geschriebene als GSCHS bezeichnet (Schank/Schwitalla 1980; Ludwig 1980). Die geschriebene und die gesprochene Sprache unterscheiden sich nicht nur nach den Werkzeugen und Organen ihrer Hervorbingung und dem Medium ihrer physikalischen Manifestation (Papier bzw. Luft). Der Hauptunterschied liegt in der Funktion, der kontextuellen Situierung im Sprachleben und einem unterschiedlichen Inventar sprachlicher Regeln und grammatischer Kennzeichnungen. ‚Gesprochen' und ‚geschrieben' als zwei grundsätzlich verschiedene Vorkommensweisen von Sprache implizieren eine Reihe weiterer charakteristischer Bedingungen und Folgen in der ausdrucksseitigen Erscheinung, deren Differenz zueinander wohl größer ist, als in der stilistischen Unterscheidung zwischen ‚geformt, willentlich, überhöht' und ‚ungeformt, unwillkürlich, alltäglich' zum Ausdruck kommt.

Die primär medial vorgenommene Unterscheidung betrifft in der pragmatischen Konsequenz auch unterschiedliche Sprechergruppen und gesellschaftliche Funktionen und Anlässe, so daß man die Teilung in ‚gesprochen' und ‚geschrieben' durchaus als soziolinguistisch ansehen darf. Die wichtigsten Anlässe für gesprochene und geschriebene Varietäten lassen sich bis zu einem gewissen Grade nach den Beteiligten und deren Art der Sprachverwendung untergliedern.

Auch die Gliederung der Varietäten nach funktionalen Gesichtspunkten (5.2.) geschieht in der Annahme, daß Situationen und Konstellationen in aller Regel personal konstituiert sind oder doch eine personale Gruppierung mit einschließen.

So implizieren die Medien ‚Papier' oder ‚Brief' den Autor oder Briefschreiber, die Situationen ‚Kirche' oder ‚Straße' den Prediger oder den alltäglichen Zeitgenossen. Sprachliche Varianz ist eine unmittelbare Funktion der Variabilität der menschlichen Verhältnisse und der Menschen überhaupt.

(1) Gesprochene Sprache (GS)

Gesprochene Sprache stellt von ihren äußeren Bedingungen her die primäre Art der Sprachverwendung dar. Ihr Medium ist die uns umgebende Luft. Zur Hervorbringung bedarf es außer der menschlichen Sprechwerkzeuge keiner weiteren Instrumente. Der nicht instrumental vermittelte ‚Mediolekt' gesprochene Sprache (GS) läßt sich wie folgt untergliedern:

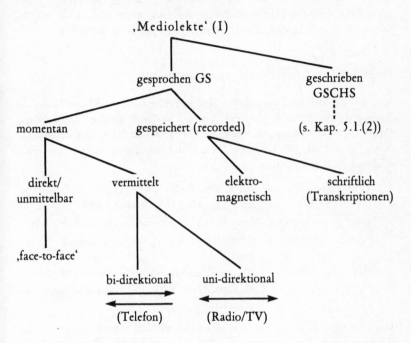

Die kontextuellen Bedingungen

Die beteiligten Personen sind normalerweise in einer face-to-face-Konfiguration präsent. Das Sprechen ist eingebettet in einen Handlungskontext. Die Text- oder Sprachproduktion erfolgt momentan und spontan. Das Festhalten des Gesagten im Kurzzeitgedächtnis der Beteiligten ist nur beschränkt möglich. Die Erinnerung an Gesprochenes erstreckt sich oft nur auf einen Satz. Einmal Gesagtes ist nicht zurücknehmbar, andererseits beliebig wiederholbar und damit leicht zu korrigieren oder zu modifizieren. Es besteht im Redeverlauf die Möglichkeit des dauernden Rückfragens, der Hör- und Verstehenskontrolle. Ebenso können die Rollen, die Themen oder die Absichten der Sprecher kontrolliert, präzisiert, verändert und korrigiert werden.

Aus den redekonstellativen. Bedingungen ergeben sich weitere konstitutive Voraussetzungen: ein hohes Maß an möglicher Konsens- oder Dissensaufdeckung (Aufdeckungs-Disposition), ein hoher Grad an Überzeugungskraft (Persuasions-Disposition), ein hoher Grad an Nähe und Kontakt, eine geringere Verbindlichkeit oder Rechtskraft der einzelnen Äußerungen, von bestimmten performativen Sprechakten wie: ‚ich wette‘, ‚ich taufe‘, das Ja-Wort, die Gerichtsentscheidung/Urteilsverkündung u. a. abgesehen.

Die Sprecher-Konstellationen

Von den äußeren Bedingungen her sind in der mündlichen Konstellation alle Beteiligten gleichberechtigt. Jeder kann im Wechsel sprechen und zuhören. Der Verlauf ist zwiegerichtet (bi-direktional). Neben dieser Grundkonstellation gibt es Fälle, bei denen die Anteile der Beteiligten nicht symmetrisch sind. Solche Konfigurationen sind z. B.:

einer gegen viele:	bei Reden, Predigten, im Unterricht, am Radio oder Fernsehen (Moderation) oder:
einer gegen wenige:	beim Verhör, Interview, Gruppenprüfung oder:
wenige gegen wenige:	Familiengespräch, Gruppendiskussion, Konferenz
einer gegen einen:	Zweier-(Paar-)gespräch als Alltags-Dialog oder als Auskunfts-, Verkaufs-, Prüfungs-, Beratungsgespräch.

Die jeweiligen Konstellationen ergeben sich aus den Erfordernissen des täglichen Lebens, den privaten, beruflichen, betrieblichen Notwendigkeiten oder Bedürfnissen nach Unterhaltung, Zeitvertreib, Sozialkontakt etc.

Die beteiligten Sprecher(gruppen)

Prinzipiell kann jedermann an der mündlichen Kommunikation teilnehmen. Spezielle Redeereignisse sind an bestimmte berufliche Positionen geknüpft, zu deren Merkmalsbeschreibung das ‚Reden‘ gehört wie z. B. Politiker, Funktionäre, Lehrer, Pfarrer, Wissenschaftler, Verkäufer. Hierher gehören auch die Berufssprecher, die Schauspieler am Theater und im Film und die Sprecher (Moderatoren) und Ansager am Radio und Fernsehen.

Die Fähigkeit oder Kompetenz zum natürlichen symmetrischen Gespräch wird spontan mit dem Spracherwerb und der übrigen Sozialkompetenz erworben. Die Fertigkeiten des einseitigen Dialoges, der Rede, Predigt, Ansage, des Verkaufsgesprächs werden durch speziellen Unterricht erlernt.

Die Sonderbedingungen der instrumentell vermittelten gesprochenen Sprache:

Die elektroakustischen und elektronischen Übermittlungstechniken ermöglichen mittelbare, zeitgleiche und auch zeitverschobene mündliche Kommunikation, bei denen die face-to-face-Konstellation nicht mehr Grundbedingung ist. Zwar findet am Telefon ein Zweier- oder bei der Konferenzschaltung ein Gruppendialog statt. Es fehlen jedoch die nonverbalen Signale und die visuelle Ausstrahlung der Gesprächspartner. Metakommunikation auf diesen paraverbalen Ebenen ist daher nur beschränkt möglich, wenn man einmal von extraverbalen Telefonhandlungen wie Auflegen, anonymes Läutenlassen, Rufzeichencode etc. absieht.

Die Radio-Kommunikation ist asymmetrisch nur in einer Richtung möglich, vergleichbar der Predigt und der feierlichen Rede bzw. dem Vortrag, jedoch ohne visuelle Präsenz der Hörer. Die totale Asymmetrie ist jedoch Voraussetzung für einen sehr hohen Verbreitungsgrad und Hörer-Radius. Die Radio-Konstellation institutionalisiert die ,Situationsmächtigkeit' eines Einzelnen, was im natürlichen Gespräch nur durch starke persönliche Autorität oder gesellschaftliche Position möglich wäre. Die kommunikative Mächtigkeit einzelner Personen am Radio, ohne daß diese eine persönliche oder gesellschaftliche Autorität darstellten, wird denn auch als Mangel und manchmal als politisch nicht unbedenklich angesehen. Abhilfen sollen die zahlreichen Aufsichtsgremien schaffen oder neuerdings die Einbeziehung der Hörer durch Hörertelefone und in jüngster Zeit dadurch (in der Schweiz), daß private Radiostationen mit geringer Reichweite zugelassen werden und das Radiomachen einer Vielzahl von Leuten ermöglicht wird, um so die Hörerbeziehung weniger asymmetrisch zu gestalten. Interessanterweise leiden unter der Einweg-Kommunikation die Radioleute mehr als die Hörer (vgl. 5.1 (2)). Offensichtlich wird Hören ohne Sichtkontakt mit dem Sprecher als weniger unnatürlich empfunden als Sprechen ohne Kontakt mit den Zuhörern, was offenkundig irritiert und das kommunikative Wohlbefinden stört. So haben sich auch kommunale Kommunikationssysteme (,Dorffunk'), die vor Jahren mancherorts den ehemaligen Ausrufer mit der Glocke ersetzen sollten, trotz technischer Verbesserung nicht halten können. Die an Lichtmasten und Telefonstangen montierten Lautsprecher, über die der Gemeindevorsteher Mitteilungen und Aufrufe durchgeben konnte, wurden als unnatürlich und als den örtlichen sozialen und kommunikativen Beziehungen nicht angemessen empfunden.

Beim Fernsehen ist die Einseitigkeit durch den Sichtkontakt zum Sprecher zwar vermindert, und bei sogenannten Live-Sendungen besteht Simultaneität, so daß einige zusätzliche Merkmale der natürlichen Kommunikation vorliegen. Doch der Zuschauer ist wie beim Radio nicht in der Lage, seinerseits in das Kommunikationsgeschehen einzugreifen. Ersatzhandlungen sind Hörer- und Seherpost, wiederum das Zuschauertelefon oder neuerdings Versuche mit der sogenannten ‚Teleskopie' und dem ‚Teledialog', wo ein ausgewählter Kreis von Zuschauern auch zu Gegeninformation befähigt ist. Anstelle der unmittelbar aktiven Gesprächsteilnahme kann im Anschluß an Fernsehprogramme oder gleichzeitig als Meta-Dialog gewissermaßen das Gespräch der Zuschauer untereinander treten. Auf diese Art hat das Fernsehen nicht nur bei Sportübertragungen in der Gastwirtschaft, sondern auch im privaten Bereich neue Dialog- und Gesprächskonstellationen eröffnet, die der Aufmerksamkeit der Kommunikationsforschung weitgehend entgangen sind. Die Klage, Fernsehen zerstöre das Familienleben, muß relativiert werden. Das Fernsehprogramm kann durchaus zusätzliche Gesprächsanlässe provozieren. (Vgl. hierzu Bausinger 1984.)

Die Speicherung mündlicher Äußerungen auf Band hat eine funktionale Ähnlichkeit mit der Schrift bei der geschriebenen Sprache. Doch hat die Schrift gegenüber dem Gesprochenen eine strukturelle Eigengesetzlichkeit, von manchen auch als Autonomie der Schrift bezeichnet. Das Mitschneiden von Schallereignissen bewirkt nur die Unabhängigkeit von Präsenz und Gleichzeitigkeit und ergibt die Möglichkeit, durch wiederholtes Abspielen die Einmaligkeit des Ereignisses zu durchbrechen. Im übrigen werden durch die Speicherung auf Ton- und Videocassette wesentliche Faktoren und Elemente des Originalereignisses weggefiltert. Die Ton- und Bildkonserve enthält immer nur Ausschnitte der Vorlage. Neue Kommunikationsanlässe oder -gruppen werden durch Speichermöglichkeit kaum eröffnet, sieht man einmal von der wenig verbreiteten Übung ab, sich anstelle von Briefen bespielte Kassetten zuzuschicken. Das Speichern und nachträgliche Abspielen von Radio- und Fernsehprogrammen ermöglicht eine zeitverschobene Konsumtion, löst das Erzeugnis dadurch aus einem schon fast als ‚natürlich' empfundenen Programmschema bzw. -kontext und verstärkt damit die Künstlichkeit solcher ‚Konserven'-Kommunikation (vgl. Prokop 1973).

Die sprachlichen Merkmale der gesprochenen Sprache:

Aus den genannten redekonstellativen Bedingungen ergeben sich für die gesprochene Sprache eine Reihe von sprachlichen Merkmalen, die man nach den Maßstäben der literatursprachlich normierten Schriftsprache als Fehler und Nachlässigkeiten bezeichnen würde. Aus der Spontaneität und geringen Förmlichkeit resultieren folgende sprachliche Merkmale:

Häufigere Parataxe;
Pausen und Wiederholungen;
Konstruktionsbrüche;
Reduzierter Wortschatz;
Viele Abtönungen;
Phonetische Sprech-Erleichterungen und Verschleifungen (Schnell-sprechregeln);
Thematische Steuerung ist nicht linear, sondern sprunghaft;
Nonverbale und paraverbale Mittel sind nicht nur unterstützend (subsidiär), sondern treten auch anstelle der verbalen Äußerungen;
Häufigere Verwendung von Dialekt oder Merkmalen einer regionalen Umgangssprache;
(Schank/Schwitalla 1980, 317 f. ergänzt).

Die genannten sprachlichen Merkmale sind konstitutiv für gesprochene Sprache nicht nur von Ungeübten, sondern auch der Gebildeten. Die Ähnlichkeit mit Merkmalen des sogenannten restringierten Codes (vgl. Kap. 6.1.) oder der dialektalen Syntax ist auffallend. Die Frage der schichtspezifischen oder dialektspezifischen grammatischen Abweichungen von der Normalnorm (Standard) muß auf dem Hintergrund der ‚Regeln‘ normaler Konversationssprache neu bedacht werden. Die angebliche Restriktion oder Defizienz könnte auf einer Verwechslung der Varietätennorm durch den Beobachter beruhen.

Im gesprochenen Bereich ist es im Gegensatz zur geschriebenen Sprache häufiger der Fall, daß individuelle oder gruppensprachliche Eigenheiten als bewußte Identifikationssymbole oder als unvermeidbare Kennzeichen der Gruppenzugehörigkeit verwendet werden. Diese idiolektalen, soziolektalen und dialektalen Merkmale können lautlich-intonatorisch (‚mit Akzent sprechen‘) sein, sie können auch andere grammatische Eigentümlichkeiten betreffen (Konjugation und Rektion der Verben und Präpositionen: ‚wegen‘ mit Dat., habe/bin gestanden etc. vergessen auf . . . etc.) oder in der Verwendung bestimmter regionaler oder gruppensprachlicher Wörter und Wendungen liegen, die zu erlernen für einen Außenstehenden schwierig ist, zumal sie häufig von recht ephemerem Charakter sind. Von Fremden wird deshalb ein differenzierter Gebrauch der Sprechsprache nicht erwartet. Gruppenmitglieder, und alle, die voll in die Kommunikationsgemeinschaft integriert sein wollen, müssen diese Regeln der alltäglichen Interaktion, Grußformen, Ausrufe, Sprachrituale beim Einkaufen, Rückfragen, Entschuldigungen beherrschen.

Bereits um die Jahrhundertwende hatte O. Behaghel in seiner Antrittsrede über Gesprochene und Geschriebene Sprache (O. Behaghel 1899 [1927]) gemeint, Geschriebenes diene mehr der Repräsentation des Schreibers, Gesprochenes sage etwas über die Gruppenzugehörigkeit des Sprechers aus (nach Schank/Schwitalla 1980, 317; dort auch weitere Lit. zum Thema):

> „Diese Gemeinsamkeit der Voraussetzungen, im Verein mit der Einwirkung, die der Redner durch den Angeredeten erfährt, bedingt es, daß die Rede in hohem Maße als das Ergebnis zweier Größen erscheint: nicht lediglich aus dem Haupte des Redenden entsprungen, sondern gemeinsames Erzeugnis des Sprechers und des Hörers." (Behaghel 1899 [1927], 15)

Versuche zu einer Gesprächstypologie
Die jüngere Forschung zur Gesprochenen Sprache, die zunächst monologische Äußerungen gebildeter Sprecher registrierte und analysierte, dann aber bald zu dialogischen Formen halböffentlicher Konversationen überging (vgl. Steger 1967, 1972; Berens u. a. 1976, Texte I 1971; Schank 1981), bemüht sich intensiv darum, aus den redekonstellativen Merkmalen eine Typologie zu erstellen, um diesen unübersichtlichen Teil der Sprachwirklichkeit besser ordnen zu können. Als Einteilungskriterien eignen sich besonders Merkmale der Redekonstellation wie Ort, Zeit, Teilnehmerzahl, Öffentlichkeitsgrad, Bekanntheitsgrad der Teilnehmer, Rangverteilung, Privilegierungen und übergeordnete Sprecher-Intentionen. Hiernach werden eine Reihe gesprochener „Textarten" unterschieden (Steger 1983, 53).

   I. Monologe: Selbstgespräche, rezeptionsinitiierende Reden; text- oder handlungsinitiierende Reden

  II. Asymmetrische Dialoge: 1. Befragungen
                                  2. Beratungen
                                  3. Beratungsgespräche
                                  4. Interviewgespräche
                                  5. Dienstleistungsdialoge

III. Symmetrische Dialoge: 1. Small Talk, Diskussionen
                                  2. Moderierte Gespräche: Informationsaustausch/Unterhaltung
                                  3. Gespräche unter Einschluß von Interviewphasen

IV. Handlungsdialoge: Kaufverträge, Besprechungen
                        (vgl. auch Kap. 5.5.5.)

Folgende Gesprächstypen oder Gesprächskonstituenten wurden in jüngerer Zeit eingehender analysiert. Die Aufzählung kann nicht vollständig sein, sie soll nur die Themenbreite und das Detailinteresse veranschaulichen (vgl. auch Schank/Schwitalla 1980, 320 f.):

Kurzberatungen (Schank/Schoenthal 1976, 66 ff.; Schank 1979).

Politiker-, Experten- und Starinterviews (Berens 1975; Ecker u. a. 1977; Schwitalla 1979).

Psychotherapeutische Gespräche (Goeppert/Goeppert 1973; Wodak-Leodolter 1977).

Familiengespräche (Martens 1974; ein ‚Corpus schweizerdeutscher Familiengespräche erwähnen: Burger/Imhasly 1978, 51).

Partygespräche (Henne/Rehbock 1982, 128—157, 221 ff.).

Gespräche im Restaurant (Ehlich/Rehbein 1972).

Gerichtsverhandlungen (Leodolter 1975).

Unterrichtsgespräche (Ehlich/Rehbein 1977; Henne/Rehbock 1982, 241 ff.; Burger/Imhasly 1978, 73 ff.).

Verkaufsgespräche (Henne/Rehbock 1982, 160 ff.).

Telefongespräche (Berens 1981).

Fernsehgespräche (Löffler 1983).

Beobachtungen zu grammatischen Merkmalen und anderen linguistischen Einzelheiten u. a.:

Tempusgebrauch (Dittmann 1976; Gersbach 1982).

Passivgebrauch (Schoenthal 1976).

Modalität und Konjunktiv (Bausch 1979).

Nebensätze (Wessely 1981).

Verbvalenzen (Jecklin 1973).

Gliederungssignale (Wackernagel-Jolles 1971; Stellmacher 1972).

Syntax (Weiss 1975).

Worthäufigkeit (Ruoff 1981).

Dokumentationen der Gesprochenen Sprache: Texte I—IV (1971—1979).

Selbst wenn ‚Gesprächsanalyse‘ und ‚Dialoglinguistik‘ und die Forschung zur gesprochenen Sprache überhaupt in der Sprachgermanistik als eigenständige Disziplinen angesehen werden, dürfen sie doch auf Grund ihres Gegenstandes und der Methode zur Soziolinguistik gezählt werden, da hier die

Sprecher und ihre kommunikativen Interaktionen ganz im Mittelpunkt stehen.

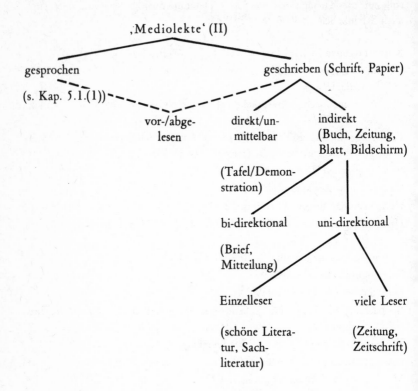

(2) Geschriebene Sprache (GSCHS)

Geschriebene Sprache (GSCHS) (vgl. die Darstellung bei Ludwig 1980) meint nicht einfach Aufgeschriebenes, sondern einen Sprachtyp, der durch die spezifischen Entstehensbedingungen und die Fixierung auf einer materiellen Unterlage (Stein, Pergament, Papier . . .) ganz bestimmte pragmatische und grammatische Einheiten zeigt. Obwohl geschriebene Sprache als Schriftsprache die Normal- oder Standardversion einer Sprache repräsentiert, wird sie hier in Opposition oder komplementär zur eben behandelten gesprochenen Sprache unter vorwiegend soziolinguistischen (d. h. interaktionalen, sprecherbezogenen und gruppensprachlichen) Aspekten behandelt.

(Vgl. die früheren Ansätze: Behaghel 1899 [1927]; Saussure 1967 [1931], 27 ff.; H. Paul 1880 [1970] 373 ff.: „Sprache und Schrift", Rupp 1965.)

Geschriebene Sprache stellt gegenüber der gesprochenen sowohl systematisch als auch historisch ein sekundäres System dar. Kultur und Kulturgeschichte sind eng mit der Geschichte der geschriebenen Sprache (Inschriften, Gesetzestexte, Literaturen, Mythen) verbunden. Sie führt deswegen in allen Kulturen ein von der gesprochenen Sprache relativ unabhängiges Eigenleben. Im Extremfall wird zum Schreiben und Lesen eine ganz andere Sprache verwendet als zum Sprechen. In manchen Entwicklungsländern wird neben dem heimischen Idiom als Sprechsprache oft eine der ehemaligen Kolonialsprachen als Schrift-, Verkehrs- und Handelssprache benutzt.

Die kontextuellen Bedingungen

Die Kommunikationspartner sind in der Regel nicht präsent. Die Kommunikation findet ungleichzeitig oder zeitversetzt statt. Die sprachliche Äußerung steht nicht in einem gleichzeitig ablaufenden Interaktionszusammenhang. Schreib- und Leseakt können nach Raum und Zeit weit auseinanderliegen (‚Fernkommunikation' oder ‚Literarische Kommunikation' zwischen Autor — Werk — Publikum).

Die zeitliche Distanz richtet sich einerseits nach der Dauerhaftigkeit des materiellen Trägers (Stein, Papier, Textspeicher) und der Fähigkeit künftiger Leser, Aufgeschriebenes lesen und verstehen zu können.

Aus der Dauerhaftigkeit des Geschriebenen leitet sich ein hohes Maß an Verbindlichkeit und Rechtskraft ab (Gesetzestexte, Schriftreligionen, Urkunden . . .). Die Fähigkeit zum Schreiben und Lesen wird als ‚Kulturtechnik' nicht spontan durch Nachahmung, sondern durch Unterricht erlernt.

Materialbedingt ist die Möglichkeit zur Vervielfältigung geschriebener Texte; durch Rotations- und Kopiertechnik neuerdings in fast unbeschränktem Umfang. Der erreichbare Leserkreis für Geschriebenes deckt sich theoretisch mit der Reichweite der verwendeten Sprache. Der Verbreitungsradius, der im Mündlichen von der Reichweite der Stimme abhängt, ist für die Schrift fast unbegrenzt. Erst die neueren Techniken haben die Multiplikation und Fernübermittlung auch des Gesprochenen ermöglicht. Die Schrift besaß diesen Effekt der Aufhebung der Gleichzeitigkeit bereits Tausende von Jahren früher.

Die Schreiber-/Leser-Konstellationen

Bei der schriftlichen Kommunikation schreibt ein Einzelner als Verfasser oder Autor für einen oder mehrere Adressaten. Nur bei Briefen und persönlichen Mitteilungen ist die Grundkonstellation: ein Schreiber — ein Leser. Bei Zeitungen und Zeitschriften, aber auch bei Gesetzestexten, amtlichen Verlautbarungen und bestimmten Zweckschriften steht auf der Autorenseite ein Redaktionskollegium oder eine ‚Texter'-Gruppe. Mit Ausnahme der persönlich adressierten Schriften (Briefe, Einladungen, Vorladungen) kennt ein Verfasser seine künftigen Leser nicht. Er kann sich zwar ein ungefähres Bild machen von der mutmaßlichen Zahl seiner Leser und durch die Wahl des Gegenstandes, den gewählten Stil, den Veröffentlichungskontext (Sparte) und die Verbreitungsart eine Art Wunschpublikum aussuchen, bzw. andere fernhalten. Bezeichnenderweise leiden die Zeitungsmacher und die anderen Schriftsteller unter der Asymmetrie der Schreiber-Leser-Beziehung weniger als die Radio- und Fernsehleute (vgl. 5.1.2.). Sie können sich ihr Publikum und den jeweiligen Leserkreis offensichtlich genauer vorstellen. Lesungen vor ihrer ‚Gemeinde' oder überhaupt publizistische Leserforschung, oft zur Feststellung des Werbepotentials für Inserenten veranstaltet, erleichtern die Zuweisung bestimmter Textsorten oder Publikationsorgane zu einem bestimmten Leserkreis.

In der Massenkommunikation des Gedruckten erhält die ungleiche Autor-Leser-Relation einen sozio-kulturellen Aspekt. Auf der Autorenseite steht der Einzelne, auf der anderen Seite die Menge aller potentiellen Leser. Für den einen wird hierdurch ein Forum eröffnet, das mehr Menschen erreicht als die nur simultan abnehmbaren Programme der elektronischen Medien Radio und Fernsehen. Die programmunabhängigen, gedruckten Massenmedien sind so gegenüber den programmgebundenen die leistungsfähigeren und damit die wirkungsvolleren. Nicht zufällig bieten die Fernsehanstalten neuerdings unter dem Namen ‚Videotext' auch programmunabhängige Informationen. Aus demselben Grund wird von der Wirtschaft der gedruckte Werbeträger gegenüber der Radio- und Fernsehwerbung wieder zunehmend als der leistungsfähigere angesehen. Das Verhältnis Schreiber—Leser oder Druckmedium—Publikum ist ein sehr loses und weitgehend anonym. Der unbekannten Leserschaft auf der einen Seite entspricht die Anonymität auf der Autorenseite. Oftmals ist Anonymität des Autors sogar konstitutiv für eine Textsorte (Agenturmeldungen, Werbesprüche, Gesetzestexte, Märchen, Volkslieder, historische Quellen und literarische Werke älteren Datums . . .). Aus rechtlichen Gründen muß im Impressum von Zeitungen, Zeitschriften und Flugblättern ein verantwortlicher Name stehen, der jedoch nicht der Autor zu sein braucht.

Eine ähnliche delegierte Verantwortlichkeit liegt bei Behördenschreiben und Formularen vor, wo sich ein ‚Sachbearbeiter' hinter dem Amt oder der mit unleserlicher Unterschrift dokumentierten amtlichen Funktion eines Behördenchefs versteckt. Dem betroffenen Bürger als dem Einzeladressaten fällt es schwer, sich ein persönliches Gegenüber vorzustellen, an das er sich brieflich oder telefonisch wenden könnte. Nicht von ungefähr werden aus der Publikumskorrespondenz mit Krankenkassen oder anderen Versicherungsträgern, Finanzämtern und Gerichtsbehörden jene Stilblüten gewonnen, die ein erwachsenes Publikum in den Augen der Lacher oft als infantil und kommunikativ auf der Stufe von Primarschülern erscheinen lassen.

Klagen von seiten der angewandten Soziolinguistik über die Unverständlichkeit des Behördendeutschs und über die benutzerfeindlichen Formulare sind allseits zu hören (vgl. Grosse/Mentrup 1980). Anstelle der Abschaffung des fachsprachlichen Behördendeutschs, das innerhalb der Amtsstuben die Kommunikation unter Fachleuten durchaus erleichtert, wäre allerdings eine Reflexion des Verhältnisses zwischen (anonymer) Autorschaft und Publikum bzw. Einzelbürger angebracht. Vielleicht käme man zum Ergebnis, daß ein Minimum an fachsprachlichen Grundkenntnissen auf seiten der Adressaten durchaus zum Kanon der Allgemeinbildung gehören würde, ebenso wie es Sache der Amtsleute wäre, sich über ihre spezifische kommunikative Situation und ‚Situationsmächtigkeit' Rechenschaft zu geben.

Die beteiligten Schreiber- und Lesergruppen

Die allgemeine Schulpflicht setzt zwar alle in den Stand, lesen und schreiben zu können, doch bleibt die so erworbene Schreibkunst meistens auf einfachste Texte und Mitteilungen beschränkt, wohingegen sich die Lesefähigkeit auch auf anspruchsvollere Texte erstreckt. Das Verfassen solcher (druckfähigen) Texte muß in aller Regel geübt werden und bleibt deshalb auf wenige ‚schreibende' Berufe beschränkt. Das tatsächliche Ausmaß der Schreib- und Lesefähigkeit der Gesamtbevölkerung dürfte denn trotz allgemeiner Schulpflicht nicht so verbreitet sein, wie dies von Intellektuellen gerne angenommen wird. Genaue Kenntnisse liegen darüber nicht vor. Selbst die Lesegewohnheiten sind nicht genügend bekannt. Deren Erforschung stößt an gewisse Grenzen, wenn breite Kreise der Bevölkerung mit einfacher Schulbildung bei Befragungen unter ‚Buchhandlung' den Bahnhofskiosk meinen, unter ‚Literatur' Illustrierte und Heftchen und unter Lektüre das Durchblättern derselben. (Zum Leseverhalten: Schäfer 1972, 394 ff.)

Ein ungefährer Überblick über mutmaßliche Leserzahlen läßt sich aus den Verkaufsauflagen von Büchern und Zeitungen ableiten. Während man bei

Zeitungen und Zeitschriften pro Exemplar mehr als einen Leser annimmt, ist es bei Büchern nicht sicher, ob jedes gekaufte oder verschenkte Stück auch einen Leser findet. (Zur Leserforschung: Prokop 1972/73, 2, 9 ff. u. Czaia 1973.) So ist die aktive Beteiligung am journalistischen und literarischen Schreib-Lese-Austausch doch ein Privileg der gebildeteren Schichten. Im Mittelalter war Analphabetentum kein Zeichen sozialer Unterprivilegierung. Eher war es eine Prestigefrage, sich einen Schreiber halten zu können. Heute wird trotz allgemeiner Schreib- und Lesefähigkeit wieder eine Tendenz zur Funktionsteilung erkennbar, indem das Schreiben und zunehmend auch das Lesen auf bestimmte Berufe übergeht und zur gruppenspezifischen Fähigkeit wird. Dies ist allerdings noch nicht in das Bewußtsein einer breiteren Öffentlichkeit gelangt.

Ein weiterer Schritt zur neuen ‚Klerikalisierung‘ (so eine mündliche Formulierung von H. Weinrich) der Schreibkunst und zur schriftlich ausgeübten Macht weniger über viele ist zur Zeit mit dem Überhandnehmen der EDV auch im Schriftverkehr mit dem gewöhnlichen Publikum im Gange. Die Unlesbarkeit von Abrechnungen und Steuerbescheiden auf Computerbasis hat bereits wieder einen Grad erreicht, den das Latein im Mittelalter für die gewöhnlichen Laien gehabt haben mag.

So wird die Errungenschaft der europäischen Aufklärung, die elitäre Kulturtechnik des Schreibenkönnens popularisiert zu haben, allmählich wieder aufgehoben, indem das Schreiben zunehmend einzelnen Berufen aufgetragen wird und das Verfassen bestimmter Textsorten an eine Spezialausbildung geknüpft ist. Selbst der Privatbrief als verbliebene Schreibdomäne des Normalbürgers wird immer mehr zugunsten der mündlichen Telefonkommunikation vernachlässigt.

Die sprachlichen Merkmale der geschriebenen Sprache

Unsere bisherigen Kenntnisse über die Grammatik des Deutschen sind abgeleitet von literarischen Vorbildern anerkannter Autoren und überregionaler Zeitungen. Die Merkmale der geschriebenen Sprache sind daher identisch mit denen der ‚deutschen Sprache‘ überhaupt. In der Varietätenlinguistik ist man jedoch gehalten, auch die ‚Normalfälle‘ explizit als Varietäten zu beschreiben. Diese sind dann gar nicht mehr so normal wie allseits angenommen, sondern eben eine deutlich erkennbare Varietät mit eigener Kennzeichnung. Das Schreiben ist nicht simultan und kontextgebunden. Der Schreiber muß daher den zum Verständnis des Geschriebenen nötigen Kontext zuerst bekanntgeben und mitgestalten. Das Ergebnis ist strukturell hochorganisiert und gegliedert. Dies wird bereits optisch deutlich durch die Anordnung der Buchstaben, Wörter, Zeilen, die typographische Gestaltung der Seiten etc.

Durch das allmähliche Verfertigen der Sätze beim Schreiben und die dauernde Korrekturmöglichkeit ergeben sich folgende sprachlich-grammatischen Kennzeichen (vgl. auch Ludwig 1980, 325 f.):

Syntaktische Merkmale: Die Sätze sind im allgemeinen länger und deutlicher gegeneinander abgegrenzt. Sie sind grammatisch ‚wohlgeformt‘, entsprechen also den kodifizierten Regeln der Schulgrammatik. Von den in der Grammatik vorgesehenen Variationsmöglichkeiten (Stil) wird bewußt Gebrauch gemacht. Hypotaxen (Satzgefüge) können länger sein als im Gesprochenen. Nominalstil, komplexe Attribut-Gruppen und erweiterte Infinitivkonstruktionen sind häufiger als im Mündlichen. Die Wortstellung ist festgelegter. Verb-Endstellung in Nebensätzen wird eingehalten. Extraposition von Satzteilen dient zur Betonung und Hervorhebung.

Lexikalische Merkmale: Es werden typische Papierwörter verwendet wie: entzwei, obgleich, bekommen, senden, empfangen etc. Fachwörter und Verwaltungswörter kommen vor: Anschlußstelle (für Autobahnfahrer), Postwertzeichengeber (Briefmarkenautomat), Banknote (Geldschein, Note), Fahrzeuglenker (schweizerisch für Autofahrer), Täterschaft, Tranksame (Getränke).

Morphologische Merkmale: Die Palette der möglichen Temporalformen wird ausgeschöpft. Konjunktive und eine Vielfalt an Konjunktionen werden verwendet.

Die Unterschiede der sprachlichen Kennzeichnung von gesprochener und geschriebener Sprache sind für die Soziolinguistik und insbesondere für die Sprachbarrierenforschung von Belang, da dort der sogenannte ‚restringierte Code‘ alle Merkmale der gesprochenen und die ‚elaborierte Code‘ die Kennzeichen der geschriebenen Sprache aufweist. Daß die restringierte Sprache (an der Tankstelle: „*Super-voll!*") jedoch funktionaler ist als die ‚elaborierte‘ (: „Würden Sie mir bitte den Tank mit Superbenzin füllen!" vgl. H. Bühler 1972, 133), hätte nicht diskutiert werden müssen, wenn die varietätenspezifischen Unterschiede zwischen gesprochener und geschriebener Sprache als situationsgebunden und damit als obligatorisch erkannt worden wären.

Versuche zu einer Typologie des Geschriebenen
(vgl. Kap. 5.5.)

Die in der traditionellen Aufsatzlehre geltenden ‚Darstellungsarten‘: Bericht,

103

Beschreibung, Abhandlung, Erzählung, Schilderung, Erörterung haben als Einteilungskriterien das Verhältnis des Autors zu seinem Gegenstand. Er kann die zeitliche, räumliche, geistige ‚Abfolge' des Gegenstandes objektiv behandeln (Bericht, Beschreibung, Abhandlung) oder subjektiv (Erzählung, Schilderung, Erörterung). (Vgl. Marthaler 1071 [1962], 31; Fleischer/ Michel 1975, 274—277; Steinbügl 1972/73 — Gesamtgliederung.)

Die literarischen Gattungen des Lyrischen, Epischen und Dramatischen haben Eigenschaften der Texte oder thematische Kriterien zur Grundlage.

Versuche, mögliche Textsorten und -typen nach pragmatischen und intentionalen Gesichtspunkten zu gliedern, sind neu (Werlich 1975; van Dijk 1980). Sie nehmen Autor und Adressat, deren soziale Zugehörigkeit, Schreibabsichten und Leseerwartungen als Klassifizierungskriterien. Thematik und Form sind nur abgeleitete Funktionen dieser Hauptkriterien. So schlägt van Dijk (1980, 135 ff.) zur Klassifizierung von Texten die Analyse der Hauptfunktionen als sogenannte Superstrukturen (z. B. narrative, argumentative Superstruktur) vor, die einen Text unabhängig von Form und Inhalt kennzeichnen. Superstrukturen hingen eng zusammen mit „bestimmten kognitiven und sozialen Eigenschaften der Kontexte" (van Dijk 1980, 136). Es werden zwar eine Reihe von Texttypen genannt, die sich durch eine eigene, kontextabhängige Superstruktur auszeichnen, ohne daß diese aber genau beschrieben würden (vgl. van Dijk 1980, 154).

Kriterien, die die beteiligten Menschen in den Vordergrund rücken, sogenannte textexterne Merkmale (Gülich-Raible 1975, 144 ff.) haben den Vorteil, daß sie die Vermittlung der Fähigkeit zum Abfassen dieser Texte in der schulischen Aufsatzlehre erleichtern. Klassifizierung und Erlernung einzelner Texttypen nach textinternen (d. h. rein sprachlichen) Kriterien wirken für einen Schreiber weniger motivierend als die Vorstellung eines bestimmten Adressaten mit festen Erwartungen an Autor und Text. „Schulaufsätze — Texte für den Leser" lautet der programmatische Titel eines Buches zur Aufsatzlehre (Böttcher u. a. 1973). Es fehlt auch nicht an Vorschlägen zur Textklassifikation, die vorwiegend die beteiligten Kommunikanten mit ihren Bedingungen und Absichten zu Grunde legen. (Vgl. dazu die Ausführungen unter 5.5.5.)

5.2. Funktionale Varietäten: Funktiolekte/Funktionalstile

5.2.1. Zum Begriff der Sprachfunktion

Der Begriff ‚Sprachfunktion' ist älter als die Soziolinguistik. Man bezieht sich im allgemeinen auf K. Bühlers ‚Organonmodell‘ (K. Bühler 1934 [1982], 28—33) mit den drei Zuordnungsbeziehungen oder Leistungen des sprachlichen Zeichens: die Darstellungsfunktion, die Ausdrucksfunktion und die Appellfunktion. Darstellungsfunktion betrifft die Beziehung Sprecher—Gegenstände/Sachverhalte, die Ausdrucksfunktion betrifft den Sender als Subjekt der Sprechhandlung (K. Bühler 1934 [1982], 31) und die Appellfunktion die Beziehung Sender—Empfänger.

Das Modell hat in den späteren Jahren zu weiteren Modifikationen oder Erweiterungen angeregt. So hat Jakobson (1960 [1972]) den drei ersten Funktionen noch drei weitere hinzugefügt und mit neuen Bezeichnungen versehen.

Die sprachlichen Funktionen nach Jakobson können sein:

referentiell: (= Darstellungsfunktion): Die Mitteilung bezieht sich auf den realen Kontext: „*Da steht ein Auto*“.

emotiv: (= Ausdrucksfunktion): Der Sprecher drückt seine Emotionen aus: „*Aua!*“

konativ: (= Appellfunktion): Der Sprecher will den Empfänger zu einer bestimmten Handlung oder Einstellung bewegen: „*Hilfe!*“

phatisch: Die Aussage dient dazu, eine kommunikative Verbindung zwischen Sender und Empfänger überhaupt erst herzustellen, aufrechtzuerhalten oder zu unterbrechen: „*Hallo, können Sie mich hören?*“

metasprachlich: Der verwendete Code wird thematisiert: „Was meinst Du mit ‚*metasprachlich*‘?“

poetisch: Die Mitteilung bezieht sich auf sich selbst „*a rose is a rose is a rose*“ (Jakobson 1960 [1972], 106—109)

Bei diesen und anderen Vorschlägen zur Bestimmung der Sprachfunktion ist ‚Funktion‘ nicht eindeutig definierbar. Leistung, Zuordnung, Zweckbestimmung, Intentionalität oder die willentliche Beziehung zwischen den Beteiligten und der Bezugswelt sind terminologische Annäherungen. Eine sehr weite Fassung der Funktion als Determination hat Auburger 1981, 88 u. 117. Die daraus abgeleiteten ‚Funktiolekte‘ sind so zahlreich, daß sie den hier zu behandelnden ‚Varietäten‘ gleichkommen: Pägniolekt (Sprache zum Spielen), Politolekt, Hagiolekt (religiöse Sprache), Soziolekt, Psycholekt; ferner Fachsprache mit Axio-, Gnosco- und Technolekt; Ideolekt und Lektkomplexe (Auburger 1981, 132—195).

5.2.2. Sprachfunktionen als Vorkommensbereiche

Einen etwas anderen Funktionsbegriff hat die in sozialistischen Ländern (DDR, UdSSR, CSSR) favorisierte ‚funktionale Grammatik' und ‚funktionale Stilforschung'. Letztere beruft sich auf die Einteilungsvorschläge von Riesel (1970). Ihre Einteilung nach Funktionen unterscheidet fünf Domänen der Sprache:

1. Alltagsverkehr   und die Alltagssprache/Alltagsrede
2. Belletristik   und die Literatursprache
3. Wissenschaft   und die Wissenschafts-/Fachsprache
4. Amtsverkehr   und die Instruktionssprache
5. Pressewesen   und die Zeitungssprache

(Riesel 1970, 14 ff. vgl. auch Riesel 1963; Asmuth/Berg/Ehlers 1974, 61 f.; Fleischer/Michel 1975, 246 ff.; Steger 1980, 348; Hartung/Schönfeld 1981, 280 ff. [A. Porsch])

Den fünf Sphären werden Merkmale der darin herrschenden sozialen und interaktionalen Beziehungen zugeschrieben:

1. Der Alltag ist inoffiziell, Beziehungen sind sozial-kollegial.
2. Die Belletristik betrifft nur wenige. Das soziale Verhältnis zwischen Schreiber und Leser ist autoritär und elitär. Vermittelt wird Innenleben (vgl. die emotive Funktion bei Jakobson 1960 [1972], 104).
3. Die Wissenschaft kennt sozial-kollegiale Beziehungen, die auch elitär sind.
4. Die Instruktion hat nur autoritäre Beziehungen.
5. Die Presse ist autoritär, persuasiv und kollektiv.

Die Ausrichtung der Funktionalstile an der idealen Wirklichkeit einer sozialistischen Gesellschaft wird bereits in der Diktion erkennbar. Auch wird der Funktionsbegriff mit der ‚Gerichtetheit' recht strapaziert. Eine deutlichere Ausdrucksweise wäre: Alltagssprache „dient zur Kommunikation" oder „kommt in der Sphäre ‚Alltag' vor". Im Grunde sind alle stilistischen Varietäten immer „Funktionsstile" gewesen, indem sie intentional auf bestimmte Themen, Gegenstände, Wirkabsichten ausgerichtet waren. Das Neue am ‚sozialistischen Funktionsstil' ist nicht der Gedanke der Funktionalität, sondern daß diese Funktionalität sich ausschließlich auf gesellschaftliche Verhältnisse bezieht und nicht auf neutrale Gegenstände oder individuelle Absichten.

Den einzelnen Funktionsbereichen und Funktionsstilen werden folgende sprachliche Erscheinungs- oder Existenzformen zugeordnet (vgl. Fleischer/ Michel 1975, 253—267):

1. Zur Alltagssprache gehört die sogenannte Umgangssprache. Die Abgrenzung zu dem, was man Gebrauchs- oder Zwecksprache oder auch Normalsprache nennt, ist dabei unscharf.

2. Zur Belletristik gehört die Sprache der schönen Literatur, literarische Prosa und Lyrik.

3. Zur Wissenschaft gehört die Sachprosa.

4. Zur Instruktion gehören Gesetzessprache, Verordnungen, Bekanntmachungen, Verträge etc. (s. oben).

5. Die Pressesprache vereinigt alle auch sonst vorkommenden Stile. Nach Fleischer/Michel (1975, 266) bildet dieser Stiltyp keinen eigenen Funktionsbereich (im Gegensatz zu Riesel). Der eigentliche journalistische Stiltyp gehört zum vierten Bereich der Direktive (zumindest nach dem sozialistischen Verständnis der Funktion der Presse und des Journalisten).

5.2.3. ‚Funktionalstile‘

Das folgende Schema will die genannten Vorkommensbereiche, Sphärencharakterisierungen und Stilmerkmale (in Erweiterung eines Entwurfs von Fleischer/Michel 1975, 246 f.) zusammenfassen.

(1) Alltagssprache

Außersprachliche Kennzeichnung

Alltag ist eigentlich eine umgangssprachlich-unwissenschaftliche Kategorie. Sie wird jedoch in der Soziologie und Soziolinguistik zunehmend terminologisiert. Man versteht unter Alltag eine Ungerichtetheit, unspezifisch in bezug auf Thema, Gegenstand und Personenkonstellation oder Intentionen, eine Art Null- oder Normallage ohne Markiertheit.

Seit man in der Linguistik nicht mehr nur die Schrift- und Literatursprache beachtet, sondern auch Formen der gesprochenen Sprache, gelangt auch die inoffizielle, ungeformte und ohne Stilwillen und Absicht benutzte Kommunikation des spontanen Gesprächs ins Blickfeld des Interesses. Alltagskommunikation und Alltagswissen (vgl. Arbeitsgruppe … 1973; Hannapel/ Melenk 1979) sind somit zu kommunikations- und handlungstheoretischen Themen geworden, die sich allerdings empirisch nur schwer fassen lassen. Es ist ein eigenartiger Umstand, daß die Alltagssprach-Linguistik, die sich ausdrücklich von der Literatursprache absetzt und sich den unmarkierten Kommunikationsformen zuwendet, ihre Beispiele aus eben der Literatur nehmen muß, die immer schon eine Fülle alltagssprachlicher (wenn auch fiktionaler) Dialoge enthielt. Dieser Rückgriff auf die Literatur ist mangels geeigneterer

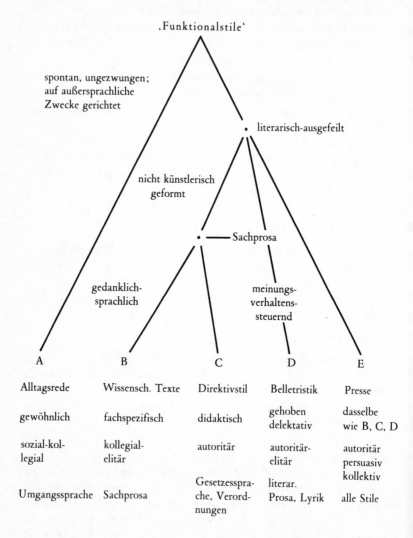

,Funktionalstile'

spontan, ungezwungen;
auf außersprachliche
Zwecke gerichtet

literarisch-ausgefeilt

nicht künstlerisch
geformt

Sachprosa

gedanklich-
sprachlich

meinungs-
verhaltens-
steuernd

A	B	C	D	E
Alltagsrede	Wissensch. Texte	Direktivstil	Belletristik	Presse
gewöhnlich	fachspezifisch	didaktisch	gehoben delektativ	dasselbe wie B, C, D
sozial-kol-legial	kollegial-elitär	autoritär	autoritär-elitär	autoritär persuasiv kollektiv
Umgangssprache	Sachprosa	Gesetzessprache, Verordnungen	literar. Prosa, Lyrik	alle Stile

Materialien genauso erlaubt wie die Analyse von Fernsehgesprächsrunden anstelle anderer natürlicher Dialoge. Der Alltagsstil „übt im Gesellschaftsverkehr eine notwendige soziale Funktion aus (außerlinguistischer Faktor) und besitzt eine sprachliche Spezifik, die ihn von allen anderen Stilsystemen unterscheidet (linguistischer Faktor)" (Riesel 1970, 62). Alltagsstil setzt Alltagskompetenz voraus, die in einem langen Sozialisationsprozeß erworben wird. Sie betrifft die kommunikative Grundkompetenz einer Gemeinschaft und ist deshalb in einer fremden Sprache am schwersten zu erlernen. Alltag und Alltagskompetenz sind daher national und regional spezifiziert und nicht übereinzelsprachlich oder variantenübergreifend.

Sprachliche Merkmale der Alltagssprache

Sprachliche Merkmale der Alltagssprache können nur generell angegeben werden. Die konkreten Realisierungen sind kleinräumlich und gruppenspezifisch verschieden. In der Alltagssprache machen sich einerseits großräumige Moden, andererseits aber kleinräumige subkulturelle Unterschiede bemerkbar. Dennoch werden zur sprachlichen Charakterisierung der ‚Umgangssprache', wie das sprachliche Korrelat zum ‚Alltagsstil' genannt wird (zum Begriff: H. Moser 1960; Bichel 1973 u. 1980), als „einige funktionsbedingte Kennzeichen, die auch jeder sozialen, regionalen und charakterologischen Verschiedenheit übergeordnet sind", genannt (Bichel 1980, 380 nach Zimmermann 1965, 15):

Neigung zu kurzen Sätzen, Nebenordnung (Parataxe) und Einschub von Interjektionen.

Freiheit des Satzbaus: Das Ergebnis wird vorweggenommen, die Erklärung folgt nach: „*wie warm das ist, der See!*" Neigung zu Verkürzungen, die durch die Situation ermöglicht werden. Das Sprechen ist ‚symmetrisch orientiert', das heißt, schließt Handlungen und Situation mit in die verbale Planung ein.

‚Verschwenderischer Zug', der bei der Suche nach einer Formulierung die Zeit füllt (wurde bereits von Wunderlich, Unsere Umgangssprache in der Eigenart ihrer Satzfügung, 1884 erkannt): „*Ja, was ich noch sagen wollte...*"

Im Lautlichen: Kontraktionen und Assimilationen: „*wir ham*".

Im Semantisch-Lexikalischen: Gebrauch von Allerweltswörtern: *machen, tun, Ding*.

Im ganzen ist eine größere Lässigkeit und Affektbetonung gegenüber der ausgearbeiteten Vortragssprache festzustellen.

Die äußere Lässigkeit wird ermöglicht durch fest definierte Grundkonstellationen, die nicht sprachlich formuliert zu werden brauchen. Grundbedingung des Funktionierens von Alltagssprache ist ein gemeinsames Wissen über die Eindeutigkeit einer Situation und die gemeinsame Erfahrung sowohl der großen Weltdinge wie der privaten Gefühle. Dadurch ist eine Reduktion der sprachlichen Äußerungen bis zum kommunikativen Verstummen (vgl. Leisi 1978, 138 f.) möglich. Beispiele für sprachliche Verkürzung dank gemeinsamer Situationseinschätzung sind familiäre Privatcodes, Kunde-Verkäufer-Dialoge am Ladentisch, Börsengespräche (vgl. oben 5.1 (1)). Der ‚verschwenderische Zug‘ der Umgangssprache dient einerseits der Gedankenfindung, andererseits aber auch der bloßen Aufrechterhaltung einer kommunikativen Beziehung (vgl. die ‚phatische Funktion‘ der Sprache: 5.2.1.). Gemessen am reinen Informationswert ist der sprachliche Teil der Alltagskommunikation oftmals defekt. Nach ihrer Funktionalität im Gesamtkontext des gesellschaftlichen Umgangs im weitesten Sinne ist die Alltagssprache ein kunstvolles Gebilde und wird in jüngerer Zeit zunehmend literarisch-ästhetisch ausgenutzt und interpretatorisch zur Kenntnis genommen (Hannapel/Melenk 1979; Riesel 1970). Auch bei Riesel 1970 (‚Der Stil der deutschen Alltagsrede‘) werden als Merkmale genannt:

Ungezwungenheit und Lockerheit der Sprechweise, Ausdrucksökonomie, Ausdrucksfülle, Emotionalität, Humor, Satire, Spott. Die lexikalischen, grammatischen und phonetischen Mittel decken sich genau mit den oben bereits aufgeführten. Sie werden weiter aufgeschlüsselt und mit meist literarischen Beispielen belegt (Riesel 1970, 85, 166, 180 ff.).

Die konkrete sprachliche Realisierung ist national, territorial, regional und gruppensprachlich verschieden. Es gibt keine allgemeingültige Umgangssprache, die man von außen erlernen könnte. Dieselben Wörter und Wendungen können in verschiedenen Gegenden und Kontexten einen unterschiedlichen stilistischen Status haben. In der Schweiz, wo die Alltagssprache phonetisch und syntaktisch immer der Ortsdialekt ist, lassen sich die Merkmale einer schweizerdeutschen Umgangssprache nur schwer fassen, da sie sich phonetisch nicht vom Dialekt unterscheiden. Doch gelten die meisten der genannten lexikalischen und ökonomischen Kriterien dort ebenfalls (vgl. Zimmermann 1965; Strübin 1976).

Der deutsche ‚Alltagsstil‘ als Umgangssprache ist zwar funktional die unmarkierte Kommunikationsstufe ohne nennbare Spezifik. Das sprachliche Erscheinungsbild trägt jedoch unter den noch zu behandelnden Varietäten die vielfältigsten Züge.

Soziolinguistische Aspekte der Alltags- oder Umgangssprache

Von der Funktion her ist Alltagssprache ,situationell' determiniert. In der Herausbildung des Begriffs ,Umgangssprache' war zunächst eine soziale Sprecherschicht, nämlich die Oberschicht mit ihrem ,gehobenem Umgang' mitgemeint (Nabrings 1981, 72 ff.). Später wurde als soziale Trägerschicht die „Bürgerclasse in den Städten" (Bichel 1973, 209; Nabrings 1981, 73) angesehen. Offensichtlich stand hinter dieser Auffassung die Annahme, Umgangssprache sei nach sprachlichen Kriterien die (durch höheren Umgang) sprechsprachlich verschliffene Hochsprache. So gesehen war Umgangssprache trägergebunden oder sozial determiniert. Eine situationell vom Alltag her definierte Umgangssprache ist hingegen nicht sozial markiert, da ,Alltag' für alle Sprecher gleichermaßen zutrifft. Umgangssprache als Alltagssprache für alle hat die oben genannte Vielfalt sprachlicher Realisationsmöglichkeiten und Varianten.

Alltagssprache als neutrale Verständigungssprache enthält für manche Sprecher bereits den äußersten Kommunikationsradius und stellt die gesamte Bandbreite individueller sprachlicher Möglichkeiten dar. Insofern ist Alltagssprache für viele der einzig zu Verfügung stehende ,Soziolekt' und damit wiederum auf einer unteren Ebene gruppenbestimmt.

Ein weiterer soziolinguistischer Aspekt ist mit dem kommunikativ-interaktionalen Bereich der Alltagssprache gegeben: Sprachlich bedingte Kommunikationskonflikte werden üblicherweise zwischen Bürger und Verwaltung oder zwischen Fachleuten und Laien gesehen, weniger im alltäglichen Funktionsbereich der Alltagssprache.

Alltagswissen und Alltagskommunikation sind jedoch an gruppenspezifische oder kleinräumliche Erfahrungen und Wertsysteme (Subkulturen) gebunden. Manche ,Beziehungsstörung' im privaten Bereich mag ihre Ursache im Zusammenprall unterschiedlicher Alltags-Auffassungen und -erfahrungen haben. Belanglose Äußerungen können in ihrem konnotativen Umfeld und in ihren Konsequenzen für eine soziale Beziehung oder soziales Handeln ganz verschieden interpretiert werden (vgl. z. B. auch die unterschiedliche Bewertung des ,Schweigens'). Hier entsteht der Soziolinguistik ein zusätzliches Aufgabenfeld. Mit ihrem Forschungsinstrumentarium kann sie die tatsächlich gegebenen Code-Varianten und ihre Alltags-Markierungen in sozialer und regionaler Differenzierung aufdecken. Dies ist allerdings eine der schwierigsten Aufgaben. ,Alltag' und Privatsphäre entziehen sich normalerweise der wissenschaftlichen Beobachtung. Als Ersatz für Fremdbeobachtung dienten bisher Eigenerfahrung der Forschergruppe (z. B. im Bereich

‚Paar und Sprache' Leisi 1978) oder Ausweichen auf literarische Beispiele (Hannapel/Melenk 1979).

Zum Forschungsstand: Bichel 1973, 1980; Nabrings 1981, 69 ff. u. 193 f.; zur Alltagskommunikation: Arbeitsgruppe 1973; Hannapel/Melenk 1979 mit literarischen und publizistischen Beispielen und Texten: F. X. Kroetz, G. Walraff, R. Callmann, F. Schiller, H. Kipphardt, P. Handke, E. Vilar, C. Mewes, Spiegel-Interview, E. Epple. Auch Riesel 1970 beruft sich in der Hauptsache auf literarische Einzelbelege und -nachweise. Zur Geographie der neueren deutschen Umgangssprache: Wortatlas der deutschen Umgangssprache von Eichhoff 1977/1978; zur schweizerdeutschen Umgangssprache: Strübin 1976.

(2) Literatursprache

Außersprachliche Kennzeichnung

Als pragmatisch-konstellative Kennzeichen der Literatursprache gelten jene, die bereits im Kapitel 5.1 (2) ‚Geschriebene Sprache' genannt wurden. „Literatur" meint jenen Bereich, wo Sprache mit hohem Stilwillen und Formbewußtsein verwendet wird. Der Produktionsvorgang ist gekennzeichnet durch dauerndes Setzen und Korrigieren, Überarbeiten und Feilen, oder, wenn die Sprache in ‚einem Wurf' konzipiert wird, durch ein Höchstmaß an Konzentration. Aufbau und Abfolge der Makroeinheiten sind dabei ebenso einem Gestaltungswillen unterworfen wie die Form der einzelnen Satzperiode und die Wahl eines Wortes. ‚Literatursprache' steht für äußerste Bewußtheit und Konzentration des sprachlichen Produzierens und eine Perfektion an äußerer und innerer Gestaltung des ‚Sprachwerkes' (vgl. K. Bühler 1934 [1982], 48 ff.).

> „Mit ‚Literatursprache' bezeichnen wir die höchste Form der Nationalsprache, wie sie durch die schöngeistige und wissenschaftliche Literatur, durch die offizielle Presse und amtliche Mitteilungen (diplomatische, gerichtliche und andere Akten) auf schriftlichem Wege verbreitet wird, durch Bühne und Film, Funk und Fernsehen, Schule und Hörsaal auf mündlichem Weg. Es handelt sich also um die verbindliche literarische Norm auf allen Ebenen der Sprache (Grammatik, Phonetik-Lexik). Der Begriff Literatursprache ist insofern weiter als der Begriff der schönen Literatur, als die Literatursprache in sämtlichen Bereichen des Gesellschaftsverkehrs gebraucht wird. Hingegen können in die Sprache der schöngeistigen Literatur neben der Literatursprache auch andere Erscheinungsformen der Nationalsprache eingehen — territoriale und soziale Dialekte sowie die Umgangssprache in allen ihren Spielarten." (Riesel 1970, 42)

‚Literatursprache' ist so gesehen der Name für die Normallage der geschriebenen Sprache, die in anderen Zusammenhängen Hochsprache, Schriftsprache oder Standardsprache genannt wird.

Sprachliche Merkmale der Literatursprache

Aus den obigen Gründen sind die sprachlichen Merkmale der Literatursprache identisch mit jenen der ‚Geschriebenen Sprache‘ und den in den Grammatiken des Deutschen und Lehrbüchern für Fremdsprachige kodifizierten Regeln. Diese Regeln der Wohlgeformtheit sind beinahe die einer ‚kontextfreien Phrasenstrukturgrammatik‘, denn sie decken sich nicht mit dem Sprachgebrauch, wie er in der anerkannten schönen Literatur und Publizistik vorkommt. Sie stellen vielmehr eine Abstraktion und Idealisierung einer aus dem genannten Bereich abgezogenen Durchschnittsnorm dar. Daher ist die so gekennzeichnete Literatursprache (= Schriftsprache) soziolinguistisch wenig interessant. Methodisch stellt sie jedoch in der Varietätenforschung eine wichtige Maßeinheit und Vergleichsgröße dar, der gegenüber Varietätenmerkmale und deren Frequenz ‚diasystematisch‘ und statistisch aufgelistet werden können. (Zum Problem der ‚kontextfreien Phrasenstrukturgrammatik‘ als ‚Bezugsgrammatik‘ für sprachliche Varietätenmerkmale vgl. Klein 1975, 92 ff.)

Merkmale der ‚poetischen‘ (Literatur-)Sprache

Literatursprache im eben genannten Sinn ist nicht identisch mit der Sprache der Belletristik oder der poetischen Sprache. Die Unterscheidung zwischen poetischer und nichtpoetischer Sprache ist schon sehr alt. (Vgl. Axelson 1945 über „Unpoetische Wörter“ im Lateinischen.)

Es war das Bemühen von Opitz (1624) gewesen, in seiner „Teutschen Poeterey“ nachzuweisen, daß auch die deutsche Sprache, nicht nur das Latein, zur Poesie fähig und geeignet sei. Neuerdings versucht die Linguistik, Poetizität der Sprache gegenüber der unmarkierten Normalsprache in Regeln und Merkmalen auszudrücken (Jakobson 1960 [1972]; Baumgärtner 1967; Oomen 1973; Kloepfer 1975). Ästhetische Wirkungen können erzielt werden durch eingeschränkte oder abweichende Benutzung der normalen Sprache, durch Abwahlen ‚unpoetischer Wörter‘ oder durch Verwendung gesuchter Ausdrücke. Aber nicht nur in einer Abweichung vom Gewöhnlichen oder im Gesucht-Preziösen liegt Poetizität, sondern auch in einer Diskrepanz zwischen Erwartung und Erfüllung oder im spielerischen Umgehen mit syntaktisch-semantischen Erwartungen. Weitere Kennzeichen der Poetizität können sein: Rhythmus und Wiederholung oder regelmäßiger

Wechsel bestimmter Einheiten wie Akzente, Töne, Laute, Gedanken, Strukturen oder semantische Merkmale als „Ähnlichkeit oder Gleichartigkeit von Strukturprozessen" (Baumgärtner 1967, 78). Im übrigen ist es nicht möglich, die Merkmale poetischer Sprache vollständig aufzuzählen. Sie ist jedenfalls nicht identisch mit ‚Literatursprache' und mit sprachlichen Mitteln allein nicht zu kennzeichnen. Oftmals mag der (poetische) Kontext genügen (Anordnung auf dem Blatt, Anthologie, Vortragsart etc.), um einen unmarkierten Text poetisch werden zu lassen.

Soziolinguistische Aspekte der Literatursprache

Träger der mit höchstem Formwillen gestalteten Literatursprache sind im Grunde alle Teilnehmer der Sprachgemeinschaft ohne besondere soziale Merkmale. In Wirklichkeit ist der Gebrauch der Literatursprache in Schrift und Wort doch Sache einer kleinen Bildungsschicht und bestimmter intellektueller Berufe (Schriftsteller, Lehrer, Journalisten, Politiker). Literatursprache ist damit immer elitär, aber nicht streng an die vertikale Sozialstruktur der Sprachgemeinschaft gebunden.

Der Sozialstatus der Sprachträger ist für die Literatursprache nicht wichtig. Entscheidender ist der Umstand, daß diese idealisierte Sprachstufe als Null-Stufe oder Bezugsgrammatik für alle übrigen Abweichungen genommen wird. Standardsprache wird in dieser Weise oft mit Literatursprache gleich-. gesetzt, und diese gilt als elaborierte Sprachstufe, Kennzeichen der höheren Sozialschichten und als Richtschnur für Sprachrichtigkeit im schulischen Sprachunterricht, der auf diese ideale Sprache hin erziehen soll. Insofern haftet der Literatursprache in der Wirkung — als Bezugsgröße für Bewertungen von sprachlichen Abweichungen — doch ein soziolinguistischer Aspekt an.

Dies gilt ebenso für die ‚poetische' Sprache. Sie setzt eine erlesene Teilnehmerschaft voraus, an die bestimmte Anforderungen gestellt werden, die man durch Unterricht oder durch Belesenheit erwirbt. Ein Autor kann durch weitere selektive sprachliche Mittel seinen Adressatenkreis einschränken, so daß nur noch eine bestimmte Leser- oder Erfahrungsgemeinschaft angesprochen ist. Die am Literaturbetrieb Beteiligten sind die ‚Intellektuellen', die durch schulische Bildung oder Beruf gewohnt sind, mit Büchern umzugehen. Poetische Sprache ist elitär und kann in Verbindung mit anderen literarischen Faktoren gruppenbildend oder stabilisierend wirken. (Vgl. die „Gruppe 47"; „Gruppe Olten" in der Schweiz; den „Georgekreis" um die Jahrhundertwende; früher bereits die „Sprachgesellschaften" im 17. Jahrhundert u. a.)

(3) Wissenschafts- und Fachsprachen

Außersprachliche Kennzeichnung

Wie bei Alltagssprache und Literatursprache stehen ‚Wissenschafts- und Fachsprachen‘ wiederum als Oberbegriffe für eine Reihe von Varietäten. Ihre Vorkommensbereiche sind die Wissenschaften und beruflichen Sparten, die durch einen Forschungs- oder Bearbeitungsgegenstand, durch eine spezielle Methode und ein spezielles Instrumentarium gekennzeichnet sind. Diese äußeren Merkmale machen eine funktional angepaßte Sprache nötig. Manchmal wird die Wissenschaftssprache auch zu den Fachsprachen gerechnet (Feinäugle 1974, 67 ff.; Fluck 1976; Bausch u. a. 1976). Von anderen wird ihr ein eigener Status zugeschrieben, da sie im Gegensatz zu den gewöhnlichen Fachsprachen ein festes terminologisches System hat, das sich aus dem Wissenschaftsbegriff und der Methodenlehre ableiten läßt (Drozd/Seibicke 1973). Nach der pragmatischen Grundkonstellation unterscheiden sich Wissenschafts- und Fachsprachen jedoch nicht. Der fünffachen Aufteilung der Vorkommensbereiche sollte im Idealfall je eine Subvariante der Fach- oder Wissenschaftssprache entsprechen: (vgl. Fluck 1976, 21 f.; von Hahn 1980)

1. Die eigentliche Fachsprache im schriftlichen Austausch (Theoriesprache).
2. Der mündliche Instituts-, Labor- oder Werkstattjargon, der auch auf Tagungen und Kongressen verwendet wird (Fachliche Umgangssprache).
3. Die Darstellungs- und Erklärungssprache im fachlichen oder wissenschaftlichen Lehrbuch (Lehrbuchsprache).
4. Die mündliche Darstellungs- und Erklärungssprache im fachlichen Unterricht (Unterrichtssprache).
5. Die populäre Erklärungssprache im allgemeinen Schulunterricht und in den Medien (Außensprache oder ‚Verteilersprache‘).

1. und 2. dienen der Kommunikation unter Fachleuten. Die Wörter sind als Termini wohldefiniert, so daß man sie als Chiffren für Definitionen und weitere Zusammenhänge ökonomisch verwenden kann. Fachbegriffe gelten unter Fachleuten als bekannt und brauchen nicht jedesmal von neuem eingeführt zu werden. Die unterstellte Kenntnis der gebräuchlichen Termini, ihrer Definitionen und Verwendungsweisen setzt ein längeres Studium voraus. Fachstudium könnte so auch als Erlernen einer (wissenschaftlichen) Fachterminologie angesehen werden. Diese Art Wissenschaftssprache ist für

Außenstehende weitgehend unverständlich, sie strebt auch keine Allgemein-verständlichkeit an.

Die Lehrbuchsprache (3.) und die wissenschaftliche Unterrichtssprache (4.) an Universitäten und (Fach-)Hochschulen verwenden zwar auch die exakte Wissenschaftssprache mit der wohldefinierten Terminologie. Die Kenntnis der Definitionen wird jedoch nicht wie bei (1.) und (2.) vorausgesetzt, son-dern schrittweise mit Hilfe umgangssprachlicher Paraphrasen eingeführt. Lehrbuchsprache und Unterrichtssprache führen von der Umgangs- und Literatursprache hin zur Fachsprache. Die Außen- oder ‚Verkaufs'sprache (5.) dient der populären Umsetzung. Sie soll nicht in die Fachsprache ein-führen, sondern Methoden und Ergebnisse sollen in die Gemeinsprache um-gesetzt werden. Statt unterstellter Vorkenntnis wird Unkenntnis oder ledig-lich Interesse vorausgesetzt. Generalisierungen werden an Einzelbeispielen erläutert, überhaupt wird das Allgemeine am Besonderen dargestellt. Die Prozedur, die näheren Umstände auch personeller Art stehen vor der reinen Ergebnisvermittlung.

Sprachliche Merkmale der Wissenschafts- und Fachsprachen (Drozd/Seibicke 1973, 122 ff.; Fluck 1976, 47 ff.)

Aus den pragmatischen Merkmalen ergeben sich folgende sprachlichen Kon-sequenzen:

Hoher Anteil an Nomina und nominalen Ausdrücken;

Vereindeutigung (Monosemierung) von Homonymen: „*Kante im Dia-gramm ist eine zwei Punkte verbindende Linie.*"

Univerbierung: ‚*Elektronische Datenverarbeitungsmaschine*' wird zu ‚Rechner'. Hierher gehört die Verkürzung durch Addition der Anfangsbuchstaben eines komplexen Ausdrucks: *DIN* (Deutsche Industrie-Norm);

Wortneubildungen: *Quasar, Turbo-Lader*;

Verzicht auf autosemantische Vollverben zugunsten von Präpositional-gefügen: *kommt zur Durchführung; gerät ins Blickfeld.*

Bevorzugung der Ist-Verben: *ist, verhält sich, scheint, zeigt sich, besteht aus, be-trägt*;

Keine Personalsubjekte: *Man, das Institut, der Sachverhalt erscheint dem Be-trachter . . .*

Tendenz zur Passivierung: *wird angesehen als, läßt sich zeigen, sagen, deuten; ist zu erkennen*;

Einfache Satzstrukturen. Parallelität des Satzbaus und innere Gliederung: *einerseits — andererseits.*

Ein Beispiel für den linguistischen Fachjargon:

„Die ursprünglich für bestimmte Operationen im Abstraktionsprozeß und bei der Begriffsbildung eingeführten Termini ‚Verdichtung' und Auflösung (eigentlich ‚Auflösbarkeit') von Entscheidungsregeln zur Auswahl relevanter Merkmale wird gelegentlich auch zur Erklärung und Bezeichnung der Paraphraserelation und anderer semischer Beziehungen verwendet." (E. Agricola, in: Studia Grammatica 18, 1977, 12)

Ein Beispiel aus der physikalischen Fach(Lehrbuch-)sprache:

„Unter der Arbeit A der konstanten Kraft $\vec{K}$ längs des Weges $\vec{s}$ verstehen wir das skalare Produkt aus Kraft und Weg. $A = (\vec{K}, \vec{s}) = K\ s\ \cos \varphi \cdot \varphi$ ist der Winkel zwischen Kraft- und Wegrichtung. Da $K \cos \varphi$ die Kraftkomponente K_s der Kraft in Richtung des Weges bedeutet, können wir die Arbeit auch so definieren: Arbeit = Kraftkomponente in Richtung des Weges mal Weg = $K_s\ s$ (nicht Kraft mal Weg). Die Arbeit erscheint nach dieser Definition als skalare Größe. Arbeiten addieren sich algebraisch." (Nach Feinäugle 1974, 68)

Soziolinguistische Aspekte der Wissenschafts- und Fachsprachen

Wissenschafts- und Fachsprachen sind auf die jeweiligen Gruppen beschränkt, die sich die fachlichen und terminologischen Kenntnisse durch eine längere Ausbildung angeeignet haben. Die Notwendigkeit einer eigenen ‚Sprache' ist sachlich bedingt und aus den fünf Vorkommensbereichen heraus zu erklären. Fach- und Wissenschaftssprachen sind elitär und betreffen immer nur bestimmte Gruppen. Der Fachjargon kann über den Erkenntniseffekt und die Kommunikationsökonomie hinaus gruppenstabilisierend wirken und zur beruflichen Identifikation beitragen. Faßt man Fachsprache weit genug, so gibt es fast niemand, der nicht an irgend einer Fachsprache teilhat. Entsprechend dem sozialen Ansehen der Disziplinen besteht unter den Fachsprachen ein Prestige-Gefälle. Während in den Naturwissenschaften, den technischen Fächern und Berufen eine terminologische Unverständlichkeit autoritätssteigernd sein kann, ist diese Wirkung bei geisteswissenschaftlichen Fachsprachen oder politologisch-soziologischer ‚Fachsimpelei' oft gegenteiliger Art. Von den geisteswissenschaftlich-humanistischen Fächern wird in viel höherem Maße eine verständliche Sprache erwartet als von den naturwissenschaftlich-medizinischen Disziplinen. Dabei wird übersehen, daß auch gemeinsprachliche Wörter wie Sicht, Aspekt, Erzählweise, Ausdruck, Gefühl, Phantasie, Rolle, Verständnis oftmals terminologisiert, d. h. wohldefiniert und eindeutig in ein Begriffssystem eingebettet sind. Die vermeintliche Verständlichkeit vermittelt den falschen Eindruck, als gehöre jedermann zur literarischen, pädagogischen oder theologischen Wissenschafts-Gemeinde.

Nach einem generellen Gesetz nimmt die Gemeinsprache (Alltagssprache) dauernd Wörter und Wendungen aus den Fachsprachen auf, weil entweder Fachwissen popularisiert und zum Allgemeinwissen wurde, z. B. im Bereich des Autofahrens oder der Populärpsychologie, oder weil ein Fachbereich und die dazugehörende Berufsgruppe, z. B. die Medizin, in einem sehr hohen sozialen Ansehen stehen, so daß Fachwörter (Streß, Infarkt, Therapie, Kollaps, Diagnose) dank ihres ‚Mehrwertes‘ in die Alltagssprache übernommen werden.

Durch die zunehmende Differenzierung des Fachjargons gerade in den führenden Grundlagenwissenschaften (Informatik, Computerwesen, Medizin, Elektronik etc.) vergrößert sich der Abstand der Fachsprachen zur Normalsprache. Auch die Berufsgruppen isolieren sich kommunikativ mehr und mehr. Je nach gesellschaftlichem Stellenwert der ‚Branche‘ wird die Fach-Gruppe zu einer neuen Art Priesterklasse (vgl. das Stichwort der neuen ‚Klerikalisierung‘ vgl. 5.1 (2): ‚Schreiber- und Lesergruppen‘) mit entsprechender Macht im öffentlichen und privaten Bereich, — oder die esoterische Gruppe wird ignoriert und belächelt. Zwischen der Wissenschaftskaste und dem gewöhnlichen Volk entsteht durch diese Kommunikationskluft ein fast religiöses Glaubensverhältnis, indem Ergebnisse und Fakten ohne Möglichkeit der Nachprüfung übernommen und Handlungsanweisungen daraus abgeleitet werden (vgl. Kernkraftdiskussion) müssen.

Eine wichtige Aufgabe nicht zuletzt der Soziolinguistik wäre es, auf die Möglichkeit der Vermittlungssprachen zwischen der fachlichen Innensprache und der gewöhnlichen Alltagssprache hinzuweisen. Die Spezialisierung macht es weiterhin erforderlich, daß auch zwischen einzelnen Fächern bereits übersetzt und gedolmetscht werden muß. Mißverständnisse sind zwischen den Fachleuten selbst mindestens so häufig wie zwischen Fachleuten und Laien.

Der vielfache Ruf nach Abschaffung der ‚Innensprache‘ verkennt die Erkenntnis- und Rationalisierungsfunktion der Fachsprachen. Die Forderung mag aus der Erkenntnis erwachsen, daß Fachsprache manchmal zur Gruppenstabilisierung, Abschirmung oder als Imponiergehabe genutzt wird und auf den Neid und die Ablehnung derer stößt, deren soziales Ansehen nicht auf einem gruppensprachlichen Symbol beruht (Politiker, Geschäftsleute, Lehrer).

Die Fachbereiche und Berufsgruppen sollten darauf achten, daß es immer genügend Dolmetscher gibt, die sowohl die Innen- wie die Verkaufssprache eines Faches beherrschen. Solche Übersetzer sind in der Regel die Fachjournalisten und die Lehrer. Auch manche Wissenschaftler sind dank einer besonderen kommunikativen Begabung in der Lage, als Wissenschaftspublizisten diese Umsetzung zu leisten.

Bis zu Beginn dieses Jahrhunderts hatte das Latein den Status der universellen und internationalen Wissenschaftssprache. Erst mit dem Aufkommen der modernen Naturwissenschaften gegen Ende des 19. Jahrhunderts wurde die deutsche Sprache auch fachsprachlich ausgebildet. Grundlage zur Terminologisierung waren aber immer noch die lateinische und griechische Sprache. Seit der Mitte dieses Jahrhunderts hat die englische Sprache einen großen Teil dieser fachsprachlichen und terminologisierenden Funktion übernommen, die das Latein seit dem Mittelalter gehabt hatte. Das Übergewicht des Englischen hängt einerseits mit der politischen Bedeutung des englischen ‚Empire', andererseits mit dem technologischen und wirtschaftlichen Übergewicht der USA zusammen. Es eröffnet im westlichen Bereich den größten Absatzmarkt für Waren und Geräte. Die Ablösung des Lateins als Bildungssprache und als Wortlieferant für wissenschaftliche Fachsprachen wird von vielen bedauert. Die Verteidigung des Lateins als Bildungssprache muß jedoch mit anderen Argumenten als denen des leichteren Verständnisses der Fachsprachen geführt werden. Früher war es gerade das Latein als Bildungs- und wissenschaftliche Verkehrssprache, welches die möglichen soziolektalen Unterschiede zwischen Sprechern unterschiedlicher Herkunft ausgleichen konnte. Latein war für alle in gleicher Weise neu und elaboriert und garantierte zumindest auf dem Bildungs- und Wissenschaftssektor eine sprachliche Chancengleichheit, die eine lebende Fremdsprache nicht in gleichem Maße bieten kann.

(4) Sprache des öffentlichen Verkehrs

Außersprachliche Kennzeichnung

Mit ‚öffentlichem Verkehr' hatte Havranek bereits 1938 einen eigenen Funktionsbereich bezeichnet (vgl. Fluck 1976, 13), der auch von E. Riesel und anderen Theoretikern der Funktionalstile (Fleischer u. a.) übernommen wurde. Die Sprache des öffentlichen Verkehrs soll in Abgrenzung zu Alltags-, Wissenschafts- und Publizistiksprache die Fachsprache der Verwaltung und Politik sein. Auch bei Fluck (1976, 72—79) werden Verwaltungssprache und politische Sprache unter die Fachsprachen gerechnet. Ihr Funktionsbereich sind die Verwaltung und Organisation, Gesetzgebung und

Vertragswesen, Internationaler Verkehr, Propaganda und politische Meinungsbildung und Politikwissenschaft (nach einer Aufteilung von H. Ischreyt 1972 zitiert bei Fluck 1976, 77). Fleischer nennt diesen Bereich Direktive (Fleischer/Michel 1975, 164 ff.) und schränkt ihn auf den Gesetzgebungs- oder Verlautbarungsaspekt ein. Steger nennt diese Sprache Instruktionssprache (Steger 1980, 348).

Obgleich die Funktionsbereiche als gesellschaftliche Handlungsräume konzipiert sind, lassen sich doch jeweils soziale Gruppen als Hauptbeteiligte ausmachen. Träger der Verwaltungs- und Instruktionssprache sind die Bürokraten im weitesten Sinne, Verwaltungsbeamte, Politiker und Juristen. Dieser Funktionsstil ist an bestimmte Berufsgruppen gebunden. Im Unterschied zu anderen Fachsprachen ist die ‚Direktive' jedoch auf andere Gruppen oder die ganze Gemeinschaft gerichtet. Sie regelt das Zusammenleben, die rechtlichen Verhältnisse, enthält Rahmenordnungen und Ausführungsbestimmungen, die die äußeren Lebensbedingungen aller betreffen. Das mag der Grund sein, weshalb die „deutsche Verwaltungssprache in ihren Äußerungen weitgehend den allgemeinsprachlichen Wortschatz benutzt" (Fluck 1976, 72), jedoch die alltagssprachlichen Wörter begrifflich festlegt.

Was von mancher Seite als stilistisch unschön oder gar als Verderbnis kritisiert wird, hat seine Ursache nicht in einem mangelnden Stilgefühl der Autoren oder in einer falschen Einstellung zur Volksnähe und Verständlichkeit öffentlicher Texte, sondern darin, daß diese Sprache trotz ihres gemeinsprachlichen Äußeren doch eindeutig sein muß, um den Rechtscharakter des so Geregelten auszudrücken. So ist *‚käuflich erwerben'* etwas anderes als *‚kaufen'*. Im letzten Fall besorge ich etwas in einem Geschäft, im ersten vollziehe ich einen Rechtsakt, der sich von dem des Stehlens und Leihens unterscheidet. *Jemandem mittels eines Knüppels als Tatwerkzeug eine Körperverletzung beibringen* ist etwas anderes als *ihm auf den Kopf schlagen.* Die Rechts- und Verwaltungssprache geht gewissermaßen erkennbar in einer Robe einher und paßt sich den übrigen Kontextbedingungen an, die sich sonst als Amtsstube, Schalter, Gerichtssaal, Gesetzesblatt, Verkündigungstafel, Richterroben, Uniformen äußerlich aus dem übrigen alltäglichen Leben herausheben. Versuche, Anleitungen und Verlautbarungen in der umgangssprachlichen Volkssprache zu geben, scheitern daran, daß Präzision und Eindeutigkeit und damit die Einklagbarkeit nicht gewährleistet sind. So ist die viel kritisierte Behördensprache eine Fachsprache wie jede andere. Wenn der normale Bürger seine Steuererklärung oder andere Formulare auszufüllen hat, ist er in diesem Augenblick ebenfalls Fachmann, falls er sich nicht von sprachenkundigeren Fachleuten wie Steuerberatern, Anwälten oder Versicherungsfachleuten helfen lassen will. Die Forderung nach einer umgangssprachlichen Behörden- und Verwaltungssprache ist pragmatisch ungerechtfertigt. Aufgabe einer Aufklärung und Sprachpflege wäre es, die normalen Leute in den Stand zu versetzen, sich an dieser öffentlichen Fachsprache soweit zu beteiligen, wie sie betroffen sind. Andererseits müßten die Fachleute darüber aufgeklärt werden, daß der Behördenjargon nur dort Verwendung finden soll, wo es der Rechtscharakter des Geschäfts erfordert. Die intersozialen Probleme entstehen nicht durch die Existenz einer zwangsläufig autoritär und elitär wirkenden Behördensprache, sondern in deren unangebrachten Verwendung aus Unfähigkeit oder Fehleinschätzung der Situationen einerseits und aus einem Mißverständnis der Betroffenen, es handle sich um eine mißbrauchte Umgangssprache und um Relikte preußischer Amtsanmaßung.

Sprachliche Merkmale der Sprache des öffentlichen Verkehrs

Die Behörden- und Verwaltungssprache benutzt nach H. Wagner 1970 und Fluck 1976, 72 ff. viele Wörter aus dem allgemeinen Wortschatz mit begrifflich fester (eindeutiger) Bedeutung. *Vorgang, Bescheid, Anspruch, Aufsicht* sind feste Begriffe für fest umrissene Sachverhalte oder Vorgänge. In diesem lexikalischen Teil unterscheiden sich die Verwaltungssprachen der vier deutschsprachigen Länder augenfällig.

Der deutsche *Schriftführer* heißt in der Schweiz *Aktuar*, der *Widerspruch* ist ein *Rekurs*, die *Mahnung* ist österreichisch *Abmahnung* und das *Gesuch* dort ein *Ansuchen* (Fenske 1973, 105 ff.).

Weitere lexikalische Kennzeichen sind: mechanische Wortzusammensetzungen: *Eheunbedenklichkeitsbescheinigung* (Fluck 1976, 73);

Formelhafte Wendungen: *unter Bezugnahme auf, im Nachgang zu* . . .

Durch die Wortverdichtungen sind kürzere Sätze möglich; viele echte und unechte Passivformen werden verwendet: *sind zu leiten, haben zu erfolgen*;

Partizipalkonstruktionen: *abzugebende Vorgänge, bezugnehmend auf die von ihnen gemachten Einwendungen* . . .;

Funktionsverben: *zur Durchführung bringen, zu Protokoll geben; in Vollzug setzen.* Hierbei sind die einfachen Verben *durchführen, protokollieren lassen* oder *vollziehen* keine echten Synonymen. Die Funktionsverbgefüge signalisieren den ‚Amts- und Rechtscharakter' des Verwendungsbereiches. (Zu den sprachlichen Merkmalen vgl. auch Fleischer/Michel 1975, 264 f.)

Soziolinguistische Aspekte der Sprache des öffentlichen
Verkehrs

Die so gekennzeichnete Verwaltungssprache gilt als ein intern höchst wir-
kungsvolles und handliches Kommunikationsinstrument (Fluck 1976, 74).
Der Rückzug auf Formeln und Abstraktionen in der Außensprache der
Behörden kann jedoch leicht zum Machtinstrument werden, das vom Sachbearbeiter der Behörde gegenüber seinem ‚Fall‘, oder von rechtsberatenden
und -pflegerischen Berufen gegenüber ihren Kunden angewandt wird. „Un-
geklärt bleibt die Gliederung und der Umfang der Verwaltungssprache"
(Fluck 1976, 75), wie sich überhaupt dieser Sprach- und Funktionsbereich
fast übergangslos mit Alltagssprache, Fach- und Wissenschaftssprache ver-
mischt, nicht nur alltagssprachlichen Wortschatz terminologisiert, sondern
auch verwaltungssprachliche Wendungen wieder de-semantisiert und dem
alltäglichen Sprachgebrauch zurückgibt.

Unter soziolinguistischem Gesichtspunkt muß die Funktionalität der Verwaltungssprache und ihre Beschränktheit auf bestimmte Berufsgruppen und
Rechtsbereiche betont werden. Zur Förderung der Verständigung müßten
die ‚Bürger‘ über die elementaren Merkmale und Funktionsweisen dieses
Stiles besser informiert sein. Die Beschäftigung mit der Amts- und Behördensprache sollte nicht nur kritisch-sprachpflegerisch, sondern neutral des-
kriptiv sein (Beispiel H. Wagner 1970). Herrschaft durch Sprache wird
heutzutage viel weniger durch das Behördendeutsch ausgeübt als durch die
Programmier- und Codiersprachen der Datenverarbeitungsanlagen, deren
Kenntnis auf einen noch kleineren Teil von Fachleuten beschränkt ist und
durch die Spezialisierung auf Steuer, Versicherungs- und Abrechnungswesen
gegenüber den übrigen ‚Analphabeten‘ ein echtes Machtinstrument darstellt
und das Verhältnis zwischen Dienstleistung und Kunden zu einem blinden
Vertrauensverhältnis mit allen Gefahren des Mißbrauchs werden läßt.

(5) Pressesprache

Außersprachliche Kennzeichnung

Nach Fleischer steht die „Wirkabsicht" bei der Pressesprache im Vordergrund, insoweit es sich überhaupt um einen eigenen Funktionalbereich handelt und nicht einfach andere Stile literarischer und wissenschaftlicher Art
wiedergegeben werden. Fleischer und Michel (Fleischer/Michel 1975, 266)
wollen denn auch die Pressesprache als Subtyp unter die ‚Direktive‘ stellen
und die Nachricht, Leitartikel, Glossen und Kommentare ganz „im Dienste
der Meinungsbeeinflussung" sehen (ebd.). Diese Zuordnung betrifft, wie die

Autoren betonen, nur die Funktion der sozialistischen Presse, die bei der Herausbildung einer sozialistischen Gesellschaft nicht nur Nachrichten vermittelt, sondern ausdrücklich erzieherische und agitatorische Aufgaben hat. Der Bereich der Presse und Publizistik wie auch von Radio und Fernsehen ist gekennzeichnet durch die Konstellation: ein oder wenige Autoren auf der Produktionsseite und eine nicht feststellbare Zahl anonymer Leser, Hörer oder Seher auf der Adressatenseite („Massenmedien'). Zeitungsdeutsch, Radiodeutsch oder Fernsehsprache sind somit das Geschäft einer kleinen Berufsgruppe von Journalisten. Diese können anonym oder als Redaktionskollegium (-kollektiv) einzeln oder zu mehreren auftreten. Immer wird die Kommunikation vervielfacht, ist autoritär und in gewissem Sinne auch elitär (vgl. oben 5.1 (2) zur geschriebenen Sprache).

Die Adressaten der publizistischen Sprache sind nicht sozial festgelegt. Die thematisch konstituierten Sparten jedoch selektionieren die potentielle Leserschaft nach Interessen- oder Berufsgruppen (Sport, Politik, Wirtschaft, Börsenberichte . . .). Die meisten Zeitungen legen Wert darauf, daß sie von verschiedenen Leserschichten gekauft und gelesen werden können. Trotzdem sind den einzelnen Zeitungen dann doch nicht nur regional abgegrenzte, sondern auch sozial gekennzeichnete Lesergruppen zuzuordnen. Die Zuordnung erfolgt durch die Wahl der thematischen Schwerpunkte, durch das Niveau der Probleme und die sprachliche Darstellung. Manches Blatt versteht sich so als Intellektuellenblatt oder umgekehrt als Boulevardzeitung. Bis zu einem gewissen Grade kann die Zeitung-Leser-Zuordnung oder die Zeitungslesegewohnheit als soziales Gruppenmerkmal dienen. Die Leser der NZZ (Neue Züricher Zeitung) und der Hamburger Morgenpost oder der Bild-Zeitung gehören im Durchschnitt unterschiedlichen sozialen Gruppen an (vgl. Züricher Zeitungen . . . 1974).

Das Verhältnis Zeitung—Publikum ist geprägt vom Selbstverständnis der Zeitungsmacher, ihren Zielen, Voraussetzungen und Wirkabsichten und den Leseerwartungen der Käufer und Abonnenten. Kiosk- oder Boulevardzeitungen sind dabei auf anreißerische Mittel wie Balkenüberschrift und Bilder mehr angewiesen als die fest abonnierten Zeitungen und Zeitschriften.

Die nachrichtliche, meinungsbildnerische oder politisch-agitatorische Selbsteinschätzung der einzelnen Zeitungen ist verschieden. Sie variiert noch erheblich in den einzelnen deutschsprachigen Ländern. Die sozialistische Presse hat eine feste gesellschafts- und staatspolitische Aufgabe, die ihr von der Partei zugewiesen ist. Die Schweizer Presse versteht sich sehr oft als parteiisch und als Meinungspresse in der Weise, daß man immer einen Standpunkt vertritt, der sich auch darin äußern kann, daß man manche Themen gar nicht behandelt. Die deutschen großen Zeitungen legen umgekehrt Wert auf ihre Partei- und Gruppenunabhängigkeit und sehen sich meistens über den parteipolitischen Dingen schwebend. Die österreichische Presse vermittelt oft den Eindruck, meinungsfrei Nachrichten und Informationen zu vermitteln, weder Farbe noch Partei noch überhaupt Standpunkte zu zeigen. Solchen Gesamteindrücken, die pauschal sind und auf intuitiven Leseeindrücken beruhen, müßten einmal publizistisch-vergleichend nachgegangen werden. Sie betreffen einen wichtigen Teil der differenzierten deutschen Sprachwirklichkeit und der nationalen Presselandschaften. Es ist unter solchen Aspekten schwer, von der deutschen Zeitungssprache zu sprechen.

Sprachliche Merkmale der Pressesprache

Auch bei einer einzelnen Zeitung läßt sich kein durchgehender Stil ausmachen, der sich von den anderen bereits besprochenen signifikant unterscheiden würde. Am ehesten noch können bei den zeitungsspezifischen Textsorten Nachricht und Kommentar (Meinungsäußerung, Interpretation) sprachliche Auffälligkeiten registriert werden. Die übrigen Sparten wie auch der ganze Bereich der gesprochenen Medien überlappen sich mit alltags-, fach-, wissenschafts- und literatursprachlichen Stilformen.

So wurden bisher auch nur die auffälligsten Sparten und Textsorten sprachlich näher untersucht: (Vgl. die Bibliographie bei Straßner 1980, 336 ff.) Die Nachrichten: Straßner 1975; Fluck u. a. 1976; die Schlagzeile: Sandig 1971; zum Verhältnis Schlagzeile—Bericht neuerdings: Kniffka 1983; Anzeigenwerbung: Flader 1974, Nusser 1975, Römer 1971, Stolt/Trost 1976 (Heiratsanzeigen) oder einzelne Zeitungen: Der Spiegel: Arntzen/Nolting 1977, Carstensen 1971, Bildzeitung und Boulevardpresse: Mittelberg 1967 u. 1970, Sandig 1972. Reportage: Siegel 1978; Leitartikel: Pfeil 1977; Politische Kommentare in der FAZ, Welt SZ: Bröder 1976. Sprachliches: Amerikanischer Einfluß auf die deutsche Zeitungssprache: Engels 1976, auf die DDR-Zeitungssprache: Kristensson 1977. Perfekt und Präteritum: Latzel 1975; Wortschatz und Syntax: Mittelberg 1967, Sandig 1971; Nominalisierung: Popadić 1971; Metaphorik und Idiomatik: Reger 1976, 1977, 1977a; Frequenz der Wörter in der Welt und SZ: Rosengren 1972 u. 1977.

Nach Straßner ist Zeitungssprache ein Oberbegriff mit verschiedenen stilistischen Ausprägungen und eine „Mixtur von Sprach- und Stilformen". Wenn dennoch einige typische Merkmale der Zeitungssprache genannt werden, dann eben als Tendenzen, die sich im Laufe der Zeit als zeitungstypisch herausgestellt haben wie: Nominalisierung und Funktionsverbgefüge (mit einer

Tradition bereits im 17. Jahrhundert: *zur Endschaft gelangen* 1699 in Hamburg); vereinfachter Satzbau, Parataxe, ,eilige Syntax', asyndetische Verbindungen, ,Häckselstil', Schlag-, Mode- und Jargonwörter. Ferner sei für die Zeitungssprache kennzeichnend, daß sie sich immer schon allerlei syntaktische und stilistische Normverstöße geleistet habe und sich damit die Kritik der Sprachpfleger zuziehen mußte. Zeitungsdeutsch sei nach Nietzsche ,Schweinedeutsch' (Straßner 1980, 331). Dasselbe lose Verhältnis zur etablierten Norm habe aber bewirkt, daß gerade die Zeitungen die Träger von Neuerungen waren und sprachgeschichtlich zur „Demokratisierung der Schriftsprache" (nach Eggers 1977, 129) beigetragen hätten.

Sprachliche Detailuntersuchungen können sich immer nur einzelnen Zeitungen, Sparten oder Epochen zuwenden. Wenig bekannt sind die nationalen Unterschiede im deutschsprachigen Bereich. Das Interesse der Linguistik geht neuerdings auf eine mögliche Typologie der Zeitungsstile unter Berücksichtigung der Textsorten-Modelle. Hierbei wird je nach Ansatz auch der ,implizierte Leser' in die Liste der textsortenkonstituierenden Faktoren aufgenommen. So bekommt die publizistische Textsorten-Linguistik durchaus einen soziolinguistischen Zug.

Soziolinguistische Aspekte der Pressesprache

Nach Straßner (1980, 331) will Zeitungssprache immer lesbar sein. Die Sprache der einzelnen Blätter und ihrer Sparten wird sich im Idealfall also nach intendierter ,Leserschicht' ausrichten. Die Qualitätsstaffelung der Zeitungen, innerhalb der Zeitungen die Sparten-Hierarchie (Kultur vor Sport; Außenpolitik vor Lokalem) und damit auch die Hierarchie des Leseinteresses und der Leserschichten spielen in der Massenkommunikation eine große Rolle. Die Soziologie hat sich dieser Verhältnisse angenommen (W. Haacke, Publizistik und Gesellschaft 1970; Glotz/Langenbucher 1969: Der mißachtete Leser; Silbermann/Krüger 1973: Soziologie und Massenkommunikation; Tern 1973: Der kritische Zeitungsleser).

Die Frage der Lesbarkeit betrifft den sprachlichen Aspekt im Verhältnis zwischen Zeitungsmacher und Zeitungsleser. Nimmt man die Sprachlichkeit der zeitgenössischen Zeitungen als Inbegriff der uns umgebenden geschriebenen Sprachwirklichkeit, so reflektiert der Schwierigkeitsgrad der Zeitungssprache gleichzeitig das anzustrebende Niveau eines künftigen ,mündigen' Lesers. Eine Parallelanalyse von Lesbarkeitsgraden Schweizer Zeitungen und zeitgenössischer Schweizer Schulbücher (Amstad 1978) hat hierbei interessante Zusammenhänge und Diskrepanzen zwischen sprachlichem Lernziel der Schulen und der außerschulischen Sprachwirklichkeit, repräsentiert durch Zeitungen, ans Licht gebracht.

Es ist bezeichnend, daß fast alle sprachlichen und kommunikationstheoretischen Untersuchungen zur Zeitungssprache und zu den Massenmedien erst aus den 70er Jahren stammen. Die Massenmedien wie auch die Schule als Institutionen werden heutzutage als die großen Märkte und Umschlagplätze für Sprache zwischen den Gruppen, — als Drehscheibe sozusagen der Varietätenvielfalt und damit als Repräsentanten und Vermittler der soziolektalen, arealen, stilistischen und wie auch immer gearteten Sprachvielfalt empfunden. Der Aspekt der Sprachbewahrung, Spracherneuerung oder der politischen Machtausübung durch Sprach(gewalt) tritt zumindest in der westlichen Kommunikationswissenschaft in den Hintergrund. (Anders in der DDR auf Grund einer anderen Auffassung der Funktion von Massenmedien: vgl. Knipping 1969.)

5.3. Soziolektale (gruppale) Varietäten: Soziolekte

5.3.1. Zur Terminologie

Gruppenspezifische Varietäten im weitesten Sinne werden neuerdings Soziolekte genannt. Man könnte demnach meinen, Soziolekte seien das vorzügliche Forschungsobjekt der Soziolinguistik überhaupt. Daß dies nicht so ist, läßt sich bereits daraus ersehen, daß Soziolektologie als die Beschäftigung mit Soziolekten eine eigene Teildisziplin der Soziolinguistik darstellt. (Kubczak 1979, 55 ff.; Bausch 1980, 358 ff.; Nabrings 1981, 89 ff.) Die Begriffe ‚soziolektal‘ und ‚Soziolekt‘ sind recht jung und Teil eines strukturalistischen Modells zur Einteilung und Gliederung des Sprachkontinuums. Die Erforschung der Soziolekte als angewandte Soziolektologie ist noch nicht weit gediehen. Man begnügt sich vorderhand, bereits bekannte und eingeführte Einteilungen von Gruppen- und Sondersprachen und deren linguistische Charakteristik in dieses ‚soziolektale‘ Raster einzubringen. Selbst wenn der systematischen Gliederung in idiolektale, dialektale und soziolektale Merkmale usw. in Idiolekt, Dialekt und Soziolekt eine aussichtsreiche Denkfunktion nicht abzusprechen ist, hat sich deren Tragfähigkeit bei einer überschneidungslosen Neu-Klassifizierung des gruppensprachlichen ‚Sprachknäuels‘ noch nicht erwiesen. Die Nutzanwendung gelingt nur zögernd, weil die Auffassungen innerhalb der ‚(sozio-)lektalen‘ Terminologie nicht einheitlich sind. (Wandruszka 1975, 326 f.; Burger/Imhasly 1978, 13; Kubczak 1979, 95 ff.; Löffler 1982, 458). Eine erste terminologische Systematik

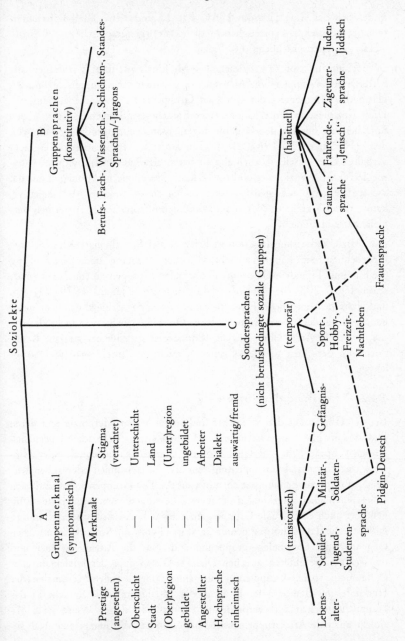

findet sich bei Hammarström 1966, 7 u. 13 und 1967, 205 ff. Er unterscheidet ideolektale (persönliche), dialektale (geographische) und soziolektale (gruppensprachliche) Merkmale.

„Die Hauptfunktion der soziolektalen Merkmale ist, dazu beizutragen, die betreffenden Gruppen von Menschen gegeneinander abzugrenzen und zugleich die Mitglieder jeder einzelnen Gruppe fester zusammenzuknüpfen." Und „soziolektale Unterschiede einer Sprache (sind solche), die von den Sprechern als mit sozialen Gruppierungen zusammenhängend aufgefaßt werden" (Hammarström 1967, 203). „Ein Soziolekt repräsentiert das Sprachverhalten einer gesellschaftlich abgrenzbaren Gruppe von Individuen" (Steinig 1976, 14). Soziolekte und soziolektale Merkmale funktionieren nur da, wo soziale Gruppierungen existieren und auch an anderen Merkmalen erkannt werden können. Nur dann wirkt deren Sprache als Abzeichen vergleichbar einer Tracht.

Die soziale Zuweisungsfunktion ist keine an der Sprache haftende objektive Gegebenheit, sie hängt vielmehr von der Meinung und Einschätzung (Selbst- und Fremdeinschätzung) der sozialen Gruppen ab (nach Hammarström 1967, 203; Steinig 1976, 14 f.; dagegen: Kubczak 1979, 94). Ein und dasselbe sprachliche Element kann so einmal soziolektalen Charakter haben, ein andermal an einem anderen Ort hingegen gerade nicht. Lassen sich auf diese Art mehrere soziale Indikatoren sprachlicher Art zur Kennzeichnung derselben sozialen Gruppe bündeln, so spricht man von Soziolekten.

5.3.2. Einteilung der Soziolekte

Bei der Gliederung der Soziolekte und soziolektalen Merkmale und deren Funktionen gibt es verschiedene Möglichkeiten (siehe die Übersichtsgraphik). Sprachliche Merkmale können symptomhafte Signale oder Hinweise auf eine soziale Gruppierung sein als ein nach innen oder außen wirkendes Gruppenerkennungszeichen (Typus A). Die Gruppen selbst sind nach außersprachlichen Merkmalen definiert. Die sprachlichen Eigenheiten können aber auch eine soziale Gruppe ganz oder teilweise konstituieren, so daß ihre Sprache das Hauptgruppenmerkmal ist (Typus B). So wirkt in manchen Gegenden der Ortsdialekt gruppenbildend. Nur die Alteingesessenen und die weniger Gebildeten sprechen Dialekt. Die Gruppe der Dialektsprecher ist dann eine soziale Gruppierung mit gemeinsamen sozialen Merkmalen (der Herkunft, des Standes, der Bildung, der Intelligenz). Die Sprache ist das Hauptkennzeichen und verbindende Element. In dieser Weise wird Soziolekt auf jede Art Gruppensprache angewendet. Wo immer eine nach so-

zialen, beruflichen, fachlichen, status- und ansehensbedingten Merkmalen gekennzeichnete Gruppe auch ein sprachliches Erkennungssymbol oder eine
grammatisch-lexikalisch-intonatorische Varietät besitzt, sollen diese ‚soziolektal‘ oder ‚Soziolekt‘ heißen.

Eine engere Auffassung schränkt den Geltungsbereich von ‚Soziolekt‘ und
‚soziolektal‘ ein auf solche sprachlichen Eigenheiten, die nur das Ansehen der
sozialen Gruppierung betreffen (Steinig 1976, 14 f.). Soziolektale Merkmale und Soziolekt enthalten dann immer ein soziales Werturteil oder ein
Prestige- bzw. Stigma-Element, sind also weniger linguistische als vielmehr
ästimative Größen. Soziale Gruppierungen mit sprachlicher Markierung
seien immer Ansehensgruppen (vgl. die Beispiele unter Typus A: Oberschicht — Unterschicht, Stadt — Land, gebildet — ungebildet etc.). Nach
der engeren Auffassung reagiert Sprache auf die mit der sozialen Hierarchie
innerhalb einer Gesellschaft verbundenen sozialen Wertstufen. Diese An-
sehensstufen sind nicht überall vertikal als Ober-, Mittel- und Unterschicht
zu verstehen. Zweipolige Prestige-Unterschiede bestehen zwischen Stadt
und Land, Einheimischen und Zugezogenen, Hochdeutschsprechenden und
Dialektsprechern, Deutschen und Ausländern (Gastarbeitern, Touristen), ja
auch zwischen einzelnen Regionen. Die Spannungen und Prestigegefälle beruhen auf kollektiver Übereinstimmung in der Einschätzung der Personen
und ihrer Eigenheiten, die auf deren sprachliche Merkmale übertragen werden.

Ausdruck solcher harmloser Prestige-Spannungen zwischen Orten und
Regionen sind oftmals Neckereien in Form von Spottversen oder Ortsüber-
namen, wobei sprachliche Eigenheiten besonders herausgestellt werden (vgl.
H. Moser 1950). Die Spannung zwischen zwei Prestige-Polen wird tradi-
tionellerweise auch literarisch-komisch ausgenützt. Man vergleiche die
bereits in der Antike funktional eingesetzte ‚vis comica‘ der Sprechweise von
Sklaven, die der heutigen Umgangssprache oder den Dialekten entsprächen.
Neben den Dialekten als ‚lower varieties‘ werden auch die ‚higher varieties‘
(Ferguson 1959, 327; Bausch 1980, 360) als Sprache des eingebildeten
Spießbürgers, des Lehrers oder Pastors mit seinem ‚Pfarrerdeutsch‘, des
Politikers mit dem ‚Großratsdeutsch‘ (in der Schweiz), dem Honoratioren-
schwäbisch oder Beamtenbadisch zu komischen Effekten eingesetzt (vgl.
Bausinger 1972, 19 ff.; Löffler 1980, 37 f.). Daß das sprachliche Prestige-
gefälle geradezu literarisch thematisiert wird oder zumindest zur Charakteri-
sierung literarischer Figuren herangezogen wird, ist zunehmend bekannt und
an einigen Beispielen auch untersucht (vgl. Bausinger 1972, 38 ff. über den
‚Pygmalion-Effekt‘ und Gelhaus 1979, 193 ff.).

Nach der weiteren Auffassung betrifft Soziolekt jede soziale Gruppierung (Typus B + C). Soziolekte als „das Sprachverhalten einer gesellschaftlich abgrenzbaren Gruppe von Individuen" (Steinig 1976, 14) sind dann alle Berufs-, Fach-, Standes- und Sondersprachen (Bausch 1980, 258 ff.). Berufs- und Fachsprachen werden allerdings zu den funktionalen Sprachvarietäten gezählt (vgl. Kap. 5.2.), gelegentlich auch pauschal zu den Sondersprachen gerechnet. (Vgl. die Übersicht bei Stroh 1952, 382—399.) So verbleiben als eigentliche Soziolekte nur jene Sprachvarietäten, deren Träger innerhalb der Gesellschaft wegen anderer Merkmale eine erkennbar abgegrenzte Gruppe bilden (Typus C: Sondersprachen). Überschneidungen sind unvermeidbar. Dies gilt auch für die weitere Untergliederung der nicht berufs- oder fachspezifischen Gruppierungen mit Sondersprachen vom Typus C. Die Gruppenzugehörigkeit und damit der Status der Sondersprachlichkeit kann als transitorisch, temporär und habituell angesehen werden.

Durchgangs-Status haben die Altersstufen und Alterssprachen, die Schüler-, Jugend- und Studentensprachen, die Sprache des Militärs und der Gefängnisse. Temporär, das heißt nur jeweils für eine gewisse Zeit im Tages- oder Jahresablauf geltend, sind Freizeitgruppen, Hobbygemeinschaften, andere Tages- oder Nachtvergnügungsgruppen mit eigenem Jargon oder Wortschatz. Habituell sind solche Soziolekte, deren Träger eine dauernde gesellschaftliche Gruppierung bilden wie die Nichtseßhaften, worunter die gewöhnlichen Land- und Stadtstreicher oder ‚Gauner' gehören, aber auch die weit fester zusammengehörigen ‚Fahrenden' (in der Schweiz auch ‚Jenische' genannt), und die Zigeuner. Auch die geschlechtsspezifischen Varietäten könnten unter die Sondersprachen eingereiht werden, da es sich um habituelle, zumindest temporär gebrauchte Spracheinheiten handelt.

Soziolekte sind nicht geschlechtsspezifisch (‚sexolektal') markiert. Bei einigen wird jedoch stillschweigend angenommen, daß sie dem männlichen Geschlecht vorbehalten seien. Als eigener ausgrenzbarer ‚Sexolekt' verbleibt die sogenannte ‚Frauensprache', die man einerseits als habituell-naturgegeben ansehen oder doch nur zu zeitweiligem Gebrauch bei bestimmten weiblichen Tätigkeiten oder Themen gelten lassen kann. (Vgl. die Einzeldarstellungen unter 5.3.4.)

5.3.3. Zur Erforschung soziolektaler Varietäten

Die Beschäftigung mit soziolektalen Varietäten war bisher hauptsächlich theoretischer Art (Bausch 1980; Kubczak 1979). Empirische Arbeiten als linguistisch-pragmatische Beschreibungen einzelner ‚Soziolekte' aus der Zeit der soziolektalen Theoriebildung gibt es noch nicht. Einzig zur soziolektalen

Differenzierung einer Regionalsprache (des Ruhrgebiets) und zu deren sozialen Stigma-Signalen liegt eine empirische Studie von W. Steinig (1976) vor. Danach gibt es sprachlich völlig unverdächtige Elemente, wie z. B. das ‚ruhrdeutsche' *dat* und *wat* oder die Verwechslung von Dativ und Akkusativ, die einer negativen sozialen Einschätzung unterliegen und als Stigma-Signale einer weniger geachteten Sozialschicht gelten. Verblüffend dabei ist der hohe Grad an Übereinstimmung in der soziolektalen Zuordnung und Bewertung solcher sprachlicher Signale bei allen Versuchspersonen.

Andererseits sind solche ästimativen Zuweisungen regional scharf abgegrenzt. Was in einer Gegend soziales Stigma ist, kann anderswo als Prestige-Zeichen gelten. Im übrigen bietet Steinig (1976, 11 ff.; 114 ff.) über die empirischen Sprachbewertungstests hinaus lesenswerte Kapitel zur Theorie der Soziolekte und zum sprachlichen Rollenverhalten.

Andere Arbeiten und Beobachtungen zu den unter Typus A genannten Prestige-Gefällen stammen entweder aus vorsoziolinguistischer Zeit wie z. B. zur Stadt-Land-Problematik (Literatur bei Löffler 1980, 42 f.; Mattheier 1980, 148 ff.) aus dialektsoziologischer Sicht oder werden unter anderen Problemzusammenhängen abgehandelt. So stehen Prestigefragen auch hinter den sogenannten Ortsneckereien und dem Sprachspott (Moser 1950).

Andere vertikale Sprachwert-Unterschiede werden hier in andern Kapiteln abgehandelt: so die Dialekt-Hochsprache-Differenz in 5.4.2. unter Sozio-Dialektologie. Hier sind noch einmal die Beliebtheitsskalen der deutschen Dialekte (Bausinger 1972, 21; E. Werlen 1982, 194 ff.) und die aus der dialektalen Prestige-Skala abgeleiteten Zwänge zu Sprachverhaltensänderungen (Häring 1981) zu erwähnen. Stellung und Ansehen der Ausländervarianten (Pidgin-Deutsch) werden unter 5.3.4. (5) und 6.5. zur Sprache kommen. Überhaupt werden Spracheinstellungen in vielen Fragezusammenhängen als mutmaßliche Ursache für mancherlei soziolinguistische Erscheinungen wie Sprachbarriere, Sprachdidaktik, Interferenzfehler-Linguistik u. a. m. in Anspruch genommen. (Vgl. Kontrastive Hefte Besch/Löffler 1973, Besch u. a. 1976 ff.; Tolksdorf 1976, 75 f.; Ammon u. a. 1978; Löffler 1980 a, 456; E. Werlen 1984).

5.3.4. Eigentliche Soziolekte

Auch die Untersuchungen zu den eigentlichen Soziolekten (Typus C) stammen aus der Zeit vor dieser soziolektalen Terminologie oder fühlen sich ihr nicht verpflichtet. Sondersprachen stellen weder von der sozialen Merkmalbeschreibung der Sprecher noch von den sprachlich auffälligen Besonderheiten her einen einheitlichen Typus dar. Ihre Gemeinsamkeit ist, daß ihre

Sprecher auch sozial eine auffällige oder zumindest leicht erkennbare Charakteristik aufweisen (Schüler, Studenten, Gefängnisinsassen, Nichtseßhafte u. a.; vgl. die ebenfalls nicht systematischen Aufzählungen bei Möhn 1980, 385).

(1) Transitorische Soziolekte

Lebensalter-Sprachen sind noch recht wenig erforscht, wenn man von dem Sonderbereich des muttersprachlichen Erstsprachenerwerbs einmal absieht (Oksaar 1977; 1980, 433 ff.). Dennoch scheinen sich auf Grund der bisherigen Ansätze vier Stufen alterstypischer Sprachmerkmale abzuzeichnen: die Kindersprache im Vorschulalter vom ersten Sprechen bis zum Beginn der Schulzeit, die Schüler- und Jugendsprache bis zum Ende der beruflichen Ausbildung, die Erwachsenensprache während der Zeit der Berufsausübung oder (bei Frauen) der Zeit der Kindererziehung und schließlich die Alters- oder ,Senioren'-Sprache in der Zeit nach der Berufsausübung. Die sprachwissenschaftliche Beachtung von Altersstufen hat ihre Begründung meistens in übergreifenderen Problemzusammenhängen. Die Kindersprache interessiert im Zusammenhang der Spracherwerbsforschung und der anthropologischen Linguistik (vgl. Oksaar 1977, ,Pädolinguistik'); die Seniorensprache wird besonders von der klassischen Dialektologie geschätzt, weil im Alter die Bereitschaft zum Archaisieren und Wiederaufnehmen der ,Grundmundart' mit wenig pragmatisch-redekonstellativen Schwankungen wieder zunimmt. Selbst Leute, die im Berufsleben geographisch wie sprachlich sehr mobil waren, kehren im Alter wieder zu einer eher monolektalen Sprechweise zurück (Löffler 1980, 47 f.; Mattheier 1980, 42 ff.).

Die Sprache der Erwachsenen als soziolektale Normalstufe fand bisher kein besonderes linguistisches Interesse. Erst neuerdings wird sie bei der Erforschung von Ursachen und Ausmaß von Sprachmobilität und Sprachverhaltensänderungen als soziolinguistisch relevant entdeckt (Ruoff 1973, 197 ff.; Besch u. a. 1981, 23; 160 ff.; Häring 1981). Gerade die berufstätigen Erwachsenen weisen nämlich die ganze Bandbreite von Codes und Subcodes mit stufenlosen oder auch abrupten Übergängen auf. Bei ihnen zeigt sich die Gesamtheit aller möglichen Sprach-Register. (Zum Registerbegriff: Hasan 1975, 191 ff.; Hess-Lüttich 1974; Nabrings 1981, 196 ff. zur Sprachwandelforschung bei Erwachsenen: Mattheier 1979).

Die Sprache der Jugendlichen hingegen ist unter mehreren Gesichtspunkten schon von Interesse gewesen. Der Hang der Jugendlichen und Schüler zu bewußt abweichendem Sprachverhalten brachte zu allen Zeiten sehr farbige Metaphern, Redensarten und idiomatisierte Wendungen hervor, die gerne als salopp oder als ‚Jargon' bezeichnet wurden. Als Beispiele für diesen Jugendjargon werden Ausdrücke und Redensarten zitiert, die zeitweilig für die ‚Teenager' oder ‚Halbstarken' aus Berlin der fünfziger Jahre kennzeichnend waren (*dufte Biene, steiler Zahn* etc. Riesel 1970, 139; zitiert nach „Arbeitsgemeinschaft die Zentralschaffe" 1960), ohne zu berücksichtigen, daß gerade Jugend-Jargons sowohl regional wie auch zeitlich beschränkt sind und jede Generation ihre Lieblingswörter hat. Hinzu kommt noch, daß unter Jugendlichen zwischen 14 und 18 Jahren sehr große Unterschiede sind, je nachdem ob sie noch zur Schule gehen, bereits eine Lehre absolvieren oder schon voll berufstätig sind. Von der Jugendsprache zu sprechen und dabei noch charakteristische Beispiele zu nennen, scheint daher wenig sinnvoll (Henne 1981; Bayer 1982). In letzter Zeit fand die Jugendsprache neuerliches Interesse seitens der Soziolinguistik, weil man nach den Ursachen für die immer tiefer werdenden Generationskonflikte suchte. Man vermutete Konfliktträchtiges nicht nur in den verschiedenen Auffassungen zu den wichtigsten Lebensfragen, sondern auch in den verschiedenen Lebensalter-Sprachen. Diese natürliche Sprachkluft zwischen den Etablierten und den Heranwachsenden wird immer dann bemerkt, wenn Ansätze zu einer Kommunikation vorhanden sind, die zu scheitern drohen. Einseitiges, autoritäres Umgehen der Älteren mit den Jungen läßt die altersbedingte Sprachverschiedenheit nicht aufscheinen. Während der universitären Unruhen der späten sechziger Jahre war die ‚Sprache des Protests' Thema linguistischer Beobachtung (Boesch 1972). Zu Beginn der achtziger Jahre interessierte wiederum anläßlich öffentlicher Konflikte die Sprache der Jungen, die sich diesmal in Wandsprüchen fast poetischer Art aber auch in makabren und gehässigen Sprayschriften äußerten. Insbesondere mußte diesmal die immer wieder artikulierte Gesprächsverweigerung auffallen. Solche Beobachtungen aktueller Sprachkonflikte zwischen den Generationen sind jedoch recht impressionistisch geblieben (Löffler 1983, 367), obgleich sie einer genaueren Beobachtung seitens der Soziolinguistik wert wären.

Weniger von gesellschaftspolitischem als vielmehr von sprachpädagogischem Interesse geprägt ist die Erforschung der sogenannten Stilalter bei Schülern verschiedener Alters- und Schulstufen (Pregel 1969; G. König 1972, 66—69; Helmers 1972, 63 ff.). Dabei geht es weniger um die Feststellung jargonhaften Wortschatzes als eher um die unterschiedlichen Ausbaugrade einer normalen Sprachkompetenz. Das Wissen um die quantitativen (Zahl der aktiven und passiven Wörter, der möglichen Satzkonstruktionen, der gebrauchten Konjunktionen etc.) wie auch qualitativen Kennzeichen der Stilalter hilft dem Lehrer, den Sprachunterricht in Angebot und Anforderung auf die altersspezifischen Möglichkeiten besser einzustellen und Altersspezifisches nicht als fehler- oder mangelhaft zu rügen. Ähnliches gilt auch für die regiospezifischen Besonderheiten der Dialektsprecher (vgl. unter 5.4.2 (7)).

Wie zeit- und gesellschaftsgebunden solche transitorischen Sprachzustände sind, läßt sich an der sogenannten ‚Studentensprache‘ ermessen. Frühere Arbeiten, die auch die Pennälersprache mit einbezogen, beachteten insbesondere den speziellen Wortschatz, die geblümten Redewendungen, metaphorischen Ausdrücke, die aus dem Kneipenwesen der Korporationen oder aus dem Universitäts- oder Gymnasialbetrieb stammten (Kluge 1895; J. Meier 1910; Götze 1928; als umfassende historische Darstellung: Henne/Objartel 1984). Übernamen für Kommilitonen oder Spitznamen für Lehrer und Professoren waren Bestandteile solcher Sondersprachen. Die Klage, daß heute solche Schüler- und Studentenjargons nicht mehr vorhanden seien, ist nicht ganz realistisch. Sie haben heute nicht mehr die alten sprachlichen Merkmale. Die neuen sind nicht in gleicher Weise untersucht, weil sie je nach Ort und Schultyp wohl sehr verschieden sind (Küpper/Küpper 1972) und kurzlebiger als früher: *Prof* (Professor), *Assi* (Assistent), *Demo* (Demonstration), *Info* (Informationsblatt), *Zula* (Zulassungsarbeit), *Prope* (Propädeutikum, medizin. Vorprüfung in der Schweiz) etc. gehören zur sogenannten Akü-Sprache (Abkürzungssprache) und sind nicht typisch für den Hochschulbereich.

Daß Übernamen für Lehrer noch sehr im Schwange sind, hat eine kürzlich in Basel angefertigte Seminararbeit ergeben. (Aus verständlichen Gründen kann eine solche Erhebung nicht publiziert werden.)

Mit dem veränderten Selbstverständnis der Wissenschaften und des akademischen Studiums hat sich seit dem Zweiten Weltkrieg auch die soziale Merkmalsbeschreibung der Studenten gewandelt. Ihre Charakteristik und damit auch ihre Sprache nähert sich immer mehr der Normallage. Man spricht im Zusammenhang mit dem beschränkten Arbeitsmarkt für Studierte auch schon vom akademischen Proletariat. So ist auch die Sprache der Studenten in bezug auf die früher so auffälligen Merkmale des Sonderwortschatzes und ‚kneipistischer‘ Metaphorik immer mehr die Sprache der Normalbürger geworden. Studieren ist beinahe schon eine berufliche Tätigkeit, die auch über Stipendien und Gebührenerlaß lohnähnlich honoriert wird. Diese veränderten Bedingungen provozierten jedoch eine neue Art ‚Standessprache‘, die in ihren Merkmalen und ihrer pragmatischen Bedingtheit eine Mischung von Fach-, Wissenschafts-, Berufs- und Jugendsprache zu sein scheint, wegen des ‚transitorischen' Charakters jedoch zu allerlei Zwängen und Spannungen führt.

Eine an der Universität Tübingen unternommene Untersuchung zählt als pragmatisch-konstitutive Faktoren der neuen Studentensprache auf (Weber 1980, 171 ff.): Trennung von Kopf- und Handarbeit als Hauptursache einer gestörten Sprachsituation; ferner Bodenlosigkeit und latente Sinnlosigkeit der Studieninhalte und des Universitätsbetriebes; universitäres Studium als Sozialisationsprozeß, jedoch als Sozialisation des Scheins. Bluff, Konkurrenz und Selbstdarstellungsrituale kennzeichnen die gestörte Kommunikation. Die erzwungene Anpassung an diese universitären Gesprächsnormen führe oft zu Überkompensation besonders bei Studenten aus Arbeiterfamilien (Weber 1980, 217). Das Resultat sei ein gebrochenes Verhältnis vieler Studenten zu ihrer Sprache, was zu Sprachangst führe.

In einer besonders schwierigen Status-Situation seien die Frauen an der Universität (Weber 1980, 236 ff.). Im ganzen sei für viele an der Universität ein Gefühl der Heimatlosigkeit kennzeichnend, indem die erlernte Sprache von Haus und Schule gegen eine hohle Sprache der Verlogenheit und des Bluffs eingetauscht werde, mit der man sich nicht identifizieren könne. Merkmale solcher Art Studentensprache sind dann: Unsicherheitspartikeln: *irgendwie, quasi, oder so, und so* (S. 247 f.), dann als besonders kennzeichnend die „magischen Abstrakta" (S. 257): *Beziehung* statt *Freundschaft; Frustration* statt *Ärger; internalisieren* statt *lernen* etc.

Die magische Kraft solcher Abstrakta liege in der

> „Entfesselung von Konnotationen" unter dem „schützenden Deckmantel der Denotationen. Das Nennen eines abstrakten Begriffs kann in universitären Diskussionen konkretere Ausführungen über besprochene Sachverhalte ersetzen (in dieser ökonomischen Funktion liegt ja unter anderem der Sinn abstrakter Termini). Wenn sich dieser Mechanismus eingespielt hat, kann ein in die Debatte geworfener Begriff — oder gar eine ganze Batterie — mit magischer Kraft die Möglichkeit vortäuschen, der Sprecher könne konkretere Ausführungen machen, wolle sich das aber im Interesse der Hörer ersparen. Die Hörer indessen kennen entweder diesen Mechanismus und wissen um die Unsicherheit des Sprechers, dann machen sie sich Gedanken über die Bedeutungsmöglichkeit dessen, was er mit seinem Begriff gemeint haben mag, oder sie kennen den Mechanismus nicht und denken ehrfürchtig an die Fülle der Kenntnisse, die der Sprecher haben muß. In beiden Fällen werden Konnotationen entfacht, die weit über die engen Bedeutungsgrenzen der Denotation hinausgehen" (Weber 1980, 258).

Die Veränderungen nicht nur der ‚Standessprache' und ihrer Bedingungen, sondern auch die unterschiedlichen Erkenntnisinteressen der Sprachwissenschaft sind unverkennbar. Diese zielen heute mehr auf den Kommunikationsprozeß und den Handlungsaspekt unter der Maxime der kommunikativen Mündigkeit und Gleichberechtigung und der funktionalen Adäquatheit des Sprechers.

Bei allem Verständnis für funktionales Sprechen wird neuerdings wieder ein auffallender Sprachzerfall bei Jugendlichen und Studenten beklagt. Insbesondere im schriftlichen Bereich habe die sprachliche Unfähigkeit einen Grad erreicht, der weit über den allzeit beklagten Sprachmangel bei den Jungen hinausgehe (Bayer 1982). Interessante Wortschatztests an Studenten aus Süddeutschland und der Ostschweiz mit unterschiedlichen Ergebnissen in Abhängigkeit von sozialer und nationaler Herkunft hat Haeberlin 1974 durchgeführt. Studentisches Gesprächsverhalten nach Geschlechtern hat A. Wagner 1981 untersucht.

(2) Temporäre Soziolekte

Ein recht intensiv untersuchter temporärer Soziolekt ist die Soldatensprache. Ihre Merkmale haben eine ähnliche Charakteristik wie die Studentensprache: ein von der Alltagssprache und den übrigen Berufssprachen abweichender Sonderwortschatz, der durch besondere Geräte (Waffen) und Tätigkeiten bedingt ist, und eine Metaphorik, die ebenfalls die vom Alltag abweichenden Sonderbedingungen betrifft: autoritäre Führung, Gefahr, Tod und Sterben, Sexualität und Ausgelassenheit. Die linguistische Bearbeitung besteht weitgehend in der Inventarisierung des Sonderwortschatzes (Bergmann 1916; Loose 1947; Krollmann 1958; Küpper 1978) und dessen Systematisierung.

Eine kommunikationstheoretisch-pragmatische Neubearbeitung angesichts veränderter Faktoren und Funktionen (Stichwort: ‚Bürger in Uniform') hat die moderne Soldatensprache noch nicht erfahren. Auch hier dürfte eine prinzipielle Angleichung des Jargons an die gewöhnlichen Merkmale der Alltagssprache zu vermuten sein bei gleichzeitiger Entstehung einer neuen ‚standesspezifischen' Sprachlichkeit, die auf die veränderten Umstände reagiert. Untersuchungen hierzu stehen noch aus, wären jedoch für die Aufarbeitung der gegenwartssprachlichen Varietätenvielfalt dringend erforderlich. Kaum systematisch untersucht, aber immer wieder mit Beispielen zitiert sind die Sprachen der Gefängnisse (Kietz-Häftlingsjargon Möhn 1980, 387) oder die Sprachen von Hobby-, Sport- und Freizeitgemeinschaften. (Sport: Dankert 1969; Göhler 1962; Schneider 1974; Jägersprache: Lindner 1966/67; Ott 1970.) Von einem gewissen delikaten

Interesse ist dabei der Jargon des Nachtlebens, insbesondere der kommerziellen Prostitution, wie sie in der umfangreichen Sammlung der ‚Nachtsprache' von Bornemann (1974) vorliegt. Auch hier gilt, was für Schüler- und Studentensprache zutrifft, daß in der Sammlung viele okasionelle Formen und Redewendungen enthalten sind, deren Lebensdauer oft nicht über die Zeit der Erhebung solcher Ausdrücke hinausgeht. In der Alltagssprache ist das Thema Sexualität eher tabuisiert und mit Umschreibungen, Metaphern oder Euphemismen belegt. In diesem Zusammenhang wäre interessant zu wissen, wieweit sich die sexuelle Befreiung, neue Praktiken und Lebensformen auch sprachlich als Enttabuisierung manifestiert haben. Es scheint so, daß diese tabufreie Sexualsprache wiederum Kennzeichen einer bestimmten Generation darstellt, die in den siebziger Jahren ihre Kinder antiautoritär und prüderiefrei erzogen hat und die Dinge, wenn auch mit wissenschaftlicher Scheinterminologie (Penis und Vagina) beim Namen nannten. Diese Epoche scheint jedoch ebenso ephemer gewesen zu sein wie andere alterssprachliche Erscheinungen.

Ein gewisser Niederschlag des freizügigen Sprachgebrauchs läßt sich allerdings in der Boulevardpresse, den Illustrierten und der Soft-Pornoliteratur feststellen. Ob dieser Sprache eine bestimmte Lebensalter-Gruppe oder soziale Schicht zuzuordnen ist, oder ob es sich um eine Form der ‚Männersprache' handelt, ist nicht auszumachen. Die Grenzen zwischen den einzelnen Gruppen, Schichten, Funktionen und Bereichen dürften fließend sein und einer schnell wechselnden stilistischen und ästhetischen Bewertung unterliegen. Empirische Untersuchungen auf diesem Gebiet laufen Gefahr, noch vor Abschluß der Beobachtung veraltet und unaktuell zu sein.

(3) Habituelle Soziolekte

Den geschlechtsspezifischen Sprechweisen (‚Sexlekte', so bei Nabrings 1981, 113 ff.) ist in jüngerer Zeit zunehmende Aufmerksamkeit geschenkt worden. Es wird aber immer nur die ‚markierte' Frauensprache untersucht, während alle übrigen Varietäten stillschweigend als geschlechtsneutral oder in anderen Fällen als selbstverständlich männlich eingestuft werden (Knastjargon, Militär-, Sport-, Nachtsprache; Pusch 1980). Dabei werden nicht primär die physiologisch-artikulatorischen Unterschiede wie Stimmhöhe, Melodie oder Lautstärke beachtet, sondern im Grunde eine geschlechtsspezifische Sprachverhaltenskompetenz, die aus einer kulturspezifischen Rollenerwartung an das Geschlechtsverhalten resultiert. Geschlecht ist somit wie das Lebensalter keine physiologische, sondern eine soziale Größe. Man spricht deshalb vom sozialen Alter und vom sozialen Geschlecht

(Mattheier 1980, 34 ff., 46 ff.; Nabrings 1981, 118). Unterschiede zwischen Frauen- und Männersprachen wurden in der Ethnolinguistik immer schon beobachtet. Auch die klassische Dialektologie sah in der ‚Frauensprache' eine besonders günstige Gelegenheit zur Erhebung der ortsspezifischen Grundmundart. „Ein gewisser Kern von einer größeren und konstanten Dichte ... wird da sichtbar, wo Frauen unter sich sind", hatte R. Hotzenköcherle bereits in seiner Dissertation festgestellt (Hotzenköcherle 1934, 27).

In anderen Gegenden des deutschen Sprachgebietes sprechen hingegen Frauen mittleren Alters mehr Hochdeutsch oder eine standardnähere Varietät (Mattheier 1980, 34 ff.). Als Begründung wird genannt, daß Frauen als Sekretärinnen, Verkäuferinnen, Erzieherinnen u. a. in Berufen stehen, die vermehrte sprachliche Aktivitäten erfordern, und Frauen mittleren Alters achteten als Mütter vielfach auf besonders korrekte Sprache ihrer Kinder. In diesem Punkt scheint allerdings ein großer Unterschied zwischen den einzelnen Sprachregionen vorzuliegen (Stellmacher 1975/76; vgl. auch 5.4.2. [1]).

Im Schulalter sprechen und erzählen Mädchen besser als Buben (S. Jäger u. a. 1978, 524 ff., 535 f.; G. König 1972, 153 ff.). Zur Beschreibung von Tätigkeiten und Vorgängen verwenden Buben mehr Wörter und Sätze als Mädchen (so bei G. König 1972, 155 und Nabrings 1981, 121). Eine für das Deutsche allgemein gültige ‚Frauenvarietät' ist bisher nicht festgestellt worden. Andere Merkmale des weiblichen Sprachgebrauchs wie emotionaler Wortschatz, wohlgesetztere Argumentation in Männerrunden (vgl. van der Veen 1982, 74 ff.) oder vermehrte ‚Loquazität' u. a. sind nicht einzelsprachspezifisch, sondern gelten eher universell in den westlichen Zivilisationen (Nabrings 1981, 120). Bereits eine mittelalterliche Freskoinschrift in der karolingischen Kirche von Insel Reichenau/Oberzell (Bodensee) kündet im Jahre 1376 von einer geschlechtsspezifischen Geschwätzigkeit der Frauen. Ein Teufel versucht auf eine Kuhhaut zu schreiben, was zwei Frauen im Hintergrund miteinander reden. Die Inschrift lautet:

> „Ich will hie shribun von disen tumbun wibun, was hie wirt plapla gusprechun, üppiges ender wochun, das wirt allus wol guraht, so es wirt fur den Rihtur braht" (W. Erdmann, Die Reichenau im Bodensee. Geschichte und Kunst. ⁶1981 Königstein/Ts.).

Neben der wortgeschichtlichen Ersterwähnung von ‚Blabla' ist der Text auch Beleg für ein frühes Bewußtsein von ‚Frauensprache', wenn auch in einem pejorativen Sinn.

Zu den ‚Sexlekten‘ sind vor allem in USA Untersuchungen angestellt worden (Nabrings 1981, 113 ff. und Literatur bei Pusch/Trömel-Plötz 1980/81). Im Deutschen gibt es neuerdings zahlreiche Ansätze (Andresen u. a. 1979; Maier 1979; Pusch/Trömel-Plötz 1980/81; A. Wagner 1981; Trömel-Plötz 1982; Rank 1983; und weitere Einzelbeiträge in den genannten Arbeiten). Die emanzipatorische Richtung der Frauensprachforschung sieht die Normalsprache als männliche Sprache, was sich durch jahrhundertealte patriarchalische Zustände bis in einzelne Wortbildungen und Sprachstrukturen hinein ausgewirkt habe wie z. B. das männliche Geschlecht aller Berufsbezeichnungen, ‚*man*‘ als unpersönliches Pronomen, *Junker* gegen *Jungfrau*, *Fräulein* als herabmindernde Bezeichnung unverheirateter Frauen, denen kein männliches Pendant ‚*Herrlein*‘ entspreche. Dem Adjektiv *herrlich* entspreche bezeichnenderweise ein *dämlich*.

Die Geschichte der deutschen Sprache mag zwar solche patriarchalische oder sexistische Faktoren aufweisen, die Versuche sprachbewußter Frauen, durch Sprachmanipulation (*frau* anstelle von *man*; Doppelformen für Gattungsbezeichnungen: *Student/in, Lehrer/in* oder provozierender: *Mitglied/ Mitscheide* etc.) die gesellschaftlichen Zustände verändern, wirken soziolinguistisch gesehen etwas hilflos (Trömel-Plötz u. a. 1981). Bewußte Sprachmanipulation taugt nicht zur Veränderung gesellschaftlicher Zustände. Sprache bewirkt hier nichts, sie kann immer nur reagieren. (Zur Sprachkritik in der Frauenbewegung: Goop 1982; zur dialektalen Frauensprache: 5.4.2. [1].)

Wichtiger als solche eher ideologisch motivierten Aktivitäten wären indessen empirische Beobachtungen zum tatsächlichen geschlechtsspezifischen Sprachgebrauch innerhalb der verschiedenen Verwendungsbereiche und Sprachkonstellationen. So scheint sich doch ein frauenspezifisches Sprach- und Argumentationsverhalten in Gesprächsrunden oder bei Interviews abzuzeichnen (nach Beobachtungen an Fernsehgesprächen; van der Veen 1982). Die Variable ‚Geschlecht‘ als soziales Merkmal müßte also nicht nur als eine Determinante unter vielen miterhoben werden, sondern auch als varietätenbestimmender Faktor. Nähere Kenntnisse über geschlechtsspezifische Spracheigentümlichkeiten könnten nicht nur im Schulbereich sprachpädagogischen Nutzen bringen, sondern auch bei der Lösung von Beziehungskonflikten (Familientherapie u. a.) nützliche diagnostische oder therapeutische Hinweise geben.

Zu den habituellen Soziolekten sind auch die ‚Sondersprachen‘ zu zählen. Nach einer weiteren Auffassung gelten Varietäten, deren Sprecher einen sozialen Sonderstatus haben, also alle Fach-, Berufs- und Standessprachen als

Sondersprachen (Möhn 1980, 384; Nabrings 1981, 119). Eine engere Auffassung zählt nur jene Varietäten als Sondersprachen, deren Sprecher deutlich erkennbare dauernde Sondergemeinschaften darstellen, die nicht berufsbedingt sind, die darüber hinaus noch in einer gewissen gesellschaftlichen Opposition zu den Normalbürgern stehen oder deutliche Außenseitergruppierungen darstellen. Solche Randgruppen mit eigenem Jargon sind heute zwar nur noch selten zu beobachten, in der Drogenszene, der kommerziellen Prostitution, in Gefängnissen oder bei Jugendbanden wie Rocker, Faschos, Punks etc. scheinen immer wieder neue Varianten solcher Sondersprachen zu entstehen (vgl. Berendt/Galonske 1982). Zu den Sondersprachen im engeren Sinn rechnet man die Sprache der Nichtseßhaften, der Stadt- und Landstreicher, der Fahrenden und Zigeuner. Das Außenseitertum dieser Gruppen wird als Dauerzustand zwar geächtet, aber doch hingenommen. Die Sprache der Fahrenden (das ‚Jenische‘) und die Zigeunersprache haben wohl unter allen Sondersprachen den größten strukturellen und kommunikativen Abstand zur Normalsprache. Sie dienten wie auch andere Geheimsprachen ausdrücklich der sprachlichen Abgrenzung und Geheimhaltung und als Erkennungs-Code einer verachteten Minderheit (Gauner, Scherenschleifer, Stromer u. a.).

Die Geheimsprachen haben eigene Wortbildungsmuster und Flexionsarten: *Grünhart* für Wiese, *Trappert* für Pferd, *Glimmert* für Zigarette, *bickern* für verkaufen, *holche*: fahren, *loori*: nicht (weitere Beispiele bei Möhn 1980, 386 f. u. Schläpfer 1981, 35 ff.). Neben dem Sonderwortschatz gibt es auch eigene phraseologische Wendungen und syntaktische Besonderheiten. Die Lautgestalt ist meistens an die Mundart der Umgebung angepaßt. Dies gilt zumindest für die Sprache der Fahrenden, das ‚Jenische‘, einer mit dem Rotwelschen verwandten Sonderform, die in der Schweiz gesprochen wird. Die sondersprachlichen Einheiten sind vor allem Substantive, Verben und Adjektive. Partikeln, Kopula und der Lautstand sind schweizerdeutsch. Man schätzt den Bestand eigener Grundwörter auf etwa 400. Auffällig ist das Fehlen von Zahlwörtern. Zahlen werden gewissermaßen mit anderen Wörtern metaphorisch ausgedrückt und damit geheimsprachlich codiert (Schläpfer 1981). (Zum Rotwelschen, Geheim- und Gaunersprachen: Kluge 1901; Bertsch 1938; Wolf 1958; Spangenberg 1970; H. G. Lerch 1976; Schläpfer 1981; weitere Literatur bei Möhn 1980, 389 f.)

Die Zigeunersprache gehört strukturell nicht zum Deutschen. Auf außereuropäischer (indischer) Basis stellt sie eine Mischung verschiedener mitteleuropäischer (als Sinti-Dialekt) oder osteuropäischer (als Romani-Dialekt)

Spracheinflüsse dar (Miklosich 1872/80; v. Sowa 1898; Finck 1903; Wolf 1960).

Das Jiddische als internationale Umgangssprache der europäischen Juden kann unter systematischen Gesichtspunkten ebenfalls zu den Sondersprachen des Deutschen gerechnet werden (Althaus 1965/68; 1968). Als Mischung aus oberdeutscher Sprachstruktur und Grundwortschatz, hebräischen Wörtern und Flexionszeichen wie Pluralendungen und lokalen Dialektismen, in einer recht archaischen Form, zeigt das Jiddische einen beachtlichen strukturellen und kommunikativen Abstand zur deutschen Normalsprache. Seit der Ausrottung und Vertreibung der meisten europäischen Juden ist das Jiddische insbesondere in Deutschland so gut wie verschwunden. (Beschreibung des Jiddischen mit Texten und weiterer Literatur: Guggenheim-Grünberg 1961; Birnbaum 1974; Althaus 1965/1968.)

Die Sondersprachen als Varietäten von Außenseitergruppen waren immer so auffällig, daß das Interesse der Sprachforschung bereits lange vor der soziolinguistischen Epoche auf sie fiel. Schon in J. G. Schottels Ausführlicher Arbeit zur Teutschen Haubtsprache von 1663 findet sich eine Beschreibung des Rotwelschen und ein Wörterverzeichnis (Schottel 1663 II, 1262—1268). Auch die Quellen zur Geschichte des Rotwelschen sind längst zusammengetragen (Kluge 1901).

Die im 19. Jahrhundert und weit ins zwanzigste hinein gebrauchten Geheim-, Bettler- und Gaunersprachen (Ostwald 1906) sind in den letzten Jahrzehnten unter veränderten gesellschaftlichen Bedingungen fast verschwunden. Wo sie in Resten noch existieren, haben sie fast einen musealen Charakter angenommen. In den Geheimsprachen von Schülern finden diese ehemaligen sprachlichen Tarnmechanismen und hermetischen Gruppenerkennungssprachen eine eher spielerische Fortsetzung (Möhn 1980, 387), ganz offensichtlich beim Berner ‚Mattenenglisch‘, einer ehemaligen Quartiers-Geheimsprache der Aareschiffer und Taglöhner, die später besonders bei den Gymnasiasten der Stadt zum Teil bis heute als Schüler-Jargon gepflegt wurde (O. v. Greyerz 1929; 1968 (1929).

(4) Historische Soziolekte

Die Erforschung der soziolektalen Varietäten erhält nicht nur bei der Inventarisierung des gegenwartssprachlichen Sprachkontinuums eine wichtige Stelle, das Konzept der Soziolekte ist auch zur Erforschung historischer Zustände und Veränderungen tauglich. Es wäre ein reizvolles Unternehmen, mit verfeinerten quellenkritischen und sprachhistorischen Rekonstruktionsmethoden für weiter zurückliegende Zeiten nach historischen Soziolekten zu forschen. So wird vermutet, daß es eine ‚mönchische Umgangssprache' gegeben habe (Eggers 1963, I, 237), eine Annahme, die dadurch bestärkt wird, daß es auch heute noch Klosterkonvente gibt, deren Mitglieder aus verschiedenen Sprachregionen stammen und die deshalb eine Art Kloster-koiné als Ausgleichssprache entwickeln, die in dieser Form nur innerhalb der Konventsmauern Gültigkeit hat. Die soziolektale Optik könnte aber nicht nur rückblickend sprachdifferenzierend wirken, auch die Gegenwart kann als End- und Anfangspunkt alter und neuer Varietäten angesehen werden.

(5) Ein neuer Soziolekt: Pidgin-Deutsch

Neuerdings ist eine im Entstehen begriffene Sondersprache zu beobachten, deren sprachliche Merkmale bereits untersucht werden, deren kommunikativer Status und Lebensdauer allerdings nicht klar abzuschätzen sind. Es ist jene Varietät des Deutschen, die von erwachsenen Ausländern (Gastarbeitern) im täglichen Verkehr auf dem Hintergrund ihrer Herkunftssprache (Italienisch, Türkisch, Jugoslawisch, Spanisch etc.) verwendet wird. Man nennt diese Variante mit Recht ‚Pidgin-Deutsch'. Die sprachlichen Kennzeichen stimmen mit anderen Pidgin-Sprachen überein: Vereinfachte Grammatik, reduzierter Wortschatz und Angleichung der Aussprache an Merkmale der Herkunftssprache. Im Deutschen werden Artikel und Flexionsendungen (der wohl schwerste Teil der Elementar-Grammatik) weggelassen oder vereinfacht, die Rektion der Verben (Valenz) wird ebenfalls vereinfacht. Die Verbalflexion beschränkt sich auf immer wiederkehrende Formen (Infinitiv, Partizip, Perfekt) ohne pronominale Subjekte.

Kennzeichnend für das Pidgin-Deutsche ist die regelmäßige Wiederkehr derselben Fehlformen oder die Systematik der erstsprachlich bedingten Interferenzen (Dittmar/Klein 1975; Heidelberger Forschungsprojekt „Pidgin-Deutsch" 1975). Normalerweise ist die Pidginisierung der Gastland-Sprache bei Einwanderern eine vorübergehende Erscheinung. Da viele Gastarbeiter jedoch über lange Jahre hinweg eine dezidierte Rückkehr-Absicht haben, entwickelt sich eine sprachliche Zwischenform von unerwartet langer Lebensdauer. (Vgl. auch weiter unten Kap. 6.5. [1]. Zum ehemaligen kolonialen Pidgin-Deutsch z. B. auf Neu-Guinea vgl. Molony u. a. 1977, 58 ff. [Mühlhäusler].)

Das Konzept der soziolektalen Differenzierung erweist sich nur zum Teil als fruchtbar bei der vollständigen sprachlichen Beschreibung der einzelnen Varietäten des Deutschen. Als Gliederung nach den sozialen Merkmalen der Sprechergruppen hilft es jedoch, das stufenlose Sprachkontinuum vornehmlich nach außersprachlichen Kriterien, und da wiederum nach den Merkmalen der beteiligten Menschen als den wichtigsten pragmatischen Komponenten aufzuteilen. Dies gelingt nicht restfrei, weil auch die gesellschaftlichen Gruppierungen sich oftmals nicht klar scheiden lassen und Verschränkungen und Überschneidungen vorkommen. Innerhalb der Sprachgemeinschaft lassen sich jedoch klare soziolektal funktionierende sprachliche Merkmale ausmachen, die auf engstem Raum jeweils neu zu identifizieren sind. Es lassen sich auch ganze Merkmalbündel zu Soziolekten zusammenfassen, am leichtesten dort, wo die Sprachträger eine sozial auffällige Gruppe bilden. Weitere Beobachtungen durch eine soziolektale Optik könnten sehr wohl auch bei wenig differenzierten Gruppen eine soziolektale Sprachwirklichkeit größeren Ausmaßes entdecken, wenn auch eine strukturalistische Erfassung ganzer Soziolekt-Systeme und terminologische Differenzierungen zwischen ,Soziol' (einfaches soziolektales Merkmal mit Symptomfunktion) und ,Soziolem' (als soziolektal funktionierende Merkmalsklasse) eine Überschätzung der Lösungsfunktion des soziolektalen Konzeptes darstellen dürfte (Hammarström 1966, 7; Heike 1969, 23 ff.).

5.4. Areale Varietäten oder: Sozio-Dialektologie

5.4.1. Zur Terminologie

Areale Varietäten sind solche sprachliche Erscheinungen, die in einem räumlich-geographischen Kontrast zueinander stehen. Sie sind durch Sprachgrenzlinien oder Isoglossen voneinander abgetrennt und bilden zusammenhängende Geltungsareale in der Landschaft. Areallinguistik ist auch der neue Name für eine strukturalistisch konzipierte Sprachgeographie. Sprachareale sind kartierbare Verbreitungsgebiete bestimmter sprachlicher Merkmale oder Teilbereiche wie Laute, Formen, Wörter oder Satzkonstruktionen. (Zur Areallinguistik: Goossens 1980.) Areallinguistik wie auch die traditionelle Sprachgeographie behandeln ihre Sprachareale, Grenzlinien, Raumstrukturen oder Binnengliederungen der Sprache wie autonome Objekte, die eine Art Eigenleben führen. Der Mensch als Träger und Benutzer der Sprache ist dabei nur Datenlieferant.

Die Soziolinguistik hat nun bewirkt, daß die Dialektforschung ihr Augenmerk mehr und mehr auf den Dialekt-,Sprecher' richtete. Damit wurden die sozialen Determinanten und kommunikativen Bedingungen der Sprecher, des Dialektgebrauchs und dessen Funktionen mit in die Beobachtung einbezogen. Diese neue Richtung der Dialektologie wird Sozio-Dialektologie (manchmal auch pointiert ,Sprecher-Dialektologie') genannt. Wird der pragmatische Aspekt betont, spricht man auch von kommunikativer Dialektologie. Bereits in Kap. 2 wurde gezeigt, daß auch die herkömmliche Mundartforschung soziale oder gesellschaftliche Komponenten der binnensprachlichen Vielfalt zwischen Mundart und Hochsprache gesehen hat. Man denke nur an die „geographische und soziologische Betrachtung in der neuen Sprachgeschichte und Volkskunde" (Maurer 1933 [1964]) oder an das umfangreiche Kapitel in Bachs Deutscher Mundartforschung mit dem Titel „Die Mundarten in ihrer soziologischen Schichtung" (Bach 1950, 227—263; vgl. auch Hünert-Hofmann 1968). Aber erst mit dem Stichwort ‚Dialekt als Sprachbarriere' als einem Kommunikationshindernis, das auf binnensprachlichen Varietäten beruht, fühlte sich die Dialektforschung von der Soziolinguistik herausgefordert.

Seit Anfang der siebziger Jahre erschienen zahlreiche Beiträge zu soziolinguistischen Aspekten der Dialektsprachlichkeit: zur sozialen Verbreitung, zu den regionalen und nationalen Besonderheiten der Dialekt/Standard-Diglossie. Die Frage der Stadtdialekte wurde neu aufgeworfen, Spracheinstellungen und deren linguistische Relevanz, die Art und das Ausmaß der Dialektalität (dialektale Bandbreite) wurde gemessen.

Weitere Merkmale waren die kommunikative Funktion von Dialekt und deren positive und negative Folgen, der Anteil dialektaler Merkmale an den sogenannten Schichtensprachen, Dialekt beim Spracherwerbsprozeß. Nicht zuletzt sollten Abhilfen, Hilfestellungen, didaktische Konzepte und Nutzanwendungen erarbeitet werden.

Die Dialektologie hatte sich in knapp fünf Jahren von einer deskriptiv-linguistischen Disziplin zur Sozio-Dialektologie oder kommunikativen Dialektologie gewandelt. (Überblicke: Ammon u. a. [Hrsg.] 1978; Steger 1978; Mattheier 1980; Goossens 1981; Besch u. a. 1982, bes. II, Kap. XIII und zur „Gegenstandskonstitution in der Dialektologie": Löffler 1982.)

Der neue Gegenstand der Sozio-Dialektologie sind die areal determinierten Varietäten, insofern sie soziolektalen Charakter haben, das heißt, den Sprecher und seine Sprachverhaltensbedingungen betreffen: ‚Dialekt in seiner sozialen Verteilung und kommunikativen Funktion'. Der areale Aspekt, der alle Dialektforschung kennzeichnet, bleibt auch bei der sprecher-orientierten Blickrichtung bestehen; denn auch die soziolinguistischen Implikationen der Dialektsprachlichkeit (Sprechergruppen, Verwendungsanlässe, Prestige) sind geographisch nach Regionen und Ländern abgestuft und manchmal gerade in seitenverkehrten Relationen anzutreffen.

5.4.2. Themen und Probleme der Sozio-Dialektologie

(1) Die soziale Verteilung oder Sozio-Geographie der deutschen Dialekte

In der klassischen Dialektgeographie werden sprachliche Einheiten als geographische Varianten des Deutschen kartiert unabhängig davon, von wievielen Leuten eine solche Sprachform an einem Ort tatsächlich gesprochen wird. Die für einen Ortspunkt repräsentative Form ist die von den ältesten Eingesessenen gesprochene oder gekannte.

Die soziolinguistische Frage bei der arealen Verteilung betrifft nicht so sehr den linguistischen Status des Sprachmaterials (grammatischer Bereich, Grad der linguistischen Distanz zum geographischen Kontrast-Laut etc.), als vielmehr die Sprecher-Personen: Wer überhaupt spricht noch wo welchen Dialekt oder welche dialektale Form (Laut, Wort) in welcher Häufigkeit? Auf welche Sprechergruppen (soziale Schichten, Alters-, Berufs-, Geschlechtsgruppen) verteilen sich bestimmte Dialektmerkmale an einem Ort oder in einer Gegend?

Verteilung der Dialektkenntnis

Die Frage nach den Dialekt-Sprechern wurde besonders interessant, seit nicht mehr überall (auch) Dialekt gesprochen wird und an einem Ort nicht mehr alle Leute die gleiche Art Dialekt gebrauchen. Auch wenn die Klage der Dialektforscher, daß die echten Dialekte mit der jeweils ältesten Generation endgültig verschwunden sein werden, so alt ist wie die Dialektforschung selbst, hat man doch erst in jüngerer Zeit begonnen, das Ausmaß des Dialektgebrauchs oder die soziale Verteilung der Dialektsprachlichkeit zu erkunden. Der Ansporn hierzu war zunächst ein sprachpflegerischer: Man wollte Reste alter Dialekte feststellen und bewahren. Das galt für Teilerhebungen in Schleswig-Holstein (Kamp/Lindow 1969) und in Niedersachsen (Steiner 1957). Die bisher umfassendste und auch einzige Erhebung der geographisch-soziographischen Verteilung von Dialekt und Nichtdialekt ist die des Demoskopischen Instituts Allensbach aus den Jahren 1965/67. Ammon hat als erster Teile dieser Umfrage für sozio-dialektologische Zwecke herangezogen (Ammon 1972, 101 ff.). Eine umfassende Aufbereitung der bis anhin unpublizierten Allensbach-Materialien liegt nur in einer maschinenschriftlichen Examensarbeit vor (Heuwagen 1974). Einige Übersichtstabellen über die Verbreitung der Dialektsprachlichkeit auf Grund der genannten Materialien gibt Mattheier (1980, 27 f.). Die folgende Tabelle und geographische Übersicht nach Regionen und Geschlechtern ist aus den Tabellen bei Heuwagen (1974, 12 u. 51 f.) und Mattheier (1980, 27 f.)

145

neu zusammengestellt. Eine jüngst veranstaltete Wiederholung dieser Umfrage durch ‚Allensbach' ist noch nicht publiziert. Nach ersten Auskünften
haben sich — bei veränderter Fragestellung — andere Zahlen ergeben.

Verteilung der Dialektkenntnis auf Grund der Selbsteinschätzung der Befragten (nach Heuwagen 1974, 12 u. 51 f. und Mattheier
1980, 27 f. neu zusammengestellt):

Region (von Nord nach Süd)	gesamt	Frauen	Männer	zu Hause	am Arbeitsplatz
	(in % der Gesamtbevölkerung)			(in % d. Dialektsprecher)	
Schleswig-Holstein	64,7	63,6	65,9	59,3	35,1
Hamburg	29,7	28,6	31,3	61,5	38,5
Bremen	44,8	20,2	71,4	87,5	50,0
Niedersachsen	46,1	41,1	51,9	69,0	42,3
W.-Berlin	37,9	34,1	44,0	64,7	11,8
Nordrhein-Westf.	46,4	41,7	52,0	69,7	31,9
Hessen	63,5	58,2	69,9	76,0	50,6
Ort in Altmark DDR	48,5	42,0	55,0		
Thüringen/DDR					
Zentralthüringen	28,0	25,2	31,0		
Eichsfeld	60,5	57,0	64,0		
Henneberg	84,2	82,7	85,2		
Rheinland-Pfalz	76,0	70,3	82,5	94,0	52,9
Saarland	76,7	81,8	71,4	96,0	48,1
Baden-Württemberg	61,0	62,4	65,9	91,9	60,2
Nördl. Teil	56,4	57,7	54,8	92,9	60,7
Südl. Teil	71,9	67,6	77,6	91,0	59,7
Bayern	71,0	70,4	71,8	92,0	61,3

Für Österreich und die Schweiz liegen keine entsprechenden Zahlen vor.

Das methodische Problem bei der demoskopischen Erhebung der Dialekt-
verbreitung ist, daß der Begriff Dialekt offen bleibt. Was Dialekt ist, wird
der Einschätzung der Interviewten überlassen und kann nicht durch sprachliche Kontrollen objektiviert werden. Als Dialekt kann somit im Grunde
alles gelten, was von einer gedachten Idealnorm irgendwie regional ab-
weicht. Dazu muß noch eine Diskrepanz zwischen eigener Angabe und tat-
sächlichem Sprachverhalten angenommen werden. Diese Einschränkungen
beeinträchtigen die geographische Aussagekraft der relativen Zahlen jedoch
nicht. Das Nord-Mitte-Süd-Gefälle ist unverkennbar, insbesondere wenn
man die Prozentzahlen ‚am Arbeitsplatz', d. h. den Dialektgebrauch von

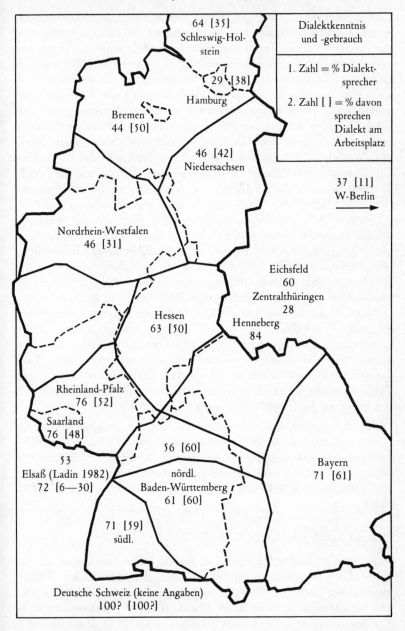

64 [35]
Schleswig-Hol-
stein

Dialektkenntnis
und -gebrauch

1. Zahl = % Dialekt-
sprecher

2. Zahl [ ] = % davon
sprechen
Dialekt am
Arbeitsplatz

29 [38]
Hamburg

Bremen
44 [50]

46 [42]
Niedersachsen

37 [11]
W-Berlin

Nordrhein-Westfalen
46 [31]

Eichsfeld
60
Zentralthüringen
28

Hessen
63 [50]

Henneberg
84

Rheinland-Pfalz
76 [52]

Saarland
76 [48]

53
Elsaß (Ladin 1982)
72 [6—30]

56 [60]

nördl.
Baden-Württemberg
61 [60]

Bayern
71 [61]

71 [59]
südl.

Deutsche Schweiz (keine Angaben)
100? [100?]

147

Dialektsprechern in einer gemäßigten Öffentlichkeit in Betracht zieht. Soziolinguistisch interessant sind jene Zonen, wo die Zahl der Dialektsprecher die 50 %-Grenze oder darunter erreicht und wo zwischen privatem und öffentlichem Dialektgebrauch eine große Diskrepanz herrscht. Dort werden gruppenspezifisches Sprachverhalten, Registerwechsel, ‚Kontextstile‘ zwischen Standard und Dialekt, Grad und Möglichkeit von Kommunikation innerhalb und zwischen den solcherart verschiedenen Sprach-Gruppen derselben Gegend zu interessanten Beobachtungsthemen. Je kleiner der Dialektsprecher-Anteil, desto eher wird diese Dialektsprachlichkeit soziales Merkmal. In solchen Übergangszonen sind offensichtlich innerhalb der sozialen Gruppierungen erhebliche Sprachwandelprozesse in bezug auf die sprachliche Bandbreite im Gange. Diese dynamischen Zonen sind nach Mattheier (1980, 142 ff., 153 ff.) dort, wo mit der Industrialisierung des 19. und 20. Jahrhunderts früh eine Urbanisierung eingesetzt hatte und wo neben der sozialen Umstrukturierung neue Lebens- und Wohnformen zu Veränderungen im Bereich Dialekt—Standardsprache geführt haben. Ein weiterer Grund für den besonderen Status der urbanisierten Ballungszonen mit einem Sprachwandelprozeß hin zur überregionalen Einheitssprache ist weniger die sozialistische Einheitsgesellschaft in der DDR mit ihren Kollektivierungskampagnen, wie Ammon/Simon 1974, 342 f. noch glaubten, sondern die eigenartige Geschichte und Herausbildung der ‚neuhochdeutschen‘ Schriftsprache überhaupt. Diese hatte gerade gegenüber den niederdeutschen Dialekten den linguistisch größten Abstand und zwang somit die urbanen Bereiche des ehemals niederdeutschen Gebietes früh, sich der neuen Literatur- und Gelehrtensprache auch beim Sprechen zu bedienen, um überhaupt noch verstanden zu werden (Besch 1979; vgl. auch Kap. 8.2.).

Während demoskopische Erhebungen für das Gesamtgebiet nur grobe Übersichten ergeben können, vermitteln kleinräumliche Detailstudien differenziertere Einblicke in das geographische Gefälle der sozialen Dialekt-Verteilung. (Ausführliche Analysen und Interpretationen bei Mattheier 1980, 25—106; vgl. auch Stellmacher 1980 zur „sozialen Verwendung" des Dialekts.)

Dialekt und Sprachalter/Geschlecht

In den oben genannten Mischgebieten, aber auch anderswo konnte die Dialektforschung verschiedene Sprachaltersstufen der individuellen Dialektsprachlichkeit feststellen: 1. die Zeit des primären Spracherwerbs; 2. Schulische Spracherziehung; 3. Beruf; 4. Eheschließung; 5. Kindererziehung; 6. Ausscheiden aus dem Berufsleben (Mattheier 1980, 53). Stufen 1 und 6 sind von hoher Dialektalität geprägt. Dazwischen liegen die Lebensphasen mit größtmöglicher Annäherung an die örtlich geltende Standardvarietät. Die sprachliche Bandbreite sei bei Frauen immer näher an der Standardsprache angesiedelt. Überhaupt kann die Soziodialektologie zur geschlechtsspezifischen Sprachverteilung und zur Frauensprache interessante Beobachtungen vermitteln. (Über geschlechtsspezifische Sprachkompetenz und deren pragmatische Hintergründe: Mattheier 1980, 25 ff.; Stellmacher 1975/76 u. 1977 mit weiteren Literaturhinweisen zur dialektalen Frauensprache; vgl. auch oben 5.3.4. [3].)

Domänenverteilung der Dialekte (Tendenzen)

Nach den demoskopischen Daten ist höhere Dialektalität mit geringerer Einkommensklasse, einfacherer Bildung und beruflicher Stellung, eher ländlichem Wohnsitz, häuslicher Umgebung und Freundeskreis in Verbindung zu bringen. Die Mischgebiete sind dadurch gekennzeichnet, daß sich nicht nur Dialektsprecher und Nichtdialektsprecher der Zahl nach die Waage halten, sondern daß die Verwendungsbereiche für dialektale Varietäten deutlich in ‚öffentlich‘ und ‚privat‘ geschieden sind. Die Zahlen in eckigen Klammern auf der Übersichtskarte geben mit dem prozentualen Anteil der Dialektverwendung am Arbeitsplatz einen Hinweis für den noch vorhandenen Öffentlichkeitswert des Dialekts oder einer dialektalen Färbung. Die Dialektalitätsgrade gehen dabei stufenlos ineinander über und sind auch pragmatisch (‚redekonstellativ‘ oder ‚kontextstilistisch‘) unterschiedlich eingepegelt.

Hier eröffnet sich für die empirische Soziodialektologie ein weites Feld zur Mikroanalyse und differenzierten Erforschung der Dialektalität an einem Ort, einer Agglomeration oder auch nur in einem Schulzentrum oder einer Klasse (neue Versuche: Hasselberg 1983). Dabei werden die Variablen ‚Sozialschicht‘ (Berufe), ‚Altersstufen‘, ‚Geschlecht‘ überall ‚dialektsensitiv‘ sein, das heißt die Dialektalität korreliert mit diesen Sozialfaktoren. Unterschiedlich dürften hingegen die ‚soziolektale‘ Zuordnung von Dialektalitätsgraden und -merkmalen zu einzelnen Gruppen sein. Zumindest in der Bundesrepublik und ganz deutlich in der DDR ist eine allgemeine Tendenz hin zur Hochsprache (Standardsprache) zu erkennen, die früher eher den gebildeten Schichten der Städte, später den mittleren städtischen Schichten, dann den höheren Kreisen der ländlichen Gegenden vorbehalten war — und dies zuerst im Norden, dann nach Süden hin fortschreitend.

Der allgemeine Trend scheint jedoch eine Gegenentwicklung zu erfahren. Einerseits konsolidiert sich Dialekt durch die pragmatische Zuordnung zum privaten Bereich, andererseits ist er im Begriff, im Gegenzug zum Überhandnehmen der allgemeinen Umgangssprache wieder in weite Bereiche des öffentlichen Lebens einzudringen und seine Domäne zu Lasten der Standardsprache auszudehnen. In der Schweiz ist die Entwicklung schon seit den dreißiger Jahren in vollem Gange und hat zur Zeit einen Dialekt-Höhepunkt erreicht, der kaum noch umkehrbar ist (Ris 1980, 88 f.; Haas 1982, 107 ff.). Die Dialektwelle in der Bundesrepublik hingegen dürfte eine mittelbare Folge der soziolinguistischen Beschäftigung mit Dialekt sein.

Das völlige Überhandnehmen des Dialekts in der Schweiz im privaten und öffentlichen mündlichen Verkehr und das Eindringen selbst ins Geschriebene (Werbung, Inserate, private Korrespondenz etc.) wirft für die schweizerische Soziodialektologie eigene Fragen auf: Zunächst ist die soziale Verteilung von Dialekt in der Schweiz nicht genau bekannt. Man geht von einer hundertprozentigen Dialektalität aus. Nimmt man die Wohnbevölkerung und nicht die Staatsbürger, wird man auf einen ansehnlichen Anteil an Nichtdialektsprechern kommen. Unbekannt ist auch die soziale Verteilung bzw. die Frage, ob Dialektvarietäten als Sozialindikatoren gelten. Die Opposition Dialekt—Standard hat keine solche Funktion, da offenkundig alle Leute Dialekt sprechen. Auf der anderen Seite bildet sich durch den Rückzug der Standardsprache aus der Sprachwirklichkeit eine neue Sprachelite, die als einzige der deutschen Standardsprache überhaupt noch mächtig ist. Die Domänenverteilung im einzelnen und die soziolektale Funktion von Dialekt und dessen lokale Varietäten sind im einzelnen nicht bekannt. Entsprechende Äußerungen beruhen immer auf persönlichen Erfahrungen und Einschätzungen der Informanten (vgl. Haas 1972; Ris 1980, 87 ff., Häring 1981).

Im Elsaß ist der Dialekt nach neuesten Erhebungen in vollem Rückzug begriffen. Hier scheinen sich auf engstem Raum innerhalb des Alemannischen auf Grund historischer Sonderentwicklungen gegenläufige Bewegungen durchzusetzen. In der Öffentlichkeit hat das ‚Elsässische' heute kaum noch Domänen (Ladin 1982, 142 ff.). Auch im privaten Bereich ist Dialekt auf ländliche Gebiete und auf bestimmte Sprachalter beschränkt. Selbst ausgesprochene Dialektsprecher sprechen bereits in halböffentlichem Bereich (Schulhof, Eisenbahnfahrt) eher Französisch als Elsässisch. Trotz sprachpflegerischer Bemühungen wird dieser Prozeß nicht aufzuhalten sein, wenngleich eine Prognose nicht möglich ist. Neben der sprachgeographisch-antiquarischen Inventarisierung des Elsässischen wäre eine weitere dauernde Beobachtung der Domänenverteilung und Gebrauchsbereiche und deren Hauptrichtungen eine wichtige soziodialektologische Aufgabe. Hier finden soziolinguistische Interessen jedoch ihre Grenzen an berechtigten politischen Rücksichten. Nicht von ungefähr ist die neueste Erhebung der sozialen und pragmatischen Stellung des Elsässischen von außen, d. h. von einem österreichischen Linguisten unternommen worden (Ladin 1982).

Die genauen Verhältnisse in Österreich sind nicht in Zahlen angebbar. Im großen und ganzen dürften die Verteilung und die Tendenzen ungefähr denen in Bayern entsprechen. Feststellbare Entwicklungen der letzten Jahre gehen nicht immer in Richtung der deutschen Standardsprache. Oft ist das Ziel einer lautlichen oder lexikalischen Entwicklung eine Ausgleichsform, die nicht hochsprachenäher ist, aber nach ihren linguistischen Merkmalen eine höhere kommunikative Reichweite garantiert (Hathaway 1979; Reiffenstein 1980). Die Tendenz geht auch in Österreich zu einer mehrstufigen Polyglossie ohne scharfe Übergänge zwischen Ortsmundart und höchstmöglicher Stillage (Reiffenstein 1973; 1977; Weiss/Haudum 1976; Weiss 1978; Hathaway 1979; Mentrup 1980; Muhr 1981; Wiesinger 1983), während in der Schweiz die Entwicklung eher zu einer immer schärferen Diglossie-Situation führt ohne Zwischenstufe in Form einer Umgangssprache. Allerdings sind auch im dialektalen Bereich umgangssprachliche Erscheinungen erkennbar. Eine Untersuchung hierzu fehlt jedoch.

Beispiele aktueller Momentaufnahmen der sozialen Verteilung und pragmatischen Geltung von Dialekten sind u. a. Schönfeld 1974, Stellmacher 1977, Weiss 1978, Vahle 1978, Besch u. a. 1981.

(2) Nationaldialekte — nationale und regionale Standards

Dialekt ist primär areal definiert. Die soziale Kennzeichnung der Dialektsprecher nach Alter, Geschlecht, Schichtzugehörigkeit und die pragmatische Gebrauchsmarkierung können ihrerseits wieder geographisch gestaffelt sein und so eine sekundäre areale Struktur ergeben. Dies gilt auch für die größeren extralinguistischen Gruppierungen: Staat und Nation. Es ist zu fragen, ob Staatsgrenzen außer im öffentlich-politischen Funktionsbereich der Verwaltungs- und Rechtssprache auch im sprechsprachlichen Bereich des Alltags arealbildend wirken. Solche nationalen Dialektareale zeigen bei aller regionalen und örtlichen Merkmalsverschiedenheit doch höherstufigere Gemeinsamkeiten, die für Außenstehende den Eindruck eines ‚Nationaldialekts' erwecken. Daß Staatsgrenzen und überhaupt politische Grenzen sich laut- und wortgeographisch bemerkbar machen, spätestens nach 30 bis 40 Jahren zu wirken beginnen und ihre Spuren noch bis 300 Jahre lang zeigen, hat bereits Karl Haag 1900, 141, festgestellt, wenn auch nicht unwidersprochen (Moser 1954/55). Neuerdings wurden die dialektgeographischen Fol-

gen von Staatsgrenzen, die sprachhistorisch homogene Dialekträume durch-
schneiden, untersucht (Kremer 1979 für das deutsch-niederländische Über-
gangsgebiet). Auch die neue Staatsgrenze zwischen der Bundesrepublik und
der DDR wird seit langem in ihrer sprachseparierenden Funktion beobachtet (die neueren Arbeiten bei Schaeder 1981). Hingegen ist die sprachgeographische Funktion der deutsch-österreichischen Staatsgrenze noch nicht
systematisch untersucht (dazu: Mentrup 1980, Wiesinger 1983, 192 f.).

Ob man neben der Herausbildung von nationalen Normvarianten im Standardbereich auch von Nationaldialekten als einer sozio-pragmatischen Gene-
ralisierung dialektgeographischer Varianten innerhalb der Staatsgrenzen
sprechen darf, ist kontrovers (Zimmer 1977; Haas 1978). Bezeichnenderweise wird die Existenz von Nationaldialekten von außen her behauptet
(Zimmer) und von innen her bestritten (Haas; neuerdings differenzierter:
Haas 1982, 76 ff.). Die Argumentation läuft dabei auf zwei Ebenen: von
innen her auf der sprachgeographischen und von außen her auf der sozio-
pragmatischen Ebene. Dem Eindruck der inneren Differenziertheit stellt sich
von außen das Bemerken von gemeinsamen Leitmerkmalen und eines gemeinsamen Gebrauchswertes entgegen. In diesem Sinne spricht man auch in
der Schweiz vom ‚Schweizerdeutsch‘ und meint damit den Oberbegriff für
alle in der Schweiz gesprochenen Dialektvarianten (neuerdings: A. Baur
1983: Was ist eigentlich Schweizerdeutsch?). Es wäre zu fragen, ob das
‚Österreichische‘ in ähnlicher Weise für auffällige Basismerkmale der süd-
bairischen Dialektgruppe stehen könnte (bei Mentrup 1980, 529 u. Wiesinger 1983, 191 verneint), oder ob es gar so etwas wie DDR-Deutsch im dialektalen Sinn gibt (Hellmann 1980). Der Begriff des Nationaldialekts als
Merkmalbasis läßt sich bei solchen Staatsdialekten besonders rechtfertigen,
die einer gemeinsamen historischen Grundlage entstammen. Schwieriger
wird dieser Begriff bei Staaten wie der Bundesrepublik und der DDR,
innerhalb deren Grenzen sprachgeographisch und -historisch verschiedene
Dialekte gelten. Dennoch ist es ein reizvoller Gedanke, mit dem Hilfsbegriff
‚westdeutsche Dialekte‘ oder ‚bundesdeutsche Dialekte‘ bzw. ‚DDR-Dia-
lekt‘ zu prüfen, ob es nicht doch nationale Basismerkmale gibt, die trotz
sprachhistorischer Verschiedenheit für alle Dialekte gelten. Gemeinsame
Merkmale könnten auf der Wort- und Verwendungsebene und in der pragmatischen Stellung der Dialekte liegen. Unzweifelhaft läßt sich hingegen die
Existenz nationaler, staats- und landesspezifischer Standardnormen feststellen, deren Differenzen nicht nur aus unterschiedlichem öffentlich-administra-
tivem Sprachgebrauch resultieren, sondern auch Ergebnis von Dialekt-Inter-
ferenzen sind als Folge der noch geltenden oder ehemaligen Landesdialekte.

Die lexikalischen und syntaktischen Besonderheiten des ‚Schweizerhochdeutschen' sind zum größten Teil inventarisiert. Die Weiterentwicklung nationaler Besonderheiten erfordert jedoch eine ständige Fortschreibung solcher Register. (Kaiser 1969/70; Schilling 1970; Schläpfer 1979; 1982). Auch die österreichischen Normvarianten sind bekannt und katalogisiert (Ebner 1969; Fenske 1973; Rizzo-Baur 1962; Österr. Wörterbuch 1979 [1951]; neuerdings Wiesinger 1983).

Andere Normvarianten des Standarddeutschen, insbesondere bei Auswanderergruppen in Übersee sind bearbeitet (Wacker 1965; Auburger u. a. 1977, 1979; vgl. auch 4.5. und 4.8.). Ja selbst eine bayerische Variante des Hochdeutschen scheint es zu geben, auch wenn sie innerbayerisch kaum bewußt ist und von außen vielfach bezweifelt wird (Zehetner 1977, 30). Die Auseinanderentwicklung im Standardbereich zwischen der Bundesrepublik und der DDR (Moser 1962; Schaeder 1981) ist noch sehr jung und betrifft hauptsächlich den politisch-öffentlichen Wortschatz und den der Warenversorgung. In den ‚Regeln' der deutschen Sprache für Hochlautung, Orthographie und Syntax gilt nach wie vor eine Übereinstimmung zwischen den deutschsprachigen Staaten.

Einzig die Schweiz befindet sich mit der seit den dreißiger Jahren geltenden ss-Schreibung für ß außerhalb der gemeinsamen Norm, die auf Grund der gemeinsamen sprachgeschichtlichen und literarischen Tradition stärker zu sein scheint als kurzfristige staatliche und administrative Grenzziehungen. Offensichtlich kann sich das Deutsche nach einigen hundert Jahren der Konsolidierung und Herausbildung einer Einheits-Schriftsprache neuerdings wieder eine beschränkte Normvarianz leisten, die sich in Zukunft noch verstärken dürfte.

(3) Stadtdialekte — Stadtumlanddialekte — Industriesprachen

Das Stadt-Land-Gefälle im Dialektgebrauch und in der Einschätzung und Bewertung von Sprache und Sprechern beschäftigt die Dialektforscher seit längerem (Literatur bei Löffler 1980, 42; vgl. bereits W. Müller 1912). Auf der klassischen Dialektkarte mußten städtische Ballungsgebiete ausgeklammert werden, da für sie keine repräsentativen Angaben zu erhalten waren. Um so mehr widmete sich die Einzelforschung den Sprachverhältnissen um einen städtischen Mittelpunkt herum. Man unterschied einerseits die Sprachvariation innerhalb einer städtischen Kommunikationsgemeinschaft als ‚Stadtsprache' oder ‚Stadtdialekt', auf der anderen Seite die sprachliche Sogwirkung des städtischen Mittelpunktes auf das Stadtumland, die zu Sprachwandelprozessen in Ballungsräumen führte. Stadtsprachenforschung betrifft demnach Sprachvariation und Sprachwandel (Mattheier 1980). Sonderentwicklungen im Umkreis großer Städte sind dialektgeographisch häufig bearbeitet worden: Mittelrhein/Untermaingebiet: Debus 1963, 1978; Südöstliches Niederösterreich: Glattauer 1978; Industriegebiet um Karl-Marx-Stadt und Dresden: Bergmann 1964, 60 ff. Fränkische Städte: Maurer 1934 (1972), Brig/Wallis: I. Werlen 1977 u. a. neue theoretische Entwürfe: Veith 1967; Radtke 1976; Mattheier 1980, 150 ff. vgl. die Bibliographie bei Dittmar/Schlieben-Lange/Schlobinski 1982.

Die dialektgrammatische Darstellung eines Stadtdialekts ist nicht einfach, weil die Entscheidung für eine stadttypische Lautung und die Auswahl repräsentativer Sprecher nicht möglich ist. Dennoch gibt es einige traditionell-dialektologische Arbeiten zu Stadtdialekten, die allerdings die Stadt als überdimensionales Dorf ansehen, wo die Einheimischen noch eine homogene Mundart sprechen. (Mehne 1954: Schwenningen a. N.; Baumgärtner 1959: Leipzig; Kufner 1961: München; Günter 1967: Freiburg, als erster unter sprachsoziologischen Gesichtspunkten; Seidelmann 1971: Wien u. a.; Mundartgrammatiken von Schweizer Städten mit ausgesprochen normativem Charakter: A. Weber 1948: Zürich; Suter 1976: Basel.)

Die moderne Stadtsprachenforschung sieht hingegen die Stadt als ein Konglomerat von zentripetal zur Mitte hin orientierten Sprachringen, repräsentiert durch Wohnquartiere, Außenquartiere und Umlandgemeinden. In jedem dieser Ringe findet sich eine vertikale Staffelung, die nach sozialen Sprecherschichten und Redeanlässen untergliedert ist. Auch hier sind die lautlich-grammatischen Übergänge von einer Varietät zur andern stufenlos und nicht scharf zu markieren. Die Abgrenzung von Varietäten in diesem mehrdimensionalen Sprachkontinuum ist Ermessenssache. In der Praxis behilft man sich mit extralinguistischen Kriterien und Redekonstellationen wie Einkaufssprache, Konversations-/Partysprache, öffentliche Verkehrssprache etc. oder man nimmt zur Kennzeichnung einer Varietät ‚Leitmerkmale' wie z. B. l-Vokalisierung (Haas 1973), r-Realisation (Hardenberg 1981) oder Endsilben-Ausfall (Rein/Scheffelmann-Mayer 1975, 264 ff.) oder eine lexikalische Variante, nach deren Auftretenshäufigkeit (Frequenz) und Anlässen des Auftretens das Sprachkontinuum untergliedert und etikettiert wird. Es können nur immer kleine überschaubare Einheiten (Quartiere, Straßen, Schichten) genauer beobachtet werden. Die Grenzen liegen zum einen in der unüberschaubaren Datenmenge und zum andern in der Schwierigkeit, überhaupt Alltags- oder Privatsprache beobachten zu können. Die Frage des individuellen Sprachdatenschutzes stellt sich hierbei zum ersten Mal. Eine soziolinguistisch konzipierte ‚Stadt-Grammatik' müßte jedenfalls neben den Varietäten zwischen Standard-, Umgangssprache und Dialekt die Gebrauchsbedingungen und die soziale Kennzeichnung der Sprechergruppen mit beschreiben.

Die so erhaltenen Varianten, die im konkreten Fall oft nur Frequenzunterschiede von Merkmalen (vgl. Goossens 1980) darstellen, können dann als ‚Gebrauchsvarietäten‘ zusammengefaßt werden. Dabei ist die Abgrenzbarkeit der Varietäten in Städten mit ausgeprägter Dialekt-Standard-Diglossie wohl einfacher als in Städten mit einer linguistisch nur schwer faßbaren, fast übergangslosen Umgangssprache-Standard-Polyglossie mit soziolektal und stilistischen Verschränkungen, die sich schwer quantifizieren lassen. Bei der Festlegung von erkennbaren Varietäten wird man sich daher auch auf Sprecherurteile berufen müssen, die trotz ihres subjektiven Charakters eine Realität darstellen und sich bei genügend großer Informantenzahl auch objektivieren lassen. (Vgl. die verblüffenden Einschätzungsübereinstimmungen sprachlicher Stigma-Signale bei Steinig 1976, 98. Über die empirisch-linguistische Seite stadtsprachlicher Varietätenforschung: Labov 1976/1978; Mattheier 1980, 174 ff. bes. 184; zur linguistischen Aufbereitung von Varietäten: Klein 1974; konkrete Anwendung dieser Deskriptionstechnik auf die Varietäten innerhalb eines Industriebetriebes: Senft 1982.)

Gesamtbeschreibungen der Sprachlichkeit von Städten als Zentren für Sprachwandelprozesse im Umland stehen noch aus. Methodische Vorarbeiten mit vorläufigen Ergebnissen liegen vor im sogenannten Erp-Projekt (Besch u. a. 1981). Ein Stadtsprachenprojekt ist seit 1980 auch am Institut für deutsche Sprache in Mannheim in Arbeit (Kallmeyer u. a. 1982).

Ein Sonderbereich der Stadtsprachenlinguistik ist die Sprache großer Industriebetriebe und von Industriezentren, die pragmatisch wie ‚Städte‘ funktionieren (vgl. Möhn 1965). Wegen der relativen Überschaubarkeit der personalen und funktionalen Struktur von Industriebetrieben können dort Pilotstudien für größere Ballungsräume angesetzt werden, doch war es bei den bisherigen Arbeiten ein Problem, an die Informanten heranzukommen. Die Zugangsschwelle scheint in der Industrie für Linguisten fast ähnlich hoch wie für Ethnologen bei der Erforschung fremder Kulturen. Betriebe haben eine interne Verfassung mit Verhaltensvorschriften nicht nur für den Produktionsablauf, sondern auch für den sozialen Verkehr, der hierarchischer gegliedert ist als im sonstigen Leben. Zudem haben Betriebe die Tendenz zur hermetischen Abschließung nach außen und lehnen Außenbeobachtung tendenziell ab. Selbst in der DDR hatten Soziolinguisten nur mit Mühe oder überhaupt keinen Zugang zu Arbeitern am Arbeitsplatz (Schönfeld/Donath 1978). Die besten Ergebnisse sind durch teilnehmende Beobachtung zu erhalten, wo der Linguist durch längere Mitarbeit im Produktionsablauf das Vertrauen und die handwerkliche Anerkennung der Mit-Arbeiter erwirbt (Beispiel: Senft 1982). Die Ergebnisse der Industriesprachforschung sind sehr aufschlußreich. In einem überschaubaren ‚Varietätenraum' ist eine Sprachwirklichkeit etabliert, die als Modell für die unübersichtliche Außenwelt dienen kann. Selbst bei konstanter geographischer Lokalisierung (bei Senft 1982 sind alle Sprecher aus Kaiserslautern) und einer sozialen Homogenität (alle Sprecher haben nur Volksschulbildung) zeigt die kontinuierliche Varietätenanalyse ein breites Band idiolektaler und betriebssoziolektaler Ausfächerungen. Daß diese gemessenen Abweichungen im phonetischen und syntaktischen Bereich keine Zufälle des Zahlenspiels sind, ergab eine Sprachbewertungsmessung, bei der den Betriebsangehörigen Sprachaufnahmen (Beschreibung von technischen Apparaten aus dem Werkbereich des Betriebes) verschiedener Kollegen vorgespielt wurden und in einem ‚matched-guise-Verfahren' beurteilt werden mußten. Auch dann zeigte sich eine hohe Übereinstimmung der Einschätzungen. Die phonetisch-dialektalen Merkmale wurden nicht so sehr als Indikatoren für Sprecher-Sympathie genommen als vielmehr zur betriebshierarchischen sozialen Einstufung herangezogen. Höherwert, Anerkennung und Sympathie erfuhren jene Sprachproben, die sich durch Sachkenntnis, thematische Beschlagenheit und Verständlichkeit auszeichneten, wie überhaupt im außersprachlichen Bereich Sympathie und Anerkennung durch Kompetenz, Sachverstand und manuelle Fertigkeiten begründet wurden (Senft 1982).

Strenge Hierarchien mit weit schärferen Grenzen zwischen den sozialen Stufen haben die Untersuchungen eines Berliner Glühlampenwerks und eines metallurgischen Betriebs bei Berlin/DDR aufgedeckt (Donath/Schönfeld 1978, 31). Dabei drängen sich Vergleiche zwischen einzelnen Branchen, Betriebsarten und Gegenden ebenso auf wie solche zwischen den verschiedenen Gesellschafts- und damit wohl auch Betriebsverfassungssystemen. Selbst das Problem der Gastarbeitersprache(barriere) ließe sich bei besserer Kenntnis der betrieblichen Sprachwirklichkeit und pragmatisch-kommunikativen Bedürfnissen im Arbeitsbereich erfolgreicher angehen.

Im Bereich der Stadtsprachen- oder Industriesprachenforschung findet die Soziolinguistik ihr anspruchsvollstes Betätigungsfeld. Neben den traditionellen Methoden der Dialektforschung werden die Techniken der empirischen Sozialforschung, der grammatischen Analyse gesprochener Sprache und der statistischen Varietäten-Berechnung und -darstellung und nicht zuletzt auch alle denkbaren Instrumente der Deutung benötigt. Methoden und technische Mittel stehen heute zur Verfügung.

(4) Dialekt-Einstellungen und -Bewertung (Beliebtheitsskalen)

Subjektive Einstellungen zu bestimmten Sprachvarietäten und deren Sprechern sind zunächst keine linguistischen Daten. Sie gehören eigentlich in den Bereich der Sozialpsychologie. In ihren Wirkungen auf das Sprachverhalten und auf Sprachwandelprozesse müssen Spracheinstellungen jedoch als objektive Faktoren angesehen werden (vgl. Kap. 3.5.). Überdies hat die Sozialpsychologie Methoden entwickelt — die sogenannte semantische Profilmeßmethode und Faktorenanalyse (vgl. Hofstätter 1973; E. Werlen 1983) —, mit denen subjektive Angaben, Meinungsäußerungen, Einschätzungen und Bewertungen kollektiviert, objektiviert oder zumindest intersubjektiv überprüfbar und in der Versuchsanordnung wiederholbar gemacht werden können (vgl. Besch u. a. 1981/1983 Bd. 2).

Subjektive Zuweisungen oder Äußerungen über Dialekt führen mit oder ohne linguistische Vorinstruktion zu gleichen Ergebnissen. Auch wenn bei einer Befragung, ob die Betroffenen sich für Dialektsprecher halten oder nicht, den Leuten genaue Instruktionen gegeben wurden, was Dialekt sei, so wichen deren Angaben prozentual nicht ab von denen, die die Entscheidung Dialekt—Nichtdialekt nach eigenem Gutdünken trafen (Kamp-Lindow 1967).

Bei Einstellungen zur Sprache unterscheidet man die Selbsteinschätzung und die Fremdeinschätzung. Einfache Arten der Fremdeinschätzung sind die bekannten Fragen nach beliebten und weniger beliebten Dialekten, die zu den sogenannten Beliebtheitsskalen der deutschen Dialekte geführt haben. Offen bleibt dabei, ob sich die Bewerter eher an die sprachlichen Merkmale des betreffenden Dialektes halten oder mehr an eine Person, die diesen Dialekt spricht. Die Hierarchie wechselt je nach Ort der Befragung und wohl auch nach Art der Fragestellung. Ein gewisser Grundkonsens über beliebt und unbeliebt scheint sich abzuzeichnen. (Vgl. Schmid 1973 mit Befragungen in Hamburg, Berlin und München.)

Beliebtheitsskalen deutscher Dialekte:

(nach Bausinger 1972, 21; Umfrage eines Werbeinstituts): der beliebteste Dialekt	(nach Sauerborn/Baur 1975; Umfrage bei Schwarzwälder Lehrern): der beliebteste Dialekt	der unbeliebteste Dialekt
1. Wien 19%	1. München 25%	1. Leipzig 27%
2. Hamburg 18%	2. Stuttgart 20%	2. Frankfurt 6%
3. Köln 16%	3. Freiburg 15%	3. Hamburg 6%

(nach Bausinger 1972, 21; Umfrage eines Werbe- instituts): der beliebteste Dialekt	(nach Sauerborn/Baur 1975; Umfrage bei Schwarzwälder Lehrern): der beliebteste Dialekt		der unbeliebteste Dialekt	
4. München 15 %	4. Jeder D.	8 %	4. Stuttgart	5 %
5. Berlin 13 %	5. Zürich	4 %	5. München	5 %
6. Stuttgart 9 %	6. Berlin	3 %	6. Köln	4 %
7. Frankfurt 8 %	7. Hamburg	2 %	7. Zürich	3 %
8. Leipzig 2 %	8. Leipzig	0 %	8. Berlin	2 %

Die Angaben verändern sich, je nachdem ob man ohne Vorgabe beliebte Dialekte nennen läßt (Sauerborn/Baur) oder ob eine Liste zur Auswahl vorgelegt oder gar Sprachproben vorgespielt werden, die es zu bewerten gilt (I. Werlen 1979).

Auch innerhalb der Schweiz gibt es solche Beliebtheitsskalen, bei denen die Reihenfolge jedoch stark vom Standort der Befragung abhängt (Häring 1981, 41). Eine zunächst spielerisch anmutende Variante der Spracheinschätzung ist der Dialekt-Erkennungstest. Auf Grund von Tonbeispielen müssen die Probanden Sprecher geographisch einordnen. Wissenswert dabei ist, nach welchen sprachlichen Merkmalen eine Sprechweise lokalisiert wird. Neben der geographischen Zuordnung können auch Sympathie und Antipathie oder eine soziale Zuweisung abgefragt werden. Solche Dialekterkennungstests geben Auskunft über kollektive Einschätzungen und das Bewußtsein von Sprachdifferenzierungen ganzer Populationen aber auch über verdeckte sprachliche Vorurteile, die auf wenige Signale hin Prestige und Verachtung, Beliebtheit und Abneigung unterscheiden. Folgen sprachlicher Einschätzung wirken sich unmittelbar auf die kommunikative Grundkonstellation und auf Sprachverhaltensänderungen aus.

(Solche Tests nach dem matched guise-Verfahren finden sich bei Steinig 1976, 98 ff.; I. Werlen 1979; Senft 1982, 338 ff., zu Dialekteinstellungen: Schmid 1973; Mattheier 1974; Hufschmidt u. a. 1982; Steinig 1976; E. Werlen 1983; Häring 1981; Muhr 1981; K. H. Jäger/Schiller 1983.)

Manche Dialekte in der Schweiz zwingen die Zuzüger aus anderen Dialektgebieten, ihre Sprache in den primären Merkmalen anzupassen. Andere Schweizer Dialekte lassen sich solcherart Sprachdruck gefallen, manche reagieren auf Grund ihres eigenen Selbstwertgefühls nicht auf solche Sprachanpassungs-Erwartungen (Häring 1981). Unterschiedliche Spracheinstellungen zum eigenen und fremden Dialekt und zur Standardsprache führen nach neuesten Untersuchungen von E. Werlen (1984) auch bei klassischen Dialektbefragungen nach festem Fragekatalog zu ‚valideren‘ und ‚weniger validen‘ Sprachdaten. Werlen fordert daher, daß auch bei traditionellen Dialektbefragungen die Spracheinstellungen miterhoben werden (E. Werlen 1984, 304 ff.). Wichtig ist bei Spracheinstellungsmessungen, daß die Zahlen und Daten über subjektive Meinungsäußerungen durch objektive Informationen über das tatsächliche Sprachverhalten belegt werden und daß auch die linguistischen und extralinguistischen Merkmale (Faktoren) isoliert werden, auf Grund deren die Zuweisung vorgenommen wurde, wie das Senft 1982, 391 ff. getan hat. Man müßte auch klären, ob es innerhalb größerer Sprachgemeinschaften wie dem Deutschen allgemein als unästhetisch empfundene Laute oder Lautkombinationen gibt, die manchen Dialekten zu ihrer Unbeliebtheit verhelfen oder die das Erlernen bestimmter Fremdsprachen erschweren (Löffler 1982 [1972], 140 ff.).

(5) Dialektvariation

Unter Dialektvariation versteht man die an einem Ort vorkommenden Varianzen und die individuelle Fähigkeit, den Dialekt situationsabhängig zu variieren.

Man kann innerhalb eines Ortsdialekts bei sonst konstanten Bedingungen oder auch bei veränderten Kontexten allophonische Abweichungen, lexikalische und syntaktische Variationen registrieren. Ein Ortsdialekt kann überhaupt nur aus solchen Varianzen bestehen ohne eine sogenannte Grundschicht als Bezugsebene. Die Variabilität kann auch kontinuierlich und übergangslos an die Umgangssprache und die Standardsprache anschließen.

Eine andere Art von Dialektvariation ist die individuelle Fähigkeit des Sprechers, die eigenen Sprachlagen der jeweiligen Sprechsituation anzupassen durch code-switching in einer echten Diglossie-Situation oder durch häufigere oder weniger häufige Verwendung gewisser standard- oder dialektnaher Elemente. Zur Messung von ortsspezifischer Variation (Codevarianz) wie auch individueller dialektaler Bandbreite bedarf es Äußerungen, die in variierten Redekonstellationen gefallen sind. Einzelne Merkmale lassen sich durch teilnehmende Beobachtung ermitteln, größere Merkmal-Reihen jedoch nur durch systematisch provozierte Äußerungen der Versuchspersonen (Beispiele: Besch u. a. 1982; Senft 1982 u. a.). Varianzen können dabei als Abweichungen von einer Null-Lage (= Grundmundart) dargestellt werden. So hat Ammon zum Nachweis des Zusammenhangs von Sozialschicht und Dialektalität auf der einen und dem Grad der Dialektalität und schulischer bzw. beruflicher Benachteiligung auf der andern Seite ein Verfahren entwickelt, das die individuelle Dialektalität und das persönliche Dialektniveau mißt. Die dialektgeographisch ermittelte Form der Grundmundart wird als unterste Stufe einer gedachten dialektalen Stufenleiter angenommen. Die möglichen Abweichungen davon hin zur Standardsprache werden nach ihrer Distanz zum Grundwert und ihrer Häufigkeit in eine Formel gebracht, die es erlaubt, einem Sprecher eine numerisch ermittelte Dialektziffer als sein ‚Dialektniveau' zuzuteilen (Ammon 1973a, 89 ff., 167 ff.). Ein ähnliches Verfahren hat Rein (1974; Rein/Scheffelmann-Mayer 1975, 264 ff.) zur Messung der dialektalen Bandbreite Münchner Schüler angewendet. Er hat aus standardisierten Situationen gewonnene Beschreibungen der Kinder in gleichlange Ausschnitte geteilt und das Vorkommen und Nichtvorkommen der Endsilbentilgung ausgezählt. Es wurde also nur ein Dialektmerkmal und seine Häufigkeit beachtet und auf eine zweipolige Skala gebracht, auf der sich ein Schüler hin und her bewegen konnte, wenn von ihm das eine Mal echter Dialekt, das andere Mal schönes Hochdeutsch verlangt wurde, was durch den Wechsel der Adressaten bewerkstelligt wurde.

Andere Meß-Verfahren wurden im ‚Erp-Projekt' angewendet (Mattheier 1980, 174 ff.; Mattheier 1982; Bücherl 1982). Die bisherigen Versuche zeigen, daß aussagekräftige Tests sehr aufwendig sind, da eine genügend große Zahl von Versuchspersonen und ein genügend großer Textausschnitt für die verschiedenen Kontexte zur Verfügung stehen müssen. Die Mindestgrößen werden von Fall zu Fall nach Gutdünken des Explorators oder nach dem Zwang der Verhältnisse festgelegt. Die ermittelten und oft maschinell errechneten Distanzziffern, die als Wahrscheinlichkeit des Auftretens von Varietäten gelesen werden können, machen es dem gewöhnlichen Leser nicht leicht, aus einer Tabelle schnell den rechten Schluß zu ziehen oder gar die Erklärung zu finden, zumal bei langen Zahlenreihen oft nur eine einzige abweichende oder auffällige Ziffer wichtig und der Deutung wert scheint.

Oft sind konkrete Darstellungen mit Angabe der realisierten Sprachform und der absoluten Vorkommenszahl (= Rohwert) im Vergleich zur Zahl der gemessenen Fälle aussagekräftiger, weil sie die Größenordnung der Meßbasis bekanntgeben, die bei der Wahrscheinlichkeitsziffer verschwunden ist.

Ähnliches gilt für die sogenannten Signifikanztests, mit denen ein zufälliges Zusammentreten von sprachlichem und sozialem Merkmal vom Typ ‚Bärtige sprechen schneller' ausgeschlossen werden soll. Auch hier ist die Bekanntgabe der Rohzahlen ebenso informativ wie eine in Zahlen ausgedrückte

Signifikanz. Nach Hasselberg „ist der Signifikanztest umstritten und wird hinsichtlich der Abgabe von Prognosen nicht für so bedeutend gehalten wie die Wiederholung experimenteller Untersuchungen" (Hasselberg 1976, 43). Es ist allerdings noch nirgends gelungen, die Dialektvariation eines ganzen Ortes vollständig zu beschreiben. (Vgl. die Versuche I. Werlens 1977 zur phonologischen Varianz in und um Brig/Wallis; Goossens 1980 zur kartographischen Darstellung von Variablen; und die angekündigten Ergebnisse des Erp-Projekts: Hufschmidt u. a. 1983.) Alle noch so akribischen Messungen, Frequenzzahlen und Signifikanzwerte haben nur soviel Aussagekraft wie die schwächste Stelle in der langen Kette zwischen Personenauswahl, Fragekatalog, Sprechanlaß, Textmenge, Sozialdaten und den historischen Argumenten für eine Deutung.

Teilnehmende Beobachtung, intuitive Spracheinsicht, grammatische Kenntnisse auf allen Ebenen, dialektgeographische Beschlagenheit, kommunikative Phantasie und rationales Algorithmisieren von eigentlich nichtnumerischen Daten wie Lauten, Wörtern, Sätzen und Texten sind in gleicher Weise Voraussetzung für aussagekräftige Ergebnisse. Die Zahlentabellen können oft gerade das beweisen, was man bereits auf Grund der kommunikativen Lebenserfahrung weiß. Andererseits bestehen in dieser kollektiven Spracherfahrung Vorurteile, stereotype Vorstellungen und gar Unkenntnisse, die nur durch sichere Zahlen überzeugend widerlegt werden können.

(6) Kommunikative Funktionen dialektaler Varietäten

Die kommunikative Dialektologie im engeren Sinn, insofern sie nicht einfach als Oberbegriff für Sozio-Dialektologie steht, betrachtet den Dialekt als Medium der Informationsübermittlung zwischen dialektsprechenden Menschen. Diese triviale Feststellung ist wichtig, weil die klassische Dialektforschung den Dialekt als ein sprecherunabhängiges Objekt oder als Organismus mit Eigenleben aufgefaßt hatte, der sich wie ein Pflanzengürtel aus innerem Antrieb oder durch andere Kräfte im Raum ausbreitet. (Vgl. Löffler 1982, 447 ff.) Zwischen Dialektsprechern und andern, die Standardsprache sprechen, besteht zunächst kein Unterschied in der Art und Weise der sprachlichen Nachrichtenübermittlung. Erst wenn sich Dialekt und Standardsprache die Domänen teilen, entstehen Unterschiede in der kommunikativen Leistung beider Codes oder Subcodes. Dialekte sind areal auf bestimmte Geltungszonen und personal auf bestimmte Personengruppen festgelegt und haben somit durch die geographische und soziale Verteilung einen unterschiedlichen Gebrauchswert in Abhängigkeit von den kommunikativen Bedürfnissen und Gepflogenheiten der Sprecher. Daher kommt es, daß man den Dialekten im Deutschen einen eingeschränkten Wortschatz, vor allem bei den Abstrakta, Generalia und Kollektiva, und eine größere Wortbreite im Bereich der sinnlichen Wahrnehmung, der Gefühle und des Konkreten nachsagt (Löffler 1982, 457). Die einseitige lexikalische Ausstattung der Dialekte ist die Gebrauchsspur aus der überwiegenden Verwendung im landwirtschaftlich-handwerklichen und häuslich-privaten Bereich. Diese bevorzugten Einsatzbereiche prägen allmählich auch den pragmatischen Status und die linguistische Ausstattung eines dialektalen Codes. Dadurch wird er für andere Bereiche (Fachgebiete, Wissenschaften, kulturelle und öffentlich-politische Angelegenheiten) weniger geeignet. Doch konnten gerade neuere Arbeiten zum dialektalen Sprachgebrauch manche Dialekt-Charakteristik als Dialektologen-Vorurteil entlarven. So hat eine Untersuchung der syntaktischen Struktur spontaner Gespräche in einer niederösterreichischen Gemeinde (Ottenthal) ergeben, daß „die Alternative zwischen Mundart und Schriftsprache nicht ‚Parataxe' und ‚Hypotaxe', sondern ‚Hypotaxe' und ‚Nominalisierung'" ist. (Wessely 1981, 133). Dialekt hat im spontanen Gespräch sehr wohl eine hypotaktische Satzstruktur, mehr als in der Schriftsprache. Dieser vermehrte Gebrauch von Nebensätzen und Konjunktionen ist durch das Fehlen von Nominalkonstruktionen bedingt, die ihrerseits ‚lexikalisierte Sätze' darstellen: „*Wegen des starken Regens* (= Nominalkomplex) *ist er nicht gekommen*" heißt unter Umständen verbalisiert: „*Er ist nicht gekommen, weil es ihm zu stark geregnet hat*" (Wessely 1981, 131).

Durch die areale Determination fehlt dem Dialekt die überregionale (kommunikative) Reichweite. Den Ausstattungs-Defekten und kommunikativen Einschränkungen stehen jedoch auch positive Eigenschaften gegenüber. Dialekt kann sich in seiner Domäne dank differenzierterer lexikalischer und syntaktischer Ausstattung wenn nicht präziser, so doch im Sinne der Intention des Redenden adäquater ausdrücken: „*Sie håt glaobt momentan, wia's den Dunnara g'heat håt / dea ist aosn Bett aoseg'fåen.* (Sie hat halt geglaubt momentan, wie sie den Donner gehört hat, der ist aus dem Bett herausgefallen. Wessely 1981, 98.) Auf der zweiten Ebene der Informationsübermittlung, der sogenannten ‚analogen' Ebene werden Informationen gegeben, die nicht den eigentlichen Sachverhalt oder das Thema (= ‚digitale' Übermittlung) betreffen, sondern die sozialen und emotionalen Beziehungen. Dialekt stellt so eine spontane und engere Beziehung her zwischen den Partnern, versucht den andern unmittelbar an Gefühlen, Eindrücken oder ‚momentanen' Affektlagen teilhaben zu lassen oder sich in die Gemütslage des Zuhörers hineinzuversetzen. Dialekt wirkt so distanzmindernd und gruppenfestigend.

Dies gilt im Großen für den ,Nationaldialekt' des Schweizerdeutschen ebenso wie für Bewohner eines Dorfes oder eines Quartiers.

In einer Sprachgemeinschaft, die zweisprachig ist in bezug auf Standard und Dialekt kann die Dialektvarietät neben der ,digitalen' Primärsprache (dem Schriftdeutschen) als Nebensprache zur Regelung der nichtthematischen Dinge gute Dienste tun. Diese atmosphärestiftende Kraft des Dialekts als Nebensprache z. B. im Unterricht wurde schon systematisch beobachtet (Mumm 1978; Ramge 1978; Rein 1974). Der kommunikative Aspekt und die besondere Leistung des Dialekts als Zweitregister gelangt besonders in der Bundesrepublik zunehmend ins dialektologische Blickfeld (vgl. Besch u. a. 1982/II, Kap. XIII ,,Kommunikative Dialektologie" mit Beiträgen von Besch Nr. 84, Schuppenhauer/Werlen Nr. 85, Rein Nr. 86, Mattheier Nr. 87, Hasselberg Nr. 88). In der Schweiz wird diese Art von Diglossie im Unterricht, daß Fachlich-Thematisches auf Schriftdeutsch, Privates, Nebensächliches, Wertungen, Anweisungen im Dialekt gesagt werden, als selbstverständlich erachtet (Ris 1973, 41 ff.; Schläpfer 1982, 14 ff.; Haas 1982, 106). Dialekt kann auch dazu helfen, sich in sozial unübersichtlichen Situationen und Gruppierungen personell zurechtzufinden. Die personelle Pluralität gliedert sich für den Dialektsprecher überschaubar auf, es bilden sich entsprechend der Fähigkeit zur Diglossie Bezugsmöglichkeiten und kommunikative Anlaufstellen. Auch in Industriebetrieben spielt Dialektgebrauch bei der personellen und situationalen Gliederung von komplexen Konstellationen eine wichtige Rolle (Senft 1982). Eine weitere kommunikative Funktion des Dialekts als Nahsprache in geschlossenen oder doch engen Kommunikationsgemeinschaften ist noch zu nennen: Dialekt kann als Ironie-Signal oder als Interpretationshilfe für komplizierte Sprechakte dienen. Scherz oder Ernst, boshafter oder wohlmeinender Spott, Ehrlichkeit oder Verschlagenheit (vgl. die Gelingens- und Mißlingensbedingungen von Sprechakten: Austin 1962 [1972], 44 ff.; Löffler 1976) können zwischen und über den Zeilen mit dialektalen Mitteln, Lautsignalen oder nur dem Tonfall nach angezeigt werden.

So wird auch die Rolle des Dialekts in Gesprächen als dialogkonstituierender Faktor untersucht. Die Frage ist, ob es eine dialektspezifische Dialogkompetenz gibt. Erste Analysen ,natürlicher' Studiogespräche im Schweizer Fernsehen verglichen mit andern deutschsprachigen Gesprächsrunden verstärken die Vermutung, daß es eine dialektspezifische Gesprächsorganisation gibt. Neben den nationalen Konversationsbräuchen und Verhaltensnormen verleiht der Dialekt durch seine spezielle kommunikative Kraft als ,Nahsprache' einer Gesprächsrunde eine eigene Charakteristik (Löffler 1983, 365).

(7) Dialekt als Sprachbarriere

Die in (6) genannte spezifische kommunikative Funktion des Dialekts wirkt nach innen gruppenkonsolidierend, nach außen gleichzeitig als Abgrenzung und Distanzierung. Zusammen mit der reduzierten linguistischen Ausstattung ergeben sich hierdurch gegenüber nichtdialektsprechenden Gruppen und Einzelpersonen Kommunikationsbarrieren. Verstehens- und Verständigungsschwierigkeiten wirken sich dann besonders aus, wenn die subsidiäre Funktion des gemeinsamen Sprachcodes auch auf der Beziehungsebene nicht funktioniert.

Der Dialektsprecher gerät dadurch in besondere Schwierigkeiten, da normalerweise das Urteil über Gelingen und Mißlingen eines Kommunikationsaktes dem Situationsmächtigen, dem redekonstellativ Privilegierten zusteht. Dies sind der Lehrer in der Schule, der Meister und Ausbilder in der beruflichen Lehre, der Abteilungsleiter im Betrieb, der Beamte hinter dem Schalter, der Sachbearbeiter auf dem Amt, ja auch der Zöllner an der Grenze oder der Kontrolleur im Zug. Wenn diese ,Situationsmächtigen' (zum Begriff: Kopperschmidt 1973, 65 ff.) nicht Dialekt sprechen, werden sie die Schuld an der gestörten Kommunikation bei ihrem Gegenüber suchen und sich ihr negatives Urteil über dessen sprachliche und intellektuelle Fähigkeiten bilden. Daß Nichtdialektsprecher in Deutschland gegenüber Dialektsprechern eine tendenziell negative Einstellung haben, zeigt Schmid 1973, 131. Die dialektale Sprachbarriere gilt auch in größeren Dimensionen zwischen Stadt und Land, zwischen Norddeutschland und Süddeutschland, zwischen der Schweiz und Deutschland. Daß nicht der Dialekt als solcher die Kommunikationsstörung darstellt, sondern das Urteil der Privilegierten, wird in der Schweiz deutlich, wo dank einer umgekehrten Prestigesituation der Nichtdialektsprecher dieselben Probleme erlebt wie der Dialektsprecher in Deutschland. Die kommunikative Benachteiligung der Dialektsprecher hat zunächst einen rein linguistischen Aspekt, indem unterschiedliche Sprachsysteme sich nur teilweise decken und im Deckungsbereich wegen der strukturellen Nähe sich noch Überlagerungen (Interferenzen) ergeben, die zu besonders auffälligen Pannen und Fehlleistungen (dialektale Stilblüten) führen.

Zu dieser objektiv begründbaren Verstehensbarriere gesellt sich eine paralinguistische der nicht voll ausspielbaren Beziehung. Die unterschiedlichen, aber verwandten Codes verlangen eine dauernde Übersetzungsarbeit und Fehlervermeidungsstrategie. Für die Pflege der Beziehungsebene und ihrer Nuancen bleibt keine Kapazität mehr frei. Als drittes Erschwernis kommt hinzu, daß das Prestige eines Dialekts oft niedrig ist und zu Mindereinschätzung auch des Dialektsprechers führt. Dialekt wird in weiten Teilen Deutschlands mit kognitiver Reduktion, niederem Sozialstatus, geringer Bildung konnotiert. Schließlich trifft zu, daß Dialektsprecher tatsächlich einen tendenziell niederen Sozialstatus haben und eher vom Land als von der Stadt stammen und damit zur ‚Sprach'-barriere noch eine soziale und sozialpsychologische hinzukommt. Diese ‚polykausale' Sprachbarriere, die dem Dialektgebrauch anhängt, ist eines der Hauptthemen der empirischen Sozio-Dialektologie der letzten zehn Jahre gewesen (vgl. die einleitenden Bemerkungen 5.4.1.).

Das Stichwort ‚Sprachbarriere' hatte die traditionelle Dialektforschung auf den Plan gerufen. Im Jahr 1972 sind unabhängig voneinander vier Beiträge zur dialektbedingten Sprachbarriere erschienen (Ammon 1972, Hasselberg 1972, Koß 1972, Löffler 1982 [1972]). Kurz zuvor hatte S. Jäger 1971a Mannheimer Schüleraufsätze nach Zahl und Art der Fehler analysiert. Auf der Suche nach schichtenspezifischer Restriktion war er auf dialektbedingte Fehler gestoßen. Das ganze Ausmaß dialektaler Misere konnte Hasselberg mit Reihenuntersuchungen an über sechstausend hessischen Schülern aufdecken (Hasselberg 1976). Bei Worterkennungstests, die über die weitere Schulkarriere entscheiden sollten, waren dialektsprechende Mittelschichtkinder gerade noch so gut oder schlecht wie hochdeutschsprechende Unterschichtsangehörige. Ähnliche Ergebnisse wurden für alle Schulstufen aus Bayern gemeldet (Reitmajer 1975; 1976; 1980).

Die linguistische Differenz Dialekt-Hochsprache (Standard) wurde für mehrere Landschaftsdialekte ausführlich mit den kontrastiven Methoden der Fremdsprachenlinguistik dargestellt (Löffler 1974, Wegera 1977, Henn 1978, Hasselberg 1979). Die durch Kontrastierung und Offenlegung der Interferenzzonen prognostizierten Fehler ließen sich ausnahmslos in den Schülerheften der betroffenen Gebiete zu Tausenden nachweisen. Die so gewonnenen Erkenntnisse über dialektspezifische Hauptschwierigkeiten beim korrekten Erlernen des Deutschen in der Schule wurden in sogenannten ‚Sprachheften Dialekt — Hochsprache — kontrastiv' zusammengefaßt und didaktisch aufbereitet. Für acht Großdialekte des Deutschen liegen solche Hefte vor: Hessisch (Hasselberg/Wegera 1976), Bairisch (Zehetner 1977), Alemannisch (Besch/Löffler 1977), Schwäbisch (Ammon/Löwer 1977), Rheinisch (Klein u. a. 1978), Westfälisch (Niebaum 1977), Pfälzisch (Henn 1980), Niedersächsisch (Stellmacher 1981). Resonanz finden sie weniger beim einzelnen Lehrer am Ort des dialektalen Geschehens als bei der Sprachdidaktik und in der Lehrerausbildung (Löffler 1982b).

Auch die sozialen und sozialpsychologischen Hintergründe der Dialekt-

Barriere wurden bearbeitet (Ammon 1972a, 1973; Besch 1974; Ris 1973; 1980). Hier konnten Lehrer-Befragungen über Erfahrungen und Einstellungen zu Dialekt und Schule aufschlußreiche Hinweise über die damit verbundenen Beziehungsprobleme geben (vgl. Sauerborn/Baur 1975: Lehrer im Schwarzwald; Macha 1981: Auswertung einer Lehrerbefragung in Nordrhein-Westfalen).

Nach den bisherigen Beobachtungen des Dialektproblems scheint der Barrierencharakter dort am größten zu sein, wo Dialekt soziographisch beinahe verschwunden ist. Seine Existenz wird von den (privilegierteren) Nichtdialektsprechern geradezu geleugnet oder ignoriert. Eine Beziehungsebene kann nicht gepflegt werden, weil das geringe Sprachprestige des Dialekts von der Nichtkenntnisnahme des Problems noch übertroffen wird. Die nachweisbaren landschaftstypischen Fehler gerade auch in sogenannten dialektfreien Gegenden zeigen die Folgen solcher Unkenntnis. Dies kann insbesondere mit den Übersichtskarten der projektierten „Fehlergeographie des Deutschen" (Löffler 1980; 1982a) gezeigt werden, die auch dialektbedingte Fehlerareale dort verzeichnen, wo man nicht mehr von Dialektgebieten spricht. Ex defecto sozusagen hinterlassen auch außer Gebrauch kommende Dialekte im Schülerheft ihre Spuren in Form von regionalen ‚Hauptschwierigkeiten' oder landschaftlichen Fehlertypen.

5.4.3. Praktische Folgerungen

Alle Aktivitäten der Sozio-Dialektologie haben die Dialektsprecher und ihre soziale und kommunikative Konstellation im Auge. Soweit der Dialekt als Kommunikationserschwernis oder Behinderung in Schule und Beruf erkannt wurde, konnten praktische Schlußfolgerungen in Form von gezielten Unterrichtshilfen, aber auch in Form einer allgemeinen Aufklärung von Eltern und Lehrern gezogen werden. Dabei gilt als sprachliches Erziehungsziel einer „dialektorientierten Sprachdidaktik" (Ammon u. a. 1978) durchaus die adäquate Erlernung der deutschen Standardsprache in Wort und Schrift, so daß für Dialektsprecher gewissermaßen als Privileg eine situationsspezifische Zweisprachigkeit entsteht. Die dialektale Muttersprache soll weder verteufelt noch zu einer neuen Mundarteuphorie hochstilisiert werden.

Weit über die Sozio-Dialektologie hinaus gehen die methodischen Konsequenzen der linguistischen Kontrastierung der Dialekte mit der Standardsprache. Die Integration der Varianzanalysen, Kontrastgrammatiken und Einstellungsmessungen und überhaupt der Kommunikationsanalysen von Gesprächen, bei denen Dialekt verwendet wird, haben zu einer Umorientierung der gesamten Dialektologie geführt. Das Erkenntnisinteresse ist nicht mehr nur ein linguistisches oder sprachgeographisches. Auch die Gegenstandsbestimmung der Dialektologie ist durch die Einbeziehung der Sprecher und der Kommunikationssituation neu erfolgt (Mattheier 1980; Löffler 1982). Die Grenzen zwischen eigentlicher Dialektologie und Linguistik sind längst verwischt. Die Sozio-Dialektologie ist Bestandteil der Performanzforschung des Deutschen geworden und bleibt wie schon oft das Experimentierfeld für alte und neue linguistische Theorien.

5.5. Interaktionale Varietäten (Textsorten und Stile)

5.5.1. Pragmatische Stilistik

Die traditionelle Stilistik hatte sich damit begnügt, die sprachlichen Gebrauchsanweisungen aufzulisten und für bestimmte Anlässe und Wirkungen Inventare lexikalischer Verwendungen zusammenzustellen. Die linguistische Pragmatik will für solche sprachlichen Sonderinventare die Anlässe, Situationen und Einsatzgelegenheiten deutlicher benennen und in ihren Teilen beschreiben. Stil als Abweichung von einer sprachlichen Null-Lage ist erst dann hinreichend beschrieben, wenn seine sprachinternen Merkmale und sprachexternen Einsatzbedingungen aufgezählt und klassifiziert sind.

Stile können so entweder von der sprachlichen Seite als Subcodes oder von der pragmatischen Seite als Kontextklassen charakterisiert werden. Die sprachlichen Mittel lassen sich so zu Stilen zusammenfassen, und die in einer bestimmten pragmatischen Konstellation entstandenen Texte können nach den Merkmalen dieser Konstellationen neu zu Textklassen geordnet werden. Einer bestimmten ‚Redekonstellation‘ entspricht ein ‚Textexemplar‘ und einem ‚Redekonstellationstyp‘ eine ‚Textsorte‘ (so zuerst Steger u. a. 1974).

Die soziolinguistische Stilfrage lautet, inwieweit die pragmatisch oder interaktional ausgerichteten Stil- und Textsortenbeschreibungen und -klassifizierungen sprecher- oder gruppenspezifische Komponenten haben und somit Teil der soziolinguistischen orientierten Varietätenlinguistik sind.

5.5.2. Die konstitutiven Bedingungen für Stile und Textklassen

Soziolinguistische Aspekte als stil- und textsortenbestimmende Faktoren können sowohl im gesellschaftlichen Bedingungsbereich der sozialen Gliederung (A I) als auch bei den Handlungskonditionen (A II) als auch bei den sozialen Interaktionen (B) liegen.

A. Statische Bedingungen (‚paradigmatische Konditionen‘)

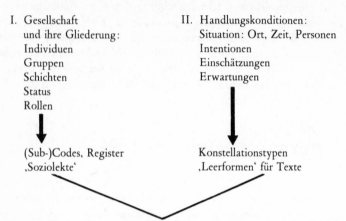

I. Gesellschaft
und ihre Gliederung:
Individuen
Gruppen
Schichten
Status
Rollen

II. Handlungskonditionen:
Situation: Ort, Zeit, Personen
Intentionen
Einschätzungen
Erwartungen

(Sub-)Codes, Register
‚Soziolekte‘

Konstellationstypen
‚Leerformen‘ für Texte

B. Dynamische Aspekte: soziale Interaktionen (= syntagmatische Beziehungen zwischen AI und AII)

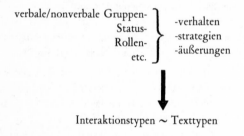

verbale/nonverbale Gruppen-
Status-
Rollen-
etc.
} -verhalten
-strategien
-äußerungen

Interaktionstypen ~ Texttypen

In den neueren Arbeiten zur Stilistik wird an entsprechender Stelle auch auf den Zusammenhang von Soziolinguistik und Stil hingewiesen. Fleischer/Michel (1975, 325 ff.) betonen die „gesellschaftlich-kommunikative Funktion" der Stiluntersuchung, die textinterne und textexterne Faktoren dialektisch verbinden müsse. Sowinski (1972, 19 ff.) spricht von „Stil als Zeit- und gruppengebundenem Sprachausdruck" und meint damit Begriffe wie Individualstil, Zeit- und Epochenstil, literarische Gruppenstile, Generationenstile, Jugend- und Altersstile — bezogen auf die literarische Ebene, ohne daß diese ‚Stile‘ mit Beispielen belegt oder auf entsprechende Untersuchungen hingewiesen würde. Van Dijk rückt die Textwissenschaft in die Nähe der Soziologie und der Sozialpsychologie: „Sprachliche Handlungen können von einem Individuum, aber auch von einer Gruppe oder einer Institution ausgeführt werden und für ein Individuum, eine Gruppe, ein breites Publikum oder eine Institution bestimmt sein. Wir können daher auch von sozialer Informationsverarbeitung sprechen" (Van Dijk 1980, 9).

5.5.3. Soziolinguistische Komponenten

In der „Stilistik" von Asmuth/Berg-Ehlers (1974, 46 ff.) findet sich ein eigenes Kapitel „Stil und Gesellschaft". Mit der Feststellung, daß „Stil soziologische Implikationen enthalten kann", wird darauf verwiesen, daß bereits die rhetorischen Vorschriften der Barock-Poetiken über die Stilebenen eine soziale Schichtenvorstellung zugrunde legten. Man unterschied „dichterisch-gehoben *(ableben, entschlafen)* normal-sprachlich-umgangssprachlich *(sterben)*, salopp-umgangssprachlich *(abkratzen)*, vulgär *(krepieren, verrecken)*, „Termini, die sich an sozialen Konventionen orientierten" (Asmuth/Berg-Ehlers 1974, 47).

Auch Sanders bezieht sich in seiner „Linguistischen Stiltheorie" auf die seit der klassischen Rhetorik geltende Analogie zwischen Stilschicht und Sozialschicht. Einer sozialen Unter-, Mittel- und Oberschicht entsprechen dreistufige Stilschichten-Vorstellungen: vulgär-derb (1), normal-, umgangssprachlich (2) und gehoben-dichterisch (3) (Sanders 1973, 94 f.). Die Relation zwischen „Stilstratifikation und Sozialschichtung" läßt Sanders auf die Unterscheidung der Bernstein-Soziolinguistik kommen, die elaborierte und restringierte Sprachcodes (besser: Sprechweisen) mit der sozialen Mittel- und Unterschicht in Verbindung brachte. Mit dem Bedauern, daß es „an intensiven Untersuchungen über die spezifischen Eigenarten des ‚restringierten Kodes'" fehle (Sanders 1973, 100) wird auf die stilbildenden Gruppensprachsysteme als unterschiedliche „Selektionsprinzipien" hingewiesen. Solche „Gruppenstile" ließen sich jedoch ebenso wenig scharf abgrenzen und in ihren Merkmalen beschreiben wie die Gruppen oder sozialen Schichten ihrerseits. Sanders schlägt ein neues soziolektales Stilschichtenraster vor mit den alten/neuen Ebenen (1) einfacher Stil, (2) normalsprachlich-entfalteter Stil, (3) gewählt-gehobener Stil und (4) dichterischer Stil. Soziolinguistisch relevant sei dabei weniger das Einteilungsprinzip, da ‚ordinär' nicht einer Sozialschicht zugeordnet werden könne (S. 103), sondern daß die sozial untere Schicht auf den einfachen Stil festgelegt sei, während die gehobeneren Schichten zu allen vier Stilebenen Zugang hätten.

Rollenwechsel und sprachlich-stilistisches Rollenverhalten sei die bevorzugte Fähigkeit der Mittelschichtsprecher (Sanders 1973, 105). Die Analogie zwischen Stilschicht und Sozialschicht kann heute, unabhängig von der terminologischen Benennung im einzelnen, etwas deutlicher gesehen werden. Die Zuordnung vertikaler Stilebenen zu sozialen Schichten wird von der sogenannten Bildungsschicht idealtypisch vorgenommen. Es wird nicht geprüft, ob die Unterschicht tatsächlich so spricht. Die Zuordnung beruht eher auf einer Theater-Konvention der Unwirklichkeit, wo der Bauer tölpelhaft, der Sklave ungehorsam und aufdringlich, der Herr normal und der König erhaben zu sein hat. Alle traditionellen Stilistiken, Stillehren oder Aufsatzbücher gehen davon aus, daß das Sprachleben eine Sache der Gebildeten sei, jenes Teils der Gesellschaft, der eine besondere Schulbildung genossen hat. Diese idealtypische Beschreibung des ,durchschnittlichen Sprechers' stimmt auch mit den Vorstellungen neuerer Grammatiktheorien überein, die als Garant für Richtigkeit und Akzeptabilität eben diesen durchschnittlich gebildeten Sprachteilhaber sehen.

Die soziale Zuordnung der Stilschichten beruht also auf einer Tradition, die man als stereotyp bezeichnen kann und die mit der sozialen Wirklichkeit nicht übereinstimmt, sondern eher mit einer literarischen Fiktion. Wenn Mittelschicht-Sprecher ordinär reden, dann benutzen sie nicht die Gruppensprache der sozialen Unterschicht, sondern ihre eigene tiefste Register-Möglichkeit, die sie der besseren Orientierung wegen auf eine soziale Gruppe projizieren. Das Rollenverhalten und die Interpretation des Aus-der-Rolle-Fallens werden dadurch erleichtert.

Es grenzt beinahe an soziale Verleumdung, wenn die Mittelschicht der Unterschicht ordinäre Sprechweisen unterstellt. Im Gegenteil: gerade die Unterschicht zeigt nicht nur politisch ein staatstreues, konservatives und von Bürgersinn geprägtes Verhalten (vgl. Kap. 3.3.), sondern bemüht sich auch sprachlich um eine höchst anständige und akzeptierte Ausdrucksweise. Die vermeintlichen Obszönitäten und Vulgarismen sind den Unterschichtsprechern oft gar nicht geläufig. So wird auch zu Unrecht von manchen intellektuellen Dialekt-Poeten der dialektalen Sprache eine Derbheit und gar Obszönität unterlegt in der Absicht, die Sprache des Volkes zu treffen. Die Unterschichtsprache ist auf ihrer tiefsten Ebene eher darauf angelegt zu verstummen oder sich auf paraverbale Ausdrücke, Ausrufe, Interjektionen oder eben auf Aktionen zu verlegen.

5.5.4. Register-Repertoires

Von einem schichten-neutralen Außenstandpunkt aus sehen die ,Sprach-Orgeln' oder ,Register-Repertoires' von Mittel- und Unterschicht (idealtypisch) so aus:

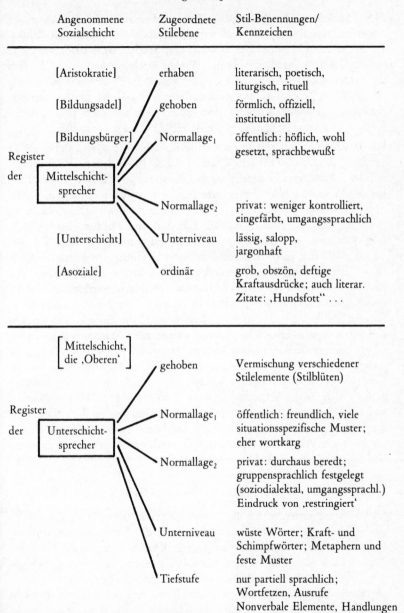

Angenommene Sozialschicht	Zugeordnete Stilebene	Stil-Benennungen/ Kennzeichen
[Aristokratie]	erhaben	literarisch, poetisch, liturgisch, rituell
[Bildungsadel]	gehoben	förmlich, offiziell, institutionell
[Bildungsbürger]	Normallage₁	öffentlich: höflich, wohl gesetzt, sprachbewußt
Register der **Mittelschicht-sprecher**		
	Normallage₂	privat: weniger kontrolliert, eingefärbt, umgangssprachlich
[Unterschicht]	Unterniveau	lässig, salopp, jargonhaft
[Asoziale]	ordinär	grob, obszön, deftige Kraftausdrücke; auch literar. Zitate: ‚Hundsfott" …
[Mittelschicht, die ‚Oberen']	gehoben	Vermischung verschiedener Stilelemente (Stilblüten)
Register der **Unterschicht-sprecher**	Normallage₁	öffentlich: freundlich, viele situationsspezifische Muster; eher wortkarg
	Normallage₂	privat: durchaus beredt; gruppensprachlich festgelegt (soziodialektal, umgangssprachl.) Eindruck von ‚restringiert'
	Unterniveau	wüste Wörter; Kraft- und Schimpfwörter; Metaphern und feste Muster
	Tiefstufe	nur partiell sprachlich; Wortfetzen, Ausrufe Nonverbale Elemente, Handlungen

Der durchschnittliche Bildungsbürger oder Mittelschichtsprecher ist in der Lage, mehrere Stillagen zu realisieren oder doch als mögliche ‚Rollenverhalten‘ zu unterscheiden. Der Unterschichtssprecher weiß sich ebenfalls in verschiedenen Stillagen zu bewegen. Wie die idealtypische Graphik deutlich zu machen sucht, sind die Stillagen des Unterschichtssprechers jedoch alle unterhalb der Normallage des Bildungsbürgers angesiedelt und werden von diesem in eine Sammelkategorie ‚restringiert, fehlerhaft, grob, debil‘ getan.

Konkreter Forschungsauftrag der Soziolinguistik wäre es, nicht nur dialektale Bandbreiten (als eine phonetisch/lexikalische Variantenskala) einzelner Sprecher(-gruppen) zu messen (s. Kap. 5.4.2. [5]), sondern auch die Sprachschichten oder Sprachlagenskalen als „Kontextstile" (Labov 1976, 1 ff.) gerade der sogenannten Unterschicht empirisch aufzuarbeiten und damit die Stilauffächerung der deutschen Sprache um die ‚unteren‘ Dimensionen zu erweitern, über die es nur Mutmaßungen und zum Teil historisch gewachsene Vorurteile gibt (zu den sozialen ‚Rededeterminanten‘: Ruoff 1973, 181 ff., 192 ff.). Insofern auch diese unteren Stillagen regelhaft als ‚Stilnorm‘ auftreten, gehören sie zum Varietätenspektrum des Deutschen. Die Restringiertheit und Defizienz der Unterschichtsprache wird immer in Relation zur Mittelschichtnorm gesehen. Es ist somit Aufgabe einer deskriptiven Soziolinguistik, auch den unteren ‚Regelbereich‘ der Sprache aufzudecken und aufzuarbeiten. Ob solche ‚unteren‘ soziolektalen Stilebenen dann Richtschnur oder gar Ziel muttersprachlichen Unterrichts sein sollen, ist eine ganz andere Frage. Selbst unter sprachdidaktischen Gesichtspunkten ist die Kenntnis der kommunikativen Kompetenz und ‚Bandbreite‘ der sozialen Schichten, die in der Mitte am breitesten (Labov 1978, 129 ff.), nach unten und wohl auch nach oben hin sehr schmal werden, von großem Nutzen. In der Literatur werden die soziolektalen Stilebenen zunehmend ‚tiefer‘ hinab zur Personen- und Milieu-Kennzeichnung verwendet. Auch hier sind empirische Daten nützlicher als fiktive Klischees.

5.5.5. Interaktionale Textklassifikation (vgl. (Kap. 5.1. [2])

Üblicherweise erstreckt sich die Textklassifikation einerseits auf die literarischen Gattungen und andererseits auf die in der Schule geübten Aufsatztypen oder schriftliche Darstellungsarten. Klassifizierungen werden dabei hauptsächlich nach thematischen und formalen Gesichtspunkten vorgenommen. Inhalt und Form erscheinen als zeitlos und schichtenneutral. Erst mit der Einbeziehung auch nichtliterarischer Texte und des gesamten Bereichs der gesprochenen Sprache mußten die Klassifikationskriterien und -bereiche erweitert werden. Hierzu eigneten sich besonders die pragmatischen Kommunikationsmodelle (vlg. die Übersicht bei Gülich/Raible 1977, 21 ff. oder van Dijk 1980, 68 ff.). Als zusätzliche Kriterien zur Kennzeichnung von Texten und Texttypen konnten neben Thema und äußerer Form auch Kategorien wie ‚Situierung in der aktuellen Kommunikationswirklichkeit‘ treten, wozu insbesondere die beteiligten Personen und ihre individuelle, soziale und konstellative Determiniertheit gehören. Texte finden in sozialen Situationen statt, die sich durch eine bestimmte Sprecherkonstellation kennzeichnen, die wiederum in größeren „Veranstaltungskonstellationstypen" (Steger 1983, 49 ff.) eingebettet sind. So ergeben sich ‚Redekonstellationen‘, die von aktuellen Bedingungen, Absichten, Erwartungen, Einschätzungen der beteiligten Personen geprägt sind. Da Art und Zahl der pragmatischen Merkmalbündelungen zu ‚Konstellationen‘ unbegrenzt sind, schlägt Steger vor (1983, 30), daß man die in gemeinsamem Konsens auf Grund der kommunikativen Lebenserfahrung als typisch empfundenen Textereignisse wie Sitzungseröffnung, Verhöre, Beratungen, Interviews etc. als gegeben ansieht und in ein pragmatisch-redekonstellatives Merkmalraster einfügt, um sie dann mit einem Interaktionstyp zu korrelieren. Auch Interaktionstypen sind in der Regel institutionell oder durch soziale Konvention festgelegt und gehören mit zur gemeinsamen Welterfahrung.

Neben der situativen Markierung sind die Interaktionstypen noch durch die beteiligten Personen und ihr grundsätzliches Verhältnis zueinander (symmetrisch/asymmetrisch; bevorrechtigt/benachteiligt etc.) und deren Absichten und Erwartungen gekennzeichnet. Auf diese Art läßt sich das weite Feld möglicher Texte in verschiedenen Interaktionszusammenhängen neu gliedern. Über die bisherigen literarischen Gattungen und Untergattungen hinaus lassen sich so weitere Varianten, bisher nicht einzuordnende Sonderfälle, auch Texte alltäglicher Art, erfassen, wobei ‚Text‘ für schriftliche und mündliche Äußerungstypen steht, denen auf der Wirklichkeitsebene das ‚Ereignis‘ entspricht (Kallmeyer u. a. 1974, 1, 138 ff.). Ein pragmatisches Textmodell ist um so leistungsfähiger, je mehr solcher intuitiver Texttypen darin unterzubringen sind.

So waren es bei Steger (1974, 94 f.) gerade sechs mündliche Textsorten, die sich als sprachliche Korrelate zu Redekonstellationen aussondern ließen: Vortrag, Bericht, Erzählung, Reportage, öffentliche Diskussion, Unterhaltung, Interview. Eine erweiterte Klassifizierung nach situativen Merkmalrastern kam dann auf zehn Textarten, die nach den Kriterien: Teilnehmer, Sprecher, situativer Rang, antizipierte Partnerreaktion und Rangspezifizierung eingeteilt sind (vgl. dazu Kap. 5.1. [1], Gesprächstypologie).

Das Merkmalinventar und die möglichen Unter-Typisierungen sind offen.

Beinahe jede situationelle oder intentionale Konstellation kann daraufhin geprüft werden, ob sie nicht einen mit regelmäßig wiederkehrenden Merkmalen versehenen Texttyp produziert.

Eine nach Intentionen und Zielgerichtetheit ausgelegte Markierung in Ichzentrierte, Du-gerichtete und Wir-orientierte Gesprächs- und Interaktionsarten hat Kern vorgeschlagen. (Kern 1969, 11 ff.; vgl. auch oben Kap. 5.1. [2], Typologie des Geschriebenen):

Ich-zentriert	Du-gerichtet	Wir-orientiert	
(Verteidigung)	(Angriff)	(Konsens)	(Erfahrungs-austausch)
Imagepflege	Anrede	Kumpanei-gespräche	Erklärung
Rechtfertigung	Bitte		Kommentar
Verteidigung	Verweis	Weißt-Du-noch-Erzählungen	Nachricht
Aufschneiden	Kritik	Ja, einverstan-den-Diskussion	Vorschlag
Entschuldigen	Parodie		Erzählung
Ausrede	Eingabe ...		

Alle diese Klassifizierungen erfolgen nach textexternen Merkmalen. Der Mensch, seine kognitive und intentionale Disposition und die kommunikativ-soziale Beziehung spielen dabei die wichtigste Rolle. Aber erst die sprachliche Merkmalbeschreibung aller textuellen Gliederungen und Untergliederungen würde solche interaktionale Varietäten inventarisierbar und letztlich auch vermittelbar machen. Ein Versuch der Pädagogisierung von pragmatisch-interaktionistisch eingeteilten ,Textsorten' ist die ,Schreibakte'-Einteilung Ulshöfers. Ulshöfer (1974) unterscheidet fünf ,Stilformen', die sich hauptsächlich durch Kriterien der Funktion, des Kommunikationsmusters und der Schreibintention und -erwartung bestimmen lassen:

I. Informations- oder Sachstil

II. Erkenntnis- und Meinungsstilform

III. Stilform der Verträge und Gesetze

IV. Stilform der Unterhaltung und der künstlerischen Gestaltung

V. Stilform des Appells und der Agitation

Ulshöfer nennt seine Typologie der Kommunikationsmuster oder Stilformen „Theorie der Schreibakte". Damit ist zumindest eine terminologische Anlehnung an die Sprechakttheorie angestrebt. Die Klassifikation der geschriebenen Sprache ist nach der Aktivität des Schreibers und seinen Intentionen ausgerichtet. Zum Schreiben gehören neben dem Schreibenden eine Schreib-situation und ein Schreibanlaß. Aus dem Anlaß bzw. dem Kommunikations-muster ergeben sich dann ‚Merkmale' des jeweiligen Stiles, die für die Auf-satzlehre und -korrektur gleichzeitig als Beurteilungskriterien dienen. Unter eine ‚Stilform' fallen mehrere Textsorten oder Darstellungsarten.

Eine Lernzielbestimmung bei jeder ‚Stilform' unterstreicht den didaktischen Charakter dieses Einteilungsversuches. Implizit ergibt sich aus der Kriterien-liste, daß zum angemessenen Schreiben auch die Bedingung gehört, einen Anlaß zu haben und sich mit der Schreiberintention zu identifizieren (vgl. „Texte für Leser", Böttcher u. a. 1973). In seinen Tabellen fehlt allerdings eine Rubrik für die Adressatenerwartung und Adressateneinschätzung auf der Empfängerseite. So ist das letzte Wort in einer kommunikationstheore-tisch orientierten Textklassendiskussion noch nicht gesprochen (vgl. Gülich-Raible 1975 und Steger 1983).

6. Sprachbarrierenforschung im Deutschen

Die deutschsprachige Soziolinguistik war am Anfang identisch mit der Sprachbarrierenforschung (vgl. Einleitung 1.1.). Die weitere Entwicklung hat diese Identität aufgehoben. Die theoretische wie auch empirische Soziolinguistik haben sich als binnensprachliche Varietätenforschung etabliert. Die Sprachbarrierenforschung ist somit bereits soziolinguistische Geschichte und deckt im Rückblick nur einen Teil des gesamten Problemfeldes ab. Deswegen scheint es berechtigt, aus der Sicht des Nachhineins der Sprachbarrieren-Diskussion lediglich ein Kapitel zu widmen und dieses noch aus systematischen Gründen an den Schluß zu stellen. Der Barrierenaspekt des Sprachgebrauchs resultiert letztlich aus dem binnensprachlichen Pluralismus, den die Varietätenlinguistik zu beschreiben versucht. So kommen die Anfänge der deutschen Soziolinguistik schließlich ans Ende zu stehen, da sie sich zu früh wohl und unsystematisch mit dem Ende oder den Folgen unerforschter Sprachpluralität befaßt hatte. Der Begriff Sprachbarriere (vgl. Mattheier 1974) hatte in seiner Metaphorik einen ganz und gar unlinguistischen Aspekt. Er sollte ein soziales und gesamtgesellschaftliches Problem benennen, daß bestimmten Schichten in Schule und Beruf und überhaupt im Leben und in jeder Art Laufbahn Hindernisse im Wege stehen, die mit ihrer von einer bürgerlichen Standardnorm abweichenden Art zu sprechen zu tun haben. Der Begriff hatte von Anfang an etwas Gesellschaftspolitisch-Ideologisches oder Reformistisches an sich, so kommunikativ oder linguistisch er auch klingen mochte.

Die folgende Übersicht soll die Entwicklung der germanistischen Soziolinguistik von der Sprachbarrieren-Diskussion und -Erforschung hin zur Varietätenlinguistik skizzieren. Die nachfolgende Darstellung richtet sich nach dem skizzierten Schema.

6.1. Bernstein-Rezeption und -Nachfolge

Die in mannigfacher Variation geäußerten Thesen des englischen Pädagogen Basil Bernstein über schichtenspezifisches Sprachverhalten von Schülern und dessen schulische und berufliche Konsequenzen trafen in Deutschland um die Mitte der sechziger Jahre auf einen bereiteten Boden. Gerade hatte

6.1. Bernstein-Rezeption und -Nachfolge

Sprachbarrieren-Linguistik 1965—1980

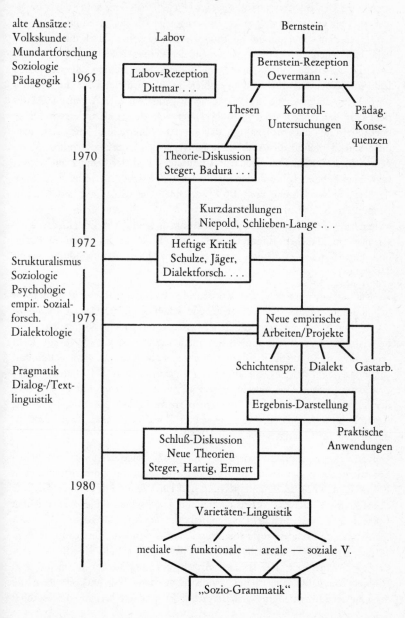

alte Ansätze:
Volkskunde
Mundartforschung
Soziologie
Pädagogik   1965

Labov

Bernstein

Labov-Rezeption
Dittmar . . .

Bernstein-Rezeption
Oevermann . . .

Thesen   Kontroll-   Pädag.
              Untersuchungen   Konse-
                               quenzen

1970

Theorie-Diskussion
Steger, Badura . . .

Kurzdarstellungen
Niepold, Schlieben-Lange . . .

1972

Heftige Kritik
Schulze, Jäger,
Dialektforsch. . . .

Strukturalismus
Soziologie
Psychologie
empir. Sozial-
forsch.   1975
Dialektologie

Neue empirische
Arbeiten/Projekte

Schichtenspr.   Dialekt   Gastarb.

Pragmatik
Dialog-/Text-
linguistik

Ergebnis-Darstellung

Praktische
Anwendungen

Schluß-Diskussion
Neue Theorien
Steger, Hartig, Ermert

1980

Varietäten-Linguistik

mediale — funktionale — areale — soziale V.

„Sozio-Grammatik"

177

der Bildungstheoretiker Georg Picht das Schlagwort von der ‚Bildungskatastrophe' in der Bundesrepublik geprägt (Picht 1964). Sie sollte darin bestehen, daß zu wenig Schüler eines Jahrganges eine höhere Ausbildung erhielten. Nach dem sogenannten ‚Sputnik-Schock', ausgelöst durch die vermeintliche Überlegenheit der Sowjetunion in der Wissenschaft und Technologie über das westliche System, hatte eine Unesco-Kommission alle westlichen Industriestaaten auf ihre Bildungszahlen hin überprüft und für die Bundesrepublik besonders schlechte Werte herausgefunden. Der Anteil der Abiturienten an den einzelnen Geburtsjahrgängen war kleiner als anderswo. Dabei blieb allerdings unberücksichtigt, daß die Abschlußdiplome und Reifezeugnisse und überhaupt die Ausbildungsgänge in den einzelnen Ländern kaum vergleichbar waren. Die Zahl der Abiturienten und der Schüler auf weiterführenden Schulen sollte in der Bundesrepublik jedenfalls erhöht werden. In der Regierungserklärung von 1969 bezeichnete der damalige Bundeskanzler Brandt die Schule als „Schule der Nation". 50 Prozent eines Jahrganges sollten zum Abitur gelangen. Aus den damals kaum 5 % sind in der Zwischenzeit in manchen Bundesländern wie z. B. Hamburg, Bremen, Berlin und Hessen über 20 % geworden (genaue Zahlen: Berufsbildungsbericht 1980, 96).

Es war damals aber versäumt worden, der Einladung zur weiterführenden Schulbildung an alle eine entsprechende schulische Infrastruktur folgen zu lassen. Die Schulen waren auf den Massenansturm nicht vorbereitet. Notmaßnahmen, äußere und innere Reformen setzten erst allmählich ein. Bald zeigte sich, daß die stillen Bildungsreserven so hochbegabt nicht waren und zumindest dem zur Massenabfertigung gezwungenen Schulbetrieb nicht gewachsen waren. Die ‚Bildungsreserven' mußten oft nach kurzer Zeit wieder in ihre Dörfer und ihre Außenquartiere zurückkehren. „Begabung und Lernen" hieß damals ein breit angelegter Forschungs- und Analysebericht des deutschen Bildungsrates (Roth 1969).

Das Schlagwort ‚Sprachbarriere' als mittelbare Folge des unterschiedlichen Sprachgebrauchs der sozialen Schichten wirkte in der bildungspolitischen Ratlosigkeit wie eine Patenterklärung und ein Wundermittel zugleich. Eine Sprachbarriere hinderte offensichtlich die Unterschichtskinder am rechten Fortkommen in der Schule. Eine einmal erkannte Sprachbarriere müßte sich durch gezielte kompensatorische Programme möglichst früh schon im Kindergarten beiseite räumen lassen (Über Aufkommen und Begriff ‚Sprachbarriere': Mattheier 1974). Die Attraktivität lag in der vermeintlichen Problemlösungsfunktion dieses schillernden Begriffes, andererseits wohl auch an der Diktion Bernsteins, die sich jeder präzisen Terminologie enthielt

— das Wort ‚Sprachbarriere‘ kommt bei ihm nirgends vor — und mit immer wieder neuen Bezeichnungen die so viele betreffende Sache beschrieb. Das Thema hatte etwas mit der Lebenswirklichkeit zu tun und fand daher großes Interesse bei der akademischen Jugend, die darin sich und ihre Probleme wiedergespiegelt sah.

Die Thesen und deren empirische Basis

Bernsteins Thesen lassen sich ungefähr so zusammenfassen (nach den autorisierten deutschen Aufsatzsammlungen: Bernstein 1972; 1975): Sprechen ist Teil des Sozialverhaltens, und dieses wird durch Familienerziehung vermittelt. Die Familie wiederum ist durch ihre soziale Klassenzugehörigkeit determiniert. Somit ist auch Sprachverhalten soziokulturell determiniert. Solches schichtenspezifische Sprachverhalten wirkt sich, obwohl eigentlich intelligenz-unabhängig, positiv oder negativ auf die kognitive Entwicklung aus. Diese über die Sprache vermittelte schichtenspezifische Chancenungleichheit in der Schule wird dann im Deutschen ‚Sprachbarriere‘ genannt.

Bernsteins Thesen bezogen sich ausschließlich auf Sozial- und Schulverhältnisse in England. Bernstein unterschied lediglich die ‚working class‘ und die ‚middle class‘, die sich je durch einen klassenspezifischen Sprachcode (‚speech‘ oder ‚Sprechweise‘) auszeichneten. Die gesellschaftliche Zweiteilung in Ober- und Unterklasse mußte gegenüber der deutschen Sozialwirklichkeit als grobe Vereinfachung erscheinen. Die working class sprach eine ‚public language‘, die middle class die ‚formal language‘. Anstatt public language sagte Bernstein später ‚restricted code‘, die formal language wurde ‚elaborated code‘ genannt.

‚Restringiert‘ und ‚elaboriert‘ sind jenseits aller soziolinguistischer Untersuchungen und Relativierungen inzwischen in den allgemeinen höheren Sprachgebrauch eingedrungen, auch dies wiederum Zeichen der allgemeinen Attraktivität und Brauchbarkeit solcher diffusen Begriffe.

Bernsteins empirische Basis waren Interviews mit 309 Londoner Lehrlingen und Laufburschen und eine Kontrollgruppe von 45 Mittelschichtschülern, die mit den andern zu Vergleichszwecken zu Zweierpaaren zusammengebracht wurden. (Einzelheiten zusammengestellt bei Niepold 1970, 13—23.)

Die Sprachdaten stammten aus Diskussionen über die Todesstrafe, die in der Gruppe, nicht einzeln, wohl aber nach Sozialschichten getrennt aufgenommen wurden. Die Diskussion mit den Unterschichtsangehörigen wurde vom Versuchsleiter vorher ‚geprobt‘.

179

Die Auswertung erfolgte nach syntaktischen Kriterien, denen jedoch kein rechtes grammatikalisches Konzept zugrunde lag.

Niepold (1970, 13 ff.) hat die von Bernstein an verschiedenen Stellen etwas anders bezeichneten sprachlichen Kriterien in 20 Punkte zusammengefaßt. Sie sind positiv für den elaborierten Code formuliert.

1. Komplexe Satzstrukturen; vollständige Sätze.
2. Konjunktionen werden häufig und vielfältig eingesetzt.
3. Passiv wird bevorzugt.
4. Wenige Personalpronomina, mehr ‚I‘ statt ‚*we*‘, mehr ‚*one*‘.
5. Mehr logische, zeitliche und räumliche Präpositionen.
6. Mehr Adjektive und mehr ‚ungewöhnliche‘ Adjektive.
7. Mehr Adverbien und mehr ‚ungewöhnliche‘ Adverbien.
8. Mehr komplexe Verberweiterungen (Objektserweiterungen).
9. Mehr Sprechpausen.
10. Mehr verschiedene Wörter etc.

Die mit den sprachlichen Kriterien formulierten Annahmen zur sozialen Verteilung wurden durch die empirische Untersuchung bestätigt. Die Unterschicht sprach tatsächlich das, was Bernstein restringiert nannte. Unterschicht-Mädchen sprachen dabei besser als ihre männlichen Altersgenossen. Als Grund wurde der stärkere Erziehungsdruck angegeben, den Unterschichtsmütter auf ihre Töchter ausübten (Bernstein 1975, 22 ff.).

Der elaborierte Code sei universalistisch. Er verbalisiere alles, was mitgeteilt werden soll. Nichts werde dem Kontext überlassen. Der restringierte Code sei demgegenüber partikularistisch. Der Unterschichtssprecher spricht kontextbezogen, was auch anderwärts schon festgestellt worden war. Nach Schatzmann-Strauss (1972 [1955], 353 ff.) hatten Unterschichtsangehörige in den USA bei der Wiedergabe einer Feuerkatastrophe nur von dem gesprochen, was sie beim Hörer als bekannt voraussetzten. Sie sprachen so, als sei der Adressat selbst dabeigewesen. Elaborierter Code sei objektorientiertes Sprechen, der restringierte Code sei hingegen personorientiert. Außerdem sei der restringierte Code in hohem Maße vorhersagbar, was bei rituellem Sprechen oder Sprechen nach Mustern immer der Fall sei. Die Ursachen solcher Code-Unterschiede wurden im sozialen Milieu, nicht so sehr in den individuellen oder schichtenspezifischen Intelligenzunterschieden gesehen. Allerdings sollten sich die Codeunterschiede letztlich doch auf die Kognition auswirken (was besonders von Oevermann 1972a betont wurde).

Trotz aller Linguistisierung ist die pädagogisch-kompensatorische Zielsetzung des Bernsteinschen Ansatzes unverkennbar.

Oevermanns Nachfolge-Untersuchung

Die kompensatorische Zielsetzung gilt auch noch für die erste Nachfolge-Untersuchung, die Oevermann für deutsche Verhältnisse durchgeführt hat. Obwohl Soziologe, legte er bei seiner Kontrolluntersuchung an knapp 100 Frankfurter Realschülern besonderes Gewicht auf die Ausdifferenzierung der sprachlichen Variablen und der Sozialdaten. Seine sprachliche Variablen-Liste und sein ausführlicher Fragebogen zur Erhebung der Sozialdaten (Oevermann 1972, 250 ff.) sind danach für viele empirische Untersuchungen Richtschnur geworden. Gerade wegen ihrer Detailliertheit lassen diese Listen jedoch leicht vergessen, daß die Datenbasis von lediglich 35 Schulaufsätzen zweier Realschulklassen denkbar schmal war und trotz ausgeklügelter Korrelationsverfahren und Signifikanzberechnungen nicht über den Stand einer Stichprobe hinausreichten.

Oevermann legte seiner Analyse annähernd hundert sprachliche Kriterien zugrunde, betonte aber die Unzulänglichkeit seiner Kategorien. Mit dem Konzept einer Tiefen- und Oberflächenstruktur und den nötigen sprachlichen Transformationen biete nach Ansicht Oevermanns (1972, 172 Anm. 11) die generative Grammatik ein geeigneteres Gerüst zur Analyse soziodeterminierter Sprachdaten. Dies ist dann in einer Folgeuntersuchung (Klann 1975 [1972]) versucht worden. Dabei wurde übersehen, daß die generative Grammatik ausdrücklich die Kompetenz eines idealen Durchschnittssprechers, nicht aber Performanz-(oder Äußerungs-)Unterschiede im Sprechen erfassen will.

Oevermanns Auszählungen konnten trotz des feineren Rasters die an Bernstein orientierten Hypothesen selten bestätigen. Die Vielfalt der Nebensätze war bei der Unterschicht dieselbe wie bei der Mittelschicht. Die Unterschicht zeigte mehr Passivkonstruktionen, was nach Bernstein eigentlich Zeichen der Mittelschicht war. Die Verwendung von Konjunktiven und Negationen brachte ebenfalls keine Unterschiede, auch nicht die Verbergänzungen. In der Verwendung von Relativsätzen zeichneten sich Mittelschichtmädchen aus. Schichtunterschiede waren sehr wohl vorhanden, jedoch nicht in der vermuteten und für das Englische gültigen Weise. Trotz gegenteiliger Befunde wurde Bernsteins Grundhypothese der soziokulturellen Determiniertheit (,Defizit-Hypothese' nach Dittmar 1973, 34 ff.) des Unterschichtscodes und deren Folgen auf die Kognition und den Schulerfolg beibehalten.

6.2. Bernstein-Kritik und Labov-Rezeption

Die Kritik an Bernstein und den Bernstein-Nachfolgeuntersuchungen setzte sofort und heftig ein. Alle betroffenen Nachbardisziplinen meldeten Bedenken an. Kaum ein Punkt der Theorie blieb unwidersprochen: der Zusammenhang von Sprache und Kognition, die zweifelhaften IQ-Messungen und die Gewichtung von Anlage, Erziehung und Milieu (Psychologie), das soziale Schichtenmodell (Soziologie), die Probandenauswahl und Versuchsanordnung (empirische Sozialforschung), die sprachliche Analyse (Linguistik) und die vorschnellen Schlußfolgerungen in Form von Sprachkompensatorik (Erziehungswissenschaft) wurden in Frage gestellt. Der heftige Widerspruch betraf die ‚Defizit-Hypothese‘, die methodischen Verfahren und die Sprachdrill-Programme als vorschnelle Konsequenzen (ausführliche Darstellung bei Dittmar 1973, 34 ff.). Dabei konnten sich die deutschen Kritiker auf umfangreiche amerikanische Arbeiten berufen. Es war bezeichnend für diese Phase der bundesdeutschen Soziolinguistik (die DDR-Soziolinguistik hatte sich an der Sprachbarrierendiskussion nicht beteiligt), daß man sich zunächst begeistert einem englischen Modell zuwandte, das dann heftig mit amerikanischen Gegenpositionen bekämpft und widerlegt wurde. Die germanistische Linguistik hatte zu jener Zeit aus internationalem Nachholbedürfnis heraus nicht den Mut, Argumente in der eigenen Forschungstradition zu suchen.

Die Hauptkritik gegen die Defizit-Theorie und die aus ihr resultierenden stupiden Kompensationsprogramme kam von der amerikanischen empirischen Soziolinguistik und Stadtsprachenforschung, deren Hauptvertreter William Labov ist. Seine vielfältigen Studien zu den Sprachen amerikanischer Städte, dem Non-standard-English (NSE) der Neger konnten auf streng linguistischer Basis nachweisen, daß die Sprache der Schwarzen nicht restringiert oder depraviert war (Labov 1971; 1971a; 1976/78). Ihr Status gegenüber dem Standard-English war der eines linguistisch-regelhaft beschreibbaren Subcodes. In bezug auf Ausdrucksfähigkeit, Wortreichtum und Grammatikalität erwies sich das Neger-Englisch dem der Weißen als ebenbürtig. „Der Sprecher der Mittelschicht mag gebildeter sein (oder eine antrainierte Sprechweise haben), in keiner Weise argumentiert er jedoch rationaler oder intelligenter" (Labov 1971, 82).

Die deutsche Bernstein-Kritik war streckenweise identisch mit der Labov-Rezeption (vgl. die deutschen Übersetzungen: Labov 1971; 1971a; 1976/78). Doch bereits davor hatte Schulz (1971; 1973) auf Grund ihrer Analyse der sogenannten Bottroper Protokolle (Interviews mit Ruhrkumpeln) nachgewiesen, daß auch in der restringierten Sprache alle logischen Beziehungen verbalisiert werden können, auch wenn die dafür vorgesehenen Konjunktionen oder Präpositionen nicht verwendet werden. Satzkomplexität sei daher ein zweifelhaftes Meßinstrument zur Messung der Restringiertheit. Kausalität könne durchaus parataktisch ausgedrückt werden (*er kommt nicht, er ist krank*; auch Konditionalität: *du lernst einmal richtig, und die Leistungen sind schon besser* etc.). Selbst wenn etwas nicht sprachlich ausgedrückt werde, könne das Prinzip, hier die Kausalität oder die Konditionalität durchaus vorhanden sein. Hier brachte der Gedanke der generativen Grammatik, daß verschiedene Oberflächenstrukturen mittels Transformationsschritten auf dieselbe Tiefenstruktur zurückgeführt werden können, neue Einsichten in die Zusammenhänge von gedanklicher Durchdringung und sprachlicher Formulierung. Später konnte die linguistische Pragmatik ohne Mühe nachweisen, daß Informationen, die der gemeinsame Kontext bietet, überhaupt nicht sprachlich ausformuliert zu werden brauchen und dennoch korrekt verstanden werden. Die Restringiertheit solcher kontextgebundener Sprechweisen konnte nur auf der Basis einer ‚kontextfreien‘ abstrakten Standardgrammatik behauptet werden, die aber nicht zur Regelung des Sprachgebrauchs dient.

Die sprachpädagogischen Konsequenzen sowohl Labovs als auch der deutschsprachigen Bernstein-Kritik hießen dann nicht, das Kind habe sich der Schule anzupassen und sei früh auf diese Anforderungen hin einzustellen, sondern umgekehrt, die Schule habe sich zu ändern und von der Muttersprache der Kinder auszugehen und „daß nicht das Sprachverhalten der Kinder, sondern eher die Sprachkenntnisse der Theoretiker mangelhaft sind" (Labov 1971a, 83).

6.3. Kritik an deutschen Kompensationsprogrammen

Dem in Amerika verbreiteten Sprachkompensationsprogramm von Bereiter-Engelmann entsprach ein deutsches von Schüttler-Janikulla (1971), das in kürzester Zeit 700 000mal verkauft war. Auch für die vorschulische Mathematik (Mengenlehre) gab es Kindergarten-Trainings-Mappen. Hier lag die Hypothese zugrunde, daß Sprachmängel teilweise durch mathematikgeschultes logisches Denken kompensiert werden könnten (Reichwein 1970 [1967]).

Die Folgen solcher gutgemeinten Drill- und Trainingsprogramme (vgl. auch Peukert 1975), teilweise als erziehungswissenschaftliche Forschungsprogramme deklariert, waren oft verheerend. Schulüberdruß, kindliche Neu-

rosen, Bettnässen und Daumenlutschen wurden als Folgen dieses frühzeiti-
gen Eindringens des Schulstresses in den Kindergarten festgestellt (vgl. die
drastischen Fall-Beschreibungen bei Deissler 1974, 39).

Das „Abräumen" der schichtenspezifischen Sprach- und Bildungsbarriere
(Studentisches Seminar 1970, IV) hatte seltsame Formen angenommen.
Andere Versuchskindergärten mit anspruchsvollem Programm wurden nur
von Akademikerkindern besucht und verfestigten gerade jene Ungleichheit,
gegen die man zu Felde ziehen wollte. Und für alles stand als Rechtfertigung
die von der Wissenschaft festgestellte Sprachbarriere der Unterschichtskinder.

Praktische Programme hatten Eingang in die Schule gefunden, bevor die
Grundlagenforschung hatte Diagnosen stellen können. (Genauere Untersuchung zur Kompensatorik: Feldbusch 1976.) Ähnliches geschah auch mit
andern Wissenschaften, die in fast grotesker Manier im Schulsaal eintrafen,
bevor die akademische Ausbildung sich ihrer angenommen hatte. Eine Form
der Bernstein-Kritik war auch die aufkommende Diskussion über Dialekt als
Sprachbarriere und die daran anschließende Forschung (vgl. Kap. 5.4.2.
[7]).

6.4. Arbeiten zur Sprachbarriere im Deutschen

Mangel an gesicherten Unterlagen und die unterschiedlichen Erfahrungen
von Experten, Studenten und Praktikern führten mittlerweile zu einer breiten Theorie-Diskussion. Dabei hielten sich entrüstete Ablehnung der neuen
Aktivitäten und begeistertes Engagement ungefähr die Waage. Nur wenige
Theorie-Beiträge hatten einen strengen fachlichen und un-engagierten
Ansatz wie z. B. Badura (1971) mit einem soziologisch-kommunikations-
theoretischen, P. Schröder (1973) einem wissenschaftstheoretischen Standort oder Steger (1971) mit einer streng linguistischen Bestandsaufnahme
und Aufgabenbestimmung. Bereits nach wenigen Jahren wußte schon niemand mehr, wie eigentlich und von wem das Schlagwort Sprachbarriere auf-
gebracht worden war (Mattheier 1974). Noch bevor Bernsteins Schriften
auf deutsch zugänglich waren (Bernstein 1970; 1970a; 1972, 1975), gab
es Kurzfassungen und erste Forschungsübersichten (Niepold 1971; Schlieben-Lange 1973). Nach 1971 setzte eine Flut von Readers und Aufsatzsammlungen ein (Klein/Wunderlich 1971; S. Jäger u. a. 1972; Hager u. a.
1973; Rucktäschel 1972 u. a.), die noch nicht zu einem Ende gekommen ist
(Neuland 1978; Steger 1982; 1982a).

Die nach 1972 einsetzenden empirischen Untersuchungen zur Sprachbarriere waren zwar immer noch Bernstein-Nachfolgeuntersuchungen. Sie hatten jedoch die vorgebrachten Einwände zur Kenntnis genommen und versucht, die Methoden der verschiedenen beteiligten Disziplinen angemessen zu berücksichtigen. So hatte sich ein recht hohes Theorie- und Methodenbewußtsein eingestellt, das wiederum Gefahr lief, vor lauter methodischer Skrupel das Forschungsziel aus dem Auge zu verlieren. Die Versuchsanordnung wurde verbessert: Personenauswahl und Fragebogentechnik rezipierten nicht nur die Methoden der empirischen Sozial- und Dialektforschung, sondern auch der einsetzenden Pragmatik. Die linguistische Kategorisierung, wohl das problematischste Glied in der Kette der soziolinguistischen Analysen, wurde verbessert. Techniken der Varietäten-Linguistik wurden ausprobiert und angewendet (Klein 1973; Senft 1982). Neben rein quantitativem Registrieren des Vorkommens von grammatischen Einheiten (Lauten, Wörtern, Satzteilen, Sätzen, Wortarten etc.) wurden Einheiten der Erzählanalyse und der Textlinguistik wie Ereigniselemente, Ereignisfolgen und deren Aufnahme bzw. Wiedergabe in Nacherzählungen etc. (S. Jäger u. a. 1978) ausprobiert.

Die folgende Darstellung kann sich auf Untersuchungen und Ergebnisberichte zur eigentlichen Schichtensprache beschränken. Die Arbeiten werden mit Autorname, Jahr, Bezugsort oder -gegend (Bearbeitungsgebiet) in chronologischer Reihenfolge vorgestellt.

U. Oevermann (1970; 1972; Frankfurt) konnte trotz oder wegen des feineren Rasters in kaum einem Fall die vorhergesagten Vermutungen über die Merkmale der Unterschichtssprache bestätigen. Auch konnte eine Beziehung zwischen IQ und schichtenspezifischem Kode nicht festgestellt werden. Bei gleichen IQs wurden auch gleiche Grade der Sprachlichkeit gemessen. Oevermanns Arbeit diente trotz ihrer augenfälligen Mängel und der fast unkritischen Nachfolge Bernsteins doch für die weiteren Untersuchungen als Richtschnur und Vorbild.

R. Reichwein (1970; zuerst 1967; Berlin) konnte in Berlin an einer Realschule Zusammenhänge zwischen sprachlicher Leistung auf der einen und mathematischer Leistung auf der andern Seite feststellen. Ihr Schluß war, daß sprachliche Defizite durch Mathematik, insbesondere durch die neue Mengenlehre kompensierbar seien.

K. A. Wiederhold (1971; Düsseldorf) hat Düsseldorfer Erstkläßler untersucht und festgestellt, daß kleine Unterschiede im Sprachvermögen zum Zeitpunkt der Einschulung, die schichtenspezifisch sein mochten, sich nach einem Jahr Schule zumindest auf Unterrichtsebene vollständig nivelliert haben. Gemessen wurden allerdings nur quantifizierbare Kriterien aus Syntax und Wortschatz, z. B. das Verhältnis zwischen sinntragenden, sinnverändernden und sinnfremden Zusätzen bei Nacherzählungen.

G. König (1972; Sulzbach/Illingen/Saar) hat schriftliche Arbeiten von zehn- bis zwölfjährigen Schülern aller Schultypen in zwei saarländischen Städten untersucht, und zwar getrennt nach Aufsatztypen: Erlebnisbericht und Beschreibung, nach Schularten: Gymnasium, Realschule, Hauptschule und nach dem Sozialstatus der Eltern. Unterschiede zeigten sich vor allem zwischen Schülern der Hauptschule und der weiterführenden Schulen. Auch schrieben Mädchen fast immer ,elaborierter' als Jungen. Die Unterschiede zwischen den Schultypen seien nicht schichtenspezifisch zu erklären, sondern durch das Ausleseverfahren, welches auf Grund unterschiedlicher Begabung oder Intelligenz die Zuweisung zu einem weiterführenden Schultyp regelt.

H. Bühler (1972; Südwürttemberg/Hohenlohe-Franken) beobachtete die Sprachlichkeit schwäbischer Schulanfänger. Er wollte die unterschiedlichen sprachlichen Äußerungstypen, die es sehr wohl zu registrieren gab, nicht der unterschiedlichen Schichtenzugehörigkeit zuschreiben. Bühler glaubte vielmehr einen Zusammenhang zwischen unterschiedlichem Sprechen und den verschiedenartigen Sprechsituationen zu sehen. Fabulieren erfordere einen anderen Code als Argumentieren. Unterschichtskinder sprächen zwar meßbar weniger als andere, dafür aber kommunikativ funktionaler. Was durch die außersprachliche Situation, das Vorwissen des Partners usw. bereits klar sei, werde nicht mehr verbalisiert. Ein Beispiel funktionalen Sprechens sei an der Tankstelle: *Super voll!* (H. Bühler 1972, 133). Das elaborierte Sprechen der Mittelschicht, das kontextfrei alles ausformulierte, sei hingegen als disfunktional zu bezeichnen. Die Entscheidung ,gut' oder ,schlecht' werde nicht an der sprachlichen Äußerung selbst vorgenommen, sondern durch die Voreingenommenheit der Analysatoren oder der Lehrer, welche situationsangemessenes Sprechen und grammatisch richtiges Sprechen verwechselten. Sprachbarriere sei nicht in der Sprache der einen Gruppe angelegt, sondern in der Entscheidung der andern Gruppe, eine bestimmte Art zu sprechen für nicht ausreichend zu erklären und deren Sprecher sozial zu verachten.

G. Schulz (1971; 1973; Bottrop) wandte sich mit ihren Untersuchungen an Redemitschnitten aus Diskussionen mit Bergarbeitern aus dem Ruhrgebiet gegen die These, daß Satzkomplexität, d. h. Satzperioden mit logischen Unterordnungen als Meßinstrument der Elaboriertheit und damit der sprachlichen Leistungsfähigkeit gelten sollen. Auch ohne die von der literarischen Grammatik zur Verfügung gestellten Konjunktionalsätze seien logische Verhältnisse sprachlich ausdrückbar. In späteren Untersuchungen (Klann 1975, [1972], Hathaway 1979) konnte sogar gezeigt werden, daß nicht einmal die Behauptung der mangelnden Satzkomplexität in der Unterschichtssprache stimmt. Bei vergleichbarer Textsorte und einem geeigneten Meßverfahren ist die einfache Sprache mangels Nominalisierung sogar ,komplexer' oder hypotaktischer angelegt als der elaborierte Nominalstil.

J. Schlee (1973; Schleswig-Holstein) untersuchte 96 MS- und US-Kinderpaare aus der Vorschule und 84 Paare aus vierten Klassen in Schleswig-Holstein. Er konnte hochsignifikante Korrelationen zwischen Schichtenzugehörigkeit (nach dem Modell von Moore-Kleining, s. Kap. 3.3.) feststellen. Mittelschichtkinder und andere Intelligentere zeigten ein besseres ,Instruktionsverständnis', d. h. eine höhere passive Kompetenz: sie verstehen besser, was ihnen gesagt wird. Schlees Hypothese ging dahin, daß die geringe Schulleistung nicht so sehr darin liege, daß diese Schüler nicht so gut sprechen könnten wie andere, sondern vielmehr darin, daß sie nicht so gut verstehen könnten, was man ihnen sagt.

G. Kiefer (1974; Höchstadt/Aisch/Bayern) wollte die Frage: Hat der Schüler eine Sprachbarriere? objektiv messen. Mit Hilfe psychologischer Tests sollten bei 293 Schülern von 5. und 6. Gymnasiumsklassen in Höchstadt/Bayern die „Sender- und Empfängereigenschaften" geprüft werden. Die guten Sender- und Empfängereigenschaften korrelierten dabei nicht mit den Sozialdaten der Elternhäuser oder dem Wohnort — es waren viele Fahrschüler aus der ländlichen Umgebung unter den Probanden —, sondern mit der Deutschnote. Kommunikative Veranlagung und Deutschnote gehen zusammen, wobei für die Deutschnote die Fähigkeit zur sprachlichen Ausschmückung wichtig sei.

Ch. Hannig (1974; Saarlouis) konnte bei Erstkläßlern aus fünf Klassen in vier Gemeinden bei Saarlouis feststellen, daß auch in der sogenannten oberen Unterschicht, zu der alle Probanden zu zählen waren, „die Fähigkeit zur Konstruktion differenzierterer syntaktischer Fügungen auf einer wesentlich höheren Ebene liegt, als bisher angenommen wurde" (Hannig 1974, 221). Der Befund wurde an einer nacherzählten Bildgeschichte gewonnen.

G. Klann (1975 [1972]; Oberursel/Frankfurt) führte zusammen mit Oevermann eine ausführlichere Kontrolluntersuchung zu den Oevermannschen Hypothesen durch. Die Versuchsschüler stammten diesmal aus Oberursel im Taunus. Wiederum wurde großer Wert auf die sprachlichen Variablen gelegt. 56 Probanden mußten zwei Texte mündlich nacherzählen. Eine der Geschichten wurde der Auswertung zugrundegelegt. Die grammatischen

Kriterien (Klann 1975, 40—71) betrafen die Tiefenstruktur, die transformierte syntaktische Struktur und die Oberflächenstruktur. Bernsteins Code-Theorie, daß die Merkmale der schichtenspezifischen Sprechweise der Unterschicht dürftiger seien, konnten auch hier nicht bestätigt werden. Zwar wurden wieder zählbare Unterschiede zwischen Mittelschicht und Unterschicht festgestellt, auch zwischen Jungen und Mädchen, aber nicht in der Richtung der vermuteten schichtenspezifischen Hypothesen der Restringiertheit.

E. Neuland (1975; Ruhrgebiet) hat Kinder aus zwei mittleren Großstädten des Ruhrgebiets untersucht. Dabei erwies sich die meßbare Intelligenz und Kreativität zwischen den sozialen Schichten als gleich. Im Vorschulalter haben beide sozialen Schichten die gleiche lexikalische Ausstattung. Unterschiede der verbalen Kompetenz nach Wortarten seien dadurch zu erklären, daß Wortschatztests immer auf hochsprachlicher Ebene konzipiert seien und dadurch einen eingebauten ‚Mittelschicht-Bias' (Neuland 1975, 124) hätten, d.h. einen Trend, der die Mittelschicht von vornherein bevorzuge. Weiterhin haben Arbeiter- und Mittelschichtkinder grundsätzlich dieselbe Fülle an syntaktischen Möglichkeiten. Neuland achtete darauf, daß die Kinder in den ihnen vertrauten Situationen (Neuland 1975, 116 f.) belassen wurden und somit die schichtenfremde Schulsituation als Störfaktor ausgeschaltet wurde. In bezug auf Ausstattung, Inhaltsstrukturen, Bedeutungselemente, Satzmusterrepertoires hatten beide Schichten gleich viele Möglichkeiten, jedoch immer nur 50 % gemeinsame. Jeweils eine Hälfte des sprachlichen Repertoires war schichtenspezifisch und somit der andern Schicht fremd.

M. Ort (1976; Mannheim-Heidelberg) kritisiert insbesondere den Bernsteinschen Code-Begriff als unzulängliches Instrument zur empirischen Erfassung schichtenspezifischer Unterschiede. Ort unterscheidet bei Sprachaufnahmen von Schülern im Mannheimer Raum ‚günstige' und ‚ungünstige' Situationen. Seine These lautet: unter gleich günstigen Situationen ist der Sprachunterschied zwischen den Schichten unbedeutend. Allerdings sind Schule und Klassenzimmer, wo sich die Sprachbarriere am folgenreichsten bemerkbar macht, für die Unterschichtskinder denkbar ungünstige Situationen. Hier nützt auch nicht, daß bei günstigeren Situationen, etwa im häuslichen Kinderzimmer, wo Kontrollaufnahmen gemacht wurden, die Verbalität nicht annähernd ‚restringiert' ist. Sprachbarriere stellt sich auf Grund der empirischen Untersuchungen immer mehr als die Folge der sozialen Einschätzung der Mittelschicht gegenüber ihr fremden sozialen Gruppen heraus, bei der die unterschiedliche Sprache nur als Symptom oder gar Vorwand für Mittelschichtsvorurteile dient.

W. Steinig (1976; Dortmund-Recklinghausen/Ruhrgebiet) verweist auf den Zusammenhang von Sprechweise und Rollenverhalten. Steinig untersuchte Schulkinder aus Recklinghausen und Dortmund. Es gibt zwar auffällige schichtenspezifische Unterschiede im Sprachgebrauch, die auch von den Sprechern einhellig als solche erkannt wurden. Sprachliche Defekte konnten auch hier nicht ermittelt werden. Die Unterschichtsprecher im Ruhrgebiet haben nach Steinig einzelne Merkmale (*dat* und *wat* und falsche Kasus), die von den Mittelschichtsprechern als soziale Stigmata interpretiert werden. Steinig hat zur Ermittlung solcher stereotypen Einschätzungen Sprachproben von Arbeiterkindern einer Gruppe von 80 Lehrerstudenten, also den künftigen Sprachbewertern, vorgespielt. Unabhängig voneinander konnten alle Testpersonen dieselbe soziale Zuweisung vornehmen. Eine Gegenprobe bei Bonner Studenten erbrachte eine verblüffende Übereinstimmung in der sozialen Interpretation sprachlicher Signale.

H. Gadler (1976, Andrik/Steiermark, Österreich) wollte die Frage: Wie restringiert spricht die Unterschicht wirklich? an einer zweiten Hauptschulklasse überprüfen. Die 12- bis 13jährigen Schüler (19 Jungen und 15 Mädchen) mußten eine schriftliche Nacherzählung verfassen, dazu eine mündliche Fassung und ein Interview geben. Die Häufigkeit bestimmter syntaktischer Merkmale wurde mit den Sozialdaten zusammengebracht. Dabei ergab sich, daß mehr als die Herkunft die jeweilige Situation den Sprachgebrauch bestimmte (Gadler 1976, 170). Auch hier in Österreich mußte festgestellt werden, „daß sich die Annahme eines restringierten linguistischen Codes für den Sprachgebrauch der Unterschicht nicht aufrechterhalten läßt" (Gadler 1976, 198).

A. Budde (1977, Neuss/Rhein) hat von 31 Kindern zwischen neun und zwölf Jahren einer 3. Klasse aus Neuss Gespräche über sieben verschiedene Themen aufgenommen. Er konnte dabei eine große Variationsbreite in der Syntax der gesprochenen Sprache registrieren. Schichtunterschiede zeigten sich nur in zwei Punkten: Schüler der oberen sozialen Schichten gebrauchten mehr verschiedene Wörter, bei der Unterschicht war die Emphase häufiger anzutreffen (Budde 1977, 85).

S. Jäger u. a. (1978, Duisburg-Villigst/Ruhrgebiet) legte zusammen mit mehreren Mitarbeitern in drei Bänden Voraussetzungen, Vorgehen, Ergebnisse und Auswertungen eines mehrjährigen soziolinguistischen Unternehmens vor, das nach Anlage und Umfang wohl zu den bedeutendsten Projekten in der Bernstein-Nachfolge zu zählen ist.

Die Untersuchung war wieder im Ruhrgebiet angesiedelt (Villigst und Duisburg). Offensichtlich eignet sich das Ruhrgebiet am ehesten für schichten-

spezifische Differenzierungen, da dort infolge der eigenen sozialgeschicht-
lichen Entwicklung am ehesten ein klares Schichtenmodell erkennbar ist, das
auch den Leuten selbst bewußt ist.

Neu bei Jäger sind die linguistischen Analysekategorien. Anstelle von lexikalischen oder syntaktischen Elementen wurden Kategorien der Textlinguistik
oder ‚Narrativistik‘ ausgewählt, um Sinnerfassung und Sinnwiedergabe messen zu können. Die vorgegebenen Geschichten wurden strukturell in Figuren
und Handlungsschritte (Ereigniselemente) zerlegt. Alle sprachlichen Mittel
konnten so in ihrer Funktion gegenüber Ereigniselementen (‚Spielfigur‘) und
Ereignisfolge (Handlungsschritte) bestimmt werden. Wortarten und syntaktische Elemente, ja einzelne Wörter und Ausdrücke bekamen eine erzähltech-
nische Wertziffer, nach der die kommunikative Qualität des einzelnen Schü-
lers gemessen werden kann. Auch hier traten deutliche Unterschiede zwischen den sozialen Schichten und den Geschlechtern zutage. (Ergebnisse
zusammengefaßt: Jäger u. a. 1978, 517 ff. u. 535 f.) Das deutliche Gefälle
in der kommunikativen Leistungsfähigkeit zwischen den Schichten sei von
der kommunikativen Situation des Elternhauses und diese von der Art des
Arbeitsplatzes des Vaters abhängig. Hier wird dann eine ideologische Position sichtbar, die schon bei Ammon (1973) deutlich wurde, daß sprach-
bedingte Ungleichheit sich nur durch Veränderung der Arbeitswelt und der
Gesellschaft überhaupt beseitigen lasse, und daß Soziolinguistik im Grunde
das falsche Forschungsinstrument sei — ein ‚bürgerliches Trauerspiel‘ (S.
Jäger 1972) oder eine Alibiwissenschaft. So handelt auch der erste Band der
Publikation dieses Unternehmens „Vom Nutzen der Soziolinguistik“ (Jäger
u. a. 1977). Anders als bei andern, die ebenfalls die Soziolinguistik für überflüssig erachten, wenn ihre Erkenntnisse ins allgemeine linguistische Bewußtsein gerückt seien (Steger 1980, 349), heißt es dort u. a. „Eigentlich
müßte es heißen: Von der Nutzlosigkeit einer Wissenschaft, deren Nutzen
in der Reproduktion eines Mangels besteht“ (Jäger u. a. 1977, 63).

H. Zabel (1979, Gesamtschulen Nordrhein/Westfalen) legt verschiedene
Untersuchungen vor, die im Rahmen des Gesamtschulprojekts Nordrhein-
Westfalen und eines Projekts ‚Sprachkompensatorik‘ durchgeführt wurden.

Die Anfänge der Projekte gehen auf das Jahr 1970 zurück. Die organisierte
Stichprobe wurde an über zweitausend Schülern vorgenommen, aus der ein
Untersuchungs-Sample von knapp 400 Schülern ausgewählt wurde (alle aus
dem 5. Jahrgang der Jahre 1970—1973). Die Sprachprobe bestand aus
einer schriftlich abgefaßten Bildgeschichte. Verschiedene zählbare Variablen
wie Satzkomplexität (Zahl der Satzeinheiten geteilt durch Zahl der Verben),
Subordination, Kontextbezug, Aufsatzlänge u. a. wurden mit den Sozial-

daten korreliert. Die These, daß die Satzsubordination mit der Schichtzugehörigkeit zusammenhänge, konnte nicht bestätigt werden; daß Unterschichtsangehörige kontextabhängiger schreiben, wurde nur tendentiell sichtbar (Zabel 1979, 124). Die kompensatorischen Schlußfolgerungen (S. 126 ff.) fallen, gemessen an früheren Drill-Programmen, gemäßigt aus. Insbesondere die Schule solle sich der realen Umwelt, in der die Schüler leben, öffnen. Weitere Auswertungen ergaben, „daß von einem Defizit der Unterschicht keine Rede sein kann" (S. 134). Der Unterschied zwischen Jungen und Mädchen sei in allen Schichten aus der Altersstufe des 5. Schuljahres größer als der Schichtenunterschied.

A. Mihm (1981, Duisburg). Ein Forschungsprojekt, das ebenfalls im Raum Duisburg angesiedelt war, untersuchte 536 Schüler an zwölf Schulen verschiedener Typen in sieben Orten am Niederrhein. Gefragt war nach den Zusammenhängen von rezeptivem und produktivem Sprachverhalten in Relation zu Sozialstatus und Intelligenz. Das rezeptive Sprachverhalten wurde durch einen Wortschatztest, das produktive durch eine Bilderzählung, eine Erlebniserzählung und einen Aufsatz repräsentiert. Sprachliche Variablen (Mihm 1981, 24 f.) waren Textlänge, Gesamtwortschatz und Anteil verschiedener Wörter, Abweichungsgrad vom Grundwortschatz und Satzkomplexität. Ausgiebige Rechenverfahren und Signifikanztests sollten die geringe Zahl der Untersuchungskriterien kompensieren. Die Ergebnisse lauten verkürzt (Mihm 1981, 190 ff.): Rezeptives und produktives Sprachverhalten hängen zusammen. Nichtverbale Intelligenz ist auf der Grundstufe schichtenspezifisch. Das gilt auch von der Sprachproduktion und dem Leseverständnis. Neben dem Elternhaus hat aber die Schule durchaus Milieufunktion. Als praktische Konsequenzen werden Veränderungen im Bildungswesen (Schultypauswahlverfahren) und eine geeignetere Planung und Durchführung des herkömmlichen Unterrichts gefordert, um die Milieufunktion der Schule besser zur Geltung zu bringen.

K.-H. Jäger (1981, Waldkirch/Schwarzwald) wollte eine „empirische Untersuchung zur Beschreibung und Diagnose des mündlichen sprachlichen Handelns" (so der Untertitel) vorlegen. 55 Schüler der Klasse 5 eines „differenzierten" Gymnasiums in Waldkirch (bei Freiburg i. Br.) wurden untersucht. Dabei standen die Methodik des Vorgehens und die Gültigkeit der Ergebnisse im Vordergrund des Interesses. In bezug auf die Schichtenproblematik wurde festgestellt: „Innerhalb der gesamten teststatistischen Überprüfungsprozeduren scheint sich noch am ehesten ein Trend zu Unterschieden sprachlichen Handelns, bedingt durch die Variable ‚Regionale Herkunft: Stadt — Land', anzudeuten ... und durch die am Wohnort gegebenen und möglicherweise auch in ihrer Qualität unterschiedlichen Bedingungen" (K.-H. Jäger 1981, 190 f.).

Allen empirischen Arbeiten zur Sprachbarriere ist trotz unterschiedlicher Versuchsanordnung und sich oft widersprechender Befunde gemeinsam, daß sie die Sprachbarriere der Unterschichten nicht bestätigen konnten. Leistungsunterschiede und meßbare Varianz im Sprachgebrauch konnten nicht mit dem Sozialstatus verknüpft werden in der Weise, daß die Sprache unmittelbarer Träger oder Ursache des Mißlingens war. Von einem linguistisch-kommunikationstheoretischen Standpunkt aus waren alle gemessenen Subcodes auf ihre Art ebenbürtig. Erfolgsbarrieren mußten demnach auf der Ebene der sozialen Einschätzung und der geringen Leistungserwartungen einerseits und einem für die Unterschicht eher lebensfernen Unterricht der mittelschichtorientierten Schule gesehen werden, was wiederum mit Sprache nicht unmittelbar zu tun hat.

Die Bernsteinsche Defizit-Theorie wurde von allen deutschsprachigen empirischen Untersuchungen ,falsifiziert'. Unterschiede zwischen den Sprechweisen der sozialen Schichten — und darin stimmen die meisten Untersuchungen überein — liegen in der inhaltlichen Gestaltung. Die Begründung hierfür wird im unterschiedlichen Erfahrungshorizont gesehen, der allerdings als schichtenspezifisch bezeichnet wird (vgl. auch Grömminger 1970) oder auch wohnortabhängig sein kann (K.-H. Jäger 1981, 190).

6.5. Zur Sprachbarriere der Gastarbeiter

Die sogenannten Sprachbarrieren zwischen unterschiedlichen gesellschaftlichen Gruppen derselben Sprachgemeinschaft stehen im Verdacht, keine sprachlich bedingten Verstehensschranken, sondern auf Vorurteilen, Prestige- und Bewertungsgefällen beruhende ,soziale' Barrieren zu sein.

Einer echten, auf sprachlicher Verschiedenheit beruhenden Verstehensblockade mit allen Merkmalen der ,Sprachbarriere' sehen sich indessen die Gastarbeiter ausgesetzt. Haupthindernis ist die Sprachverschiedenheit, die weder durch Schule noch Kurse noch durch besondere Dispositionen oder Begabungen gemildert wird. Hinzu kommen die übrigen negativen Merkmale der ,kommunikativen' Barriere: Vorurteil und Abgrenzungsbestrebungen der sozial Überlegenen (Nachbarn, Lehrer, Arbeitskollegen, Vorgesetzte, Behörden, überhaupt Einheimische) und tatsächliches Defizit an Sprachvermögen und Schulbildung auch auf der primärsprachlichen Seite.

Dabei stellt sich die Gastarbeiter-Sprachbarriere für Erwachsene und Kinder verschieden dar. Der unterschiedlichen Ausgangslage, Erscheinungsformen und sozialen Konsequenzen müssen verschiedenartige Abhilfestrategien entsprechen, wenn die Gastarbeiter-Soziolinguistik neben der Aufdeckung und Analyse der Sprachbarriere überhaupt Abhilfe und Kompensatorik als ihre Aufgabe ansieht und diese Entscheidungen nicht den politisch und gesellschaftlich Verantwortlichen übertragen sehen will.

Die Gastarbeiterkinder begeben sich mit dem Erlernen der Erwachsenensprache ihrer Eltern zunächst auf den falschen Weg, weil von dort kein Programm zur deutschen Sprachkompetenz führt. Der sprachliche Anschluß an das Deutsche erfolgt auf der Straße, wo sie mit Dialektsprechern und Unterschichtskindern Spielkontakt haben. Erst von dort aus reihen sie sich, zusätzlich belastet mit den Nachteilen der inländischen ‚Minderheiten‘, in den normalen Schulbetrieb ein, der für sie kein zureichendes Programm vorsieht. Vor allem spricht kaum ein Lehrer ihre Muttersprache. Angesichts dieser potenzierten Schwierigkeiten hat sich das Augenmerk der Soziolinguistik besonders auf die Gastarbeiterkinder gerichtet mit dem Ziel, geeignete Programme für einen Sonderunterricht zu erarbeiten, der die Integration in den normalen Schulunterricht für Einheimische beschleunigen sollte. Die unterschiedliche sprachliche Ausgangssituation der Gastarbeiterkinder und die fehlenden Sprachkenntnisse der einheimischen Lehrer lassen solche Bemühungen jedoch nicht sehr erfolgreich erscheinen.

Zur allgemeinen Lage der Gastarbeiter und Gastarbeiterkinder unter dem Aspekt der sprachlichen Sozialisation: Schenker 1973; Mahler 1974 (mit ausführlicher Literatur); Savvidis 1974; Dittmar u. a. 1976; Molony u. a. 1977, 147—236; Griese 1978; Cherubim/Müller 1978. Zu den besonderen Merkmalen des Spracherwerbs der Gastarbeiterkinder auf der Basis ihrer Ausgangssprache: Schenker 1973 (italienisch); Mahler 1974 (allgemein); Meyer-Ingwersen 1975; Meyer-Ingwersen u. a. 1977 (türkisch); Reich 1977 (griechisch); Keim 1978 u. Fritsche 1982 (türkisch); Zu laufenden Projekten: Cherubim/Müller 1978a; Fragen des Unterrichts mit ausländischen Kindern: Mahler 1974; Biermann/Graschy 1975; Hohmann (Hrsg.) 1976; Hess-Gabriel 1979 (mit Bibliographie).

(1) Pidgin-Deutsch (vgl. 5.3.4. [5])

Das ‚gebrochene‘ Deutsch erwachsener Ausländer ist für viele kein sprachliches Durchgangsstadium, sondern eine Endstufe des Spracherwerbs. Die damit verbundene Sprachbarriere wird zu einem Dauerzustand, weil mit dem von Erwachsenen verwendeten ‚Spardeutsch‘ auch immer der Eindruck einer besonderen Unbegabung und die daraus resultierende soziale Verachtung einhergeht. Die Forschung kann hier nachweisen, daß der ungeregelte Spracherwerb je nach Ausgangssprache verschieden ist und zu unterschiedlichen Ergebnissen führt, die immer abhängig von den Interferenzen zwischen der Ausgangssprache und dem Deutschen zwangshaft oder regelmäßig ablaufen. Die Fehler haben gewissermaßen System und reflektieren nicht die Intelligenz des Sprechers oder einer ganzen Gruppe. Das ‚Heidelberger Forschungsprojekt Pidgin-Deutsch‘ hat den Prozeß des Deutschlernens und seine Endstadien bei spanischen und italienischen Gastarbeitern im Raum Heidelberg untersucht. Die besonderen Probleme der Versuchsanordnung und -durchführung sind bereits unter 3.7.2. [2] erwähnt. Hier sei nochmals auf die Ergebnisse verwiesen. (Heidelberger Forschungsprojekt 1975; Dittmar/Rieck 1977; vgl. auch in: Molony u. a. 1977, 147 ff. u. 184 ff.) Die Spracherlernung erfolgt in sieben Stufen. Jede der Stufen kann unabhängig von der Dauer des Sprachkontaktes individuelle Endstufe sein. Die ‚Fehler‘ im Deutschen sind in einem fehlerlinguistischen Sinn regelhaft. Das jeweilige Ergebnis ist unabhängig von der Ausgangssprache (Italienisch, Spanisch, Türkisch etc.), der Zielsprache der neuen Umgebung am Arbeitsplatz und Wohnort (Dialekt, Jargon) und den individuellen Bedingungen (schulische Vorbildung, Alter, persönliche Kontakte mit Einheimischen etc.). Vgl. auch den kritischen Bericht zum ‚Heidelberger Forschungsprojekt‘ Cherubim/ Müller 1978.

Das Endstadium eines sich selbst überlassenen Spracherwerbs stellt eine reduzierte Fassung des komplizierten grammatischen Systems des Deutschen dar, die aber voll funktionsfähig ist. Das komplizierte Formeninventar der Verbalflexion wird vereinfacht, nicht wie man meinen möchte durch häufigen Infinitivgebrauch („*du machen das*“; „*was kosten das?*“), sondern durch Einheitsendungen, die je nach Ausgangssprache verschieden sein können. So heißt es bei Türken (in Stuttgart): *was kostä: kilo?* Die umgangssprachliche Fassung hieße: *was kostet ein Kilo?* Die stadtschwäbische Form in Stuttgart wäre: *wa:s kóscht e kiló?* Der Türke systematisiert nicht nach den vorgegebenen Formen, sondern auf seine Art. (Vgl. auch die syntaktische Pidginisierung auf türkischer Basis: Fritsche 1982.) Ein Italiener sagt: *Toni saufä: nätsofi:l.* Die Vorlagen lauten: *sauf nicht so viel* bzw. schwäbisch: *sauf net sevi:l.* Der Grieche sagt: *ich gebä: dainä: gelt schurik.* Schwäbisch hieße das: *i: gäb dr dai gält tzerick.* (Beispiele bei Bodemann/Ostow 1975, 135 ff.)

Angesichts der unterschiedlichen Ausgangssituation der Gastarbeiter und einer ebenso schillernden sprachlichen Umgebung, in der das Deutsche erlernt wird, ist nicht abzusehen, ob überhaupt und in welchem Ausmaß das Pidgin-Deutsch zu einer dauernden Varietät des Deutschen wird. (Meisel

1975; Beobachtungen von Arbeitern aus Italien, Spanien und Portugal: Meisel 1975a; Sprachverhalten türkischer Arbeiter: Keim 1978.)

(2) Pseudo-Pidgin der Einheimischen

Die Reaktion vieler Einheimischer auf das Pidgin-Deutsch der Ausländer ist, daß sie sich einer ähnlich reduzierten Sprache befleißigen. Diese künstliche Vereinfachung und Verfälschung wird Pseudo-Pidgin genannt — oder nach einem schwäbischen Werkmeister Herrn Pfefferle (nach Bodemann/Ostow 1975, 141) auch ‚Pfefferlesdeutsch‘. Man konnte beobachten, daß der Ausländer auf Pseudo-Pidgin grammatisch korrekter antwortete als der wohlmeinende Deutsche. So sagte z. B. der schwäbische Vorarbeiter zum türkischen Untergebenen: „*tsue:rscht di: gȧntse:n ro:le:n*“, und der Türke wiederholte in besserem Deutsch: „*tsuȧrst die ganzȧ: Rolȧ:*“. Auf den Satz des Schwaben: „*dann wir fahren Esslingen zusammen*“ reagiert der Türke mit: „*dann mit Esslingȧ: mir baide fa:rȧ zusamȧ̈*“ (Bodemann/Ostow 1975, 127).

Solche Beobachtungen der Sprachkontaktzonen zeigen, daß die Barriere auch vom Einheimischen aufgebaut wird, wenn er dem Fremden die neue Sprache nicht in einer ortsüblichen korrekten Form, sondern in einer gut gemeinten Pidginisierung anbietet. Der allmähliche Spracherwerbsprozeß bedarf des korrekten Angebots von seiten der neuen Umgebung. (Vgl. auch „*Türkisch Mann, Du?*“ „*Wie Sie heißen?*“ „*Sie, Ihr Name*“ etc. bei Hinnenkamp 1982, 193.)

Eine andere, etwas heiklere Kontaktzone zwischen Einheimischen und Fremden sind die Situationen vor Gericht. Auch hier haben Beobachtungen ergeben, daß die Verständigung zwischen Richter und Angeklagtem oft gestört ist, wenn ein Dolmetscher eingeschaltet ist, der nach Ermessen eine lange Erklärung einmal in ein Ja und eine Unsicherheit einfach in ein kurzes Nein umformuliert. Eine ähnlich negative Funktion im kommunikativen Sinne wird den betrieblichen Dolmetschern nachgesagt (Bodemann/Ostow 1975, 127 ff.).

Die aus dem Forschungsbereich ‚Deutsch als Fremdsprache‘ entwickelten Hilfen in Form eines Basis-Deutsch mit einem elementaren Grundwortschatz (Pfeffer 1975) und in Form einer Reihe von kontrastiven Grammatiken (Engel 1977) zwischen gängigen Fremdsprachen und der deutschen Sprache können hier nicht kompensatorisch wirken. Sie taugen eher als Grundlage neu zu erarbeitender Sprachlehrbücher für den regulären Unterricht für Ausländer. Die möglichen Hilfen können wiederum nur sein, den betroffenen Einheimischen (Vorarbeiter, Betreuer, Richter, Anwälte) die pragmatische und linguistische Situation deutlich zu machen. Ausgearbeitete Hilfen in Form von Lehrmappen und Arbeitsbüchern setzen regulären Unterricht voraus und müssen auf die speziellen Ausgangssituationen der Lernenden eingehen. Insbesondere bedarf es für Erwachsene und Kinder völlig verschiedener Hilfsmittel (Beispiel: Neuner 1980; Anderegg u. a. 1982).

Gastarbeiter als künftige Unterschicht?

Die Sprachsituation der Gastarbeiter in der Bundesrepublik und ebenso in der Schweiz (Schenker 1973) hat alle Anzeichen einer echten Sprachbarriere, das heißt: zu einem restringierten Code, der von den Einheimischen linguistisch falsch eingeschätzt wird, treten geringer Ausbildungsgrad, niedrige Arbeitsplatzanforderungen, unterstes Sozialprestige und alle Vorurteile und Probleme der Ausländerfeindlichkeit und Überfremdungsangst.

Insofern viele fremde Arbeiter mit ihren Familien wieder zurückkehren, ist deren sprachlich-transitorischer Zustand zwar nicht erfreulich, aber soziolinguistisch wenig interessant. Auch die sprachlichen Integrationsprozesse, die bei den im Gastland aufwachsenden Kindern zu beobachten sind, könnten als besondere Varianten des kindlichen Spracherwerbs angesehen werden, der in kurzer Zeit zur vollständigen Integration führt. Für die deutsche Sprache und ihre soziolektale Binnenstruktur können die auf Dauer eingewanderten Familien mit dem neuen Pidgin-Deutsch jedoch eine Veränderung bewirken, deren Charakter heute nicht abzusehen ist.

Wie vermutlich die Industrialisierung des Ruhrgebiets mit dem Zuzug vieler Tausender polnischer Bergarbeiter bis heute eine starke Polarisierung der Sozialstruktur und auch ein strenges soziales Sprachbewußtsein hinterlassen hat, so könnten die über 4 Millionen Gastarbeiter und ihre Nachkommen unter Umständen für die Zukunft das neue ‚Proletariat' oder eine neue echte Unterschicht abgeben mit einer soziolektalen Tiefstufe des Deutschen, deren Merkmale sich beim Pidgin-Deutsch der Gegenwart bereits abzeichnen (Meisel 1975).

6.6. Praktische Konsequenzen der Sprachbarrierenforschung

Allen jüngeren Arbeiten zur empirischen Erforschung schichtenspezifischer Sprachbarrieren ist gemeinsam, daß sie keine kompensatorischen Programme vorschlagen, sich von bestehenden sogar distanzieren. Die Zusammenhänge zwischen Intelligenz, rezeptivem und produktivem mündlichen und schriftlichen Sprachverhalten und sozialem Status des Elternhauses wurden zwar mit Hilfe statistischer Korrelationsverfahren sichtbar gemacht. Keine

Rechnung, auch nicht die Faktorenanalyse, konnte jedoch die tatsächlichen Ursachenzusammenhänge aufdecken. Die Ergebnisse aller empirischen Untersuchungen zusammengenommen sind alles andere als einheitlich. Landschaftliche Verschiedenheit, begründet durch unterschiedliches dialektales ‚Substrat' aber auch durch eine verschiedenartige Schulstruktur, lassen generelle Aussagen nicht zu. Auch die unterschiedlichen Versuchsanordnungen mit der Erprobung immer neuer Methoden und sprachlich-statistischer Auswertungsverfahren mit jeweils neu gestecktem Forschungsziel verhindern Vergleichbarkeit und einheitliche Schlußfolgerungen. Was bereits bei der dialektbedingten Sprachbarriere (5.4.2. [7]) betont wurde, gilt hier noch viel mehr, daß nämlich die tatsächliche Sprachlichkeit und ihr soziolektaler und damit bildungsförderlicher oder -hindernder Charakter regional, manchmal sogar örtlich, bestimmt aber national verschieden ist. Dabei spielen für den Grad des Barrierencharakters weniger linguistische Merkmale eine Rolle als vielmehr die subkulturellen, gesellschaftspolitischen oder statusbedingten Traditionen und Stereotypen. So fällt auf, daß in der DDR, aber auch in der Schweiz die Sprachbarrierenforschung kaum betrieben wurde. Die außersprachlichen Gründe hierfür dürften sicher ganz verschiedener Natur sein. Ebenso sicher aber gibt es in beiden Staaten soziolektale, sozialstatusbedingte Sprachvarietäten. Der Barrierencharakter hängt indes von nichtsprachlichen Bedingungen ab. Einerseits ist es der Wille oder der Verzicht auf inter-soziale Kommunikation, andererseits sind es aber auch die Sprachbarrierenforschung oder die Soziolinguistik selbst, die bestimmen, wer eine Sprachbarriere hat.

So wurde des öfteren vermutet, daß die Barriere eigentlich vom Lehrer ausgeht. Seine Beurteilung und seine Reaktion auf die kommunikative Kompetenz bestimmen über Fortkommen oder Benachteiligung. Er vertritt mit seiner Auffassung, wie bei manchen der Untersuchungen herausgekommen ist, nur einen Teil der Sprachgemeinschaft, wenn auch den normtragenden. So wird neuerdings nicht mehr nach kompensatorischen Trainingsprogrammen gerufen, auch nicht mehr nach Abschaffung oder Modifizierung der Mittelschichtsnorm, sondern man setzt auf das theoretische und praktische Verständnis des Lehrers, der das Lernziel Schulerfolg und wirklichkeitskonforme Kommunikationsfähigkeit möglichst vielen Schülern vermitteln soll. (Vgl. „Sprachförderung durch Unterricht" K. O. Frank 1977; „Überwindung von Sprachbarrieren" H. Müller 1973.) Aus der expliziten Kenntnis seiner Aufgabe, den lokalen, schultypischen und individuellen sprachlichen und sozialen Dispositionen heraus soll er seine Strategie okkasionell einrichten und so die Nivellierungskraft der Schule in bezug auf unterschiedliche Ausgangslagen der Schüler personifizieren.

Nicht zuletzt auf Grund der gesamtpolitischen und gesellschaftlichen Veränderung, die eine höhere Bildung um jeden Preis nicht mehr als Idealform menschlicher Existenz anpreist, wird die Sprachbarrierenforschung herkömmlicher Art wohl weniger intensiv weiterbetrieben werden. Der Ertrag der bisherigen Empirie wird jedoch ein breites Problembewußtsein bei Bildungspolitikern, Lehrern, Schulbehörden, Eltern und insbesondere in der Lehrerausbildung sein. Da fast alles von der Person und vom Format des Lehrers abzuhängen scheint, müßte die weitere angewandte Soziolinguistik neben der breiten Varietätenforschung vielleicht auch Instrumente erarbeiten, mit denen ein Lehrer an seinem Ort ohne großen Aufwand stichprobenweise oder auch systematisch die Sprachlichkeit seines Publikums eruieren kann, falls er dies nicht auf Grund seiner Erfahrung intuitiv herausfindet (Versuche hierzu: Hasselberg 1983). In der Vergangenheit wurde mancher Fehler gemacht, indem wissenschaftliche Ergebnisse und Verfahren ungefiltert die Schulstube erreichten und dort unreflektiert und ungeachtet der konkreten Sprachverhältnisse umgesetzt wurden. Man mußte daher oft ins Leere stoßen, und Schüler, Eltern und Kollegen waren mit Recht erschreckt. Die Soziolinguistik und die Sprachbarrierenforschung bedürfen dringend der rechten Interpreten und Umsetzer in Person der Lehrbuchautoren. Ohne sie muß der „Nutzen der Soziolinguistik" tatsächlich bezweifelt werden (vgl. Jäger 1977).

„Gibt es die Sprachbarriere noch?" heißt einer der jüngsten Beiträge zum Thema (Ermert 1979). Fest steht, daß die sprachlichen Verhältnisse sich nicht geändert haben, wohl aber die Kenntnis über sie und über mögliche Konsequenzen bei Lehrern, Schulbehörden, Lehrplan- und Lehrbuchmachern. Einig ist man sich, daß die Sprachbarriere ein gesellschaftliches bzw. ein Lehrerproblem ist und daher immer wieder von neuem aufbrechen wird, aber immer nur personell gelöst werden kann (Klann 1979, 45). Ohne die im politischen Reformwind mächtig aufgeblähte Sprachbarrieren-Mode hätte allerdings die Soziolinguistik nicht den theoretischen und empirischen Stand erreicht, der sie heute leicht als linguistische Zentralwissenschaft erscheinen läßt. Die Theoriediskussion, wie sie durch die 1982 neu erschienenen Sammlungen (Steger 1982 u. 1982a) und in anderen Darstellungen zum Ausdruck kommt (Hartig 1980), ist über den Umweg der Soziologie, Sozialpsychologie, der Pragmatik und Textlinguistik, Sprachdidaktik und Bildungspolitik und statistischer Verfahren schließlich zur Sprache selbst und ihren Funktionen, ihren linguistisch beschreibbaren Manifestationen als Varietäten gelangt.

7. Eine ‚Sozio-Grammatik' des Deutschen

Aus den bisherigen Versuchen, die Varietäten des Deutschen zu beschreiben, sind schon eine Reihe sprachlicher Besonderheiten und ‚Subsysteme' zutage getreten, die ausgesprochen soziolektal markiert sind. Mit den Sozio-Dialekten konnten ganze Subsysteme des Deutschen grammatikalisiert werden. So stellt sich die Frage, ob es nicht angebracht wäre, neben einer deutschen Standardgrammatik, die traditionell literatursprachlich ausgerichtet ist, und neben einer noch zu schreibenden Standardgrammatik der gesprochenen Sprache eine ‚Sozio-Grammatik' zu entwerfen. Sie müßte alle jene Systeme, Subsysteme oder auch nur Einzelmerkmale enthalten, welche die sprecherbezogenen, gruppenhaften oder interaktionsspezifischen Varietäten kennzeichnen. Eine Sammlung aller von der empirischen Soziolekt- und Sprachbarrierenforschung und der Sozio-Dialektologie zusammengetragenen Varianten ergäbe bereits das Konzept.

Eine solche Grammatik würde sich von einer herkömmlichen stilistischen Grammatik unterscheiden, insofern sie einmal die Ebene des Geschriebenen und der Literatur verläßt und auch alles Gesprochene mit berücksichtigt. Zum andern müßte sie nicht nur soziolektal markierte Wörter enthalten, die bisher schon in den Wörterbüchern mit ‚vulgär', ‚gehoben', ‚salopp' gekennzeichnet sind, sondern auf allen Ebenen der Sprachbeschreibung reguläre Varianten notieren mit sozialer, gruppaler oder interaktionaler Markierung. Eine solche Inventarisierung müßte auch ‚regio-lektale' Besonderheiten aufführen, die einer Gesamtgrammatik aller deutschen Dialekte gleichkäme. Eine weniger vollständige Fassung der Sozio-Grammatik würde nur jene Abweichungen von der Standardnorm enthalten, die auf den ersten Blick nicht einem bestimmten Dialekt, sondern einer Gruppe oder einem Funktionsbereich zuzuordnen sind.

(1) ‚Sozio-Phonetik'

In einer ‚Sozio-Phonetik' wären allophonische Varianten mit ihren soziolektalen Etikettierungen und landschaftlich unterschiedlichen Konnotationen und Einschätzungen zwischen ‚hochsprachlich-fein', ‚umgangssprachlich-salopp' und ‚grob-ungepflegt' oder ‚abstoßend' systematisch zu katalogisieren. Insbesondere die soziolektal-ästimativ belasteten phonetischen Merkmale in den verschiedenen Sprachlandschaften hätten für Deutschsprachige wie Ausländer einen hohen Kenntniswert. Eine solche Inventarisierung der sozio-stigmatisierten Artikulationen des Deutschen oder auch nur der ‚niederen‘ Intonationen ist partiell versucht worden (Haas 1973; Schnorrenberg 1974). Die negativen Markierungen dürften regional unterschiedlich ausfallen, je nachdem ob ein Dialekt oder sein Lautsubstrat beliebt sind oder nicht. Man erhielte so z. B. bayerisch-hochdeutsche Merkmale, hamburgisch-hochdeutsche Merkmale oder schweizerhochdeutsche Besonderheiten. Es käme auch heraus, daß es generelle sozial stigmatisierte Artikulationen gibt, die überall dieselbe Zuweisung oder Abneigung hervorrufen (wie z. B. dickes Zungen-*r*; sächsisch ungerundete Vokale; gutturale *ch*-Aussprache; verlares *ch* in *ich* und *-Ich* etc.). Über eine solche ‚Lautästhetik‘ mit sozialer Zuweisungsfunktion ist allerdings noch nicht viel bekannt.

(2) ‚Sozio-Syntax‘

Eine ‚Sozio-Syntax‘ könnte von den sprachlichen Variablen der Sprachbarrierenforschung ausgehen, die vorwiegend syntaktische Phänomene heranzog, um restringierte von elaborierten Varianten zu unterscheiden und dabei auf schichtenspezifische Syntaxregeln stieß, die große Übereinstimmung mit den Regeln der gesprochenen Sprache und den Syntaxregeln der Dialekte zeigten. Hier wären insbesondere die zahlreichen Einzeluntersuchungen zur gesprochenen Sprache der Gegenwart auf Standard-Basis der „Forschungsstelle Gesprochene Sprache“ in Freiburg i. Br. (Reihe „Heutiges Deutsch“, München, z. B. Schoenthal 1976) und auf Dialektbasis der Tübinger Arbeitsstelle (Reihe Idiomatica Tübingen, z. B. Eisenmann 1973; Graf 1977; Gersbach 1982; vgl. auch Weiss 1975; Wessely 1981 u. a.) mit zu berücksichtigen, wo immer wieder dialektale und soziolektale, aber auch situative und redekonstellative Merkmale herausgearbeitet wurden.

Erst die Kodifizierung der Syntaxregeln der gesprochenen Sprache auf Standard- und Dialektebene und deren situationelle Varianten insbesondere in Gesprächen läßt die Entscheidung zu, ob man von einer ‚Sozio-Syntax‘ als einem gruppenhaft-soziolektalen Regelinventar sprechen kann, oder ob die Syntaxvarianten eher situationell geprägt sind und für alle Sprechergruppen gelten.

(3) ‚Sozio-Lexik‘

Die ‚Sozio-Lexik‘ oder ‚Sozio-Semantik‘ hat unter der Bezeichnung ‚Wortsoziologie‘ bereits eine Tradition. Sie ist aus der herkömmlichen Wortgeographie bereits vor der soziolinguistischen Epoche entstanden (vgl. E. Hofmann 1963; und Arbeiten in der Reihe „Wortforschung in europäischen Bezügen" z. B. Debus 1958 über die Bezeichnungen für Heiratsverwandtschaft; vgl. auch ‚Wortgeographie und Gesellschaft' Mitzka 1968, darin: Hünert-Hofmann 1968).

Im Gegensatz zur Syntax sind Wortbestand und Wortwahl in hohem Maße gruppenspezifisch und interaktionstypabhängig (vgl. Neuland 1975, 119 ff. und oben 5.5.). Die größeren Wörterbücher haben bisher schon stilistische Markierungen (gehoben, salopp, vulgär, archaisch, fachsprachlich, vgl. Klappenbach/Steinitz 1964, 012/013) vorgenommen, und Wortschatzvarianten situationell oder soziolektal zugeordnet. Der Bestand an normalen und unmarkierten Wörtern würde noch weiter eingeengt, wenn das regionale, funktionale und soziolektale Vorkommen genauer bekannt wäre. Es würde schon genügen, wenn bei einem Wort, einer Bedeutung oder einem Verwendungsbeispiel die ‚Quelle' notiert wäre (z. B. Sportjournalismus 1980; Der Spiegel 1979; Schüler-Jargon in . . . 1980 etc.). Solche sozialen, funktionalen und situativen Markierungen mit Orts- und Zeitangabe könnten wiederum das Rohmaterial für ein Gesamtwörterbuch aller deutschen Varietäten darstellen. (Vgl. die Diskussion um ein interdisziplinäres deutsches Wörterbuch: Henne 1978.) Die aktuellen soziolexikalischen Differenzierungen sind in einer dauernden gegenseitigen Absetzbewegung begriffen. Der höhere Sprachgebrauch sucht den ihm nachfolgenden niederen Jargon immer auf Distanz zu halten, indem er neue Wörter und Wendungen sucht.

Wenn der tiefere Jargon die preziösen Formulierungen und Terminologismen oder Fremdwörter übernimmt, kehrt der obere zu den einfachen Formen zurück. Dieser Prozeß läßt sich auch für andere lebende Sprachen beobachten. Sozio-Lexik wäre die entsprechende Disziplin, deren Ergebnisse von Zeit zu Zeit in die neuen Standard-Wörterbücher als ‚Stilvarianten' eingehen könnten. Neuerdings wurden empirische Untersuchungen zur ‚Soziosemantik' oder sozialen ‚Stilempfindlichkeit' bei ausgewählten Sprechergruppen in Graz angestellt (Sornig 1981). Entsprechende Parallelunternehmungen wären für andere Gegenden wünschenswert.

(4) ‚Sozio-Phraseologie'

Eine ‚Sozio-Phraseologie' würde sich der gruppengebundenen, altersspezifischen, geschlechtsspezifischen oder regionalen Redewendungen annehmen. Da es schon schwierig ist, die gemeinsprachlich-unmarkierten Phraseologien zu inventarisieren, stellen sich für gruppenspezifische Redensarten noch besondere Quellenprobleme. Neben der teilnehmenden Beobachtung sind provozierte Versuchsanordnungen sehr schwierig, aber möglich. Buhofer 1980 hat das Erlernen, den Gebrauch und das Verstehen von Phraseologismen bei sechsjährigen Schweizer Kindern untersucht. Sowohl Methoden als auch Ergebnisse zeigen deutlich die soziale und pragmatische Einbettung des Gebrauchs und der Erlernung fester Wortverbindungen (Phraseologismen). (Vgl. auch Burger 1979 und 1980 u. Burger u. a. 1982, bes. S. 105 ff., 224 ff. [A. Buhofer].)

(5) ‚Sozio-Onomastik‘

Sozio-Onomastik ist zwar ebenfalls ein junger Bereich der Namenforschung, doch hat sich diese Abteilung bereits etabliert. Erforscht werden die soziale Zuordnungsfunktion bestimmter Personennamen oder die gruppenspezifischen Motive der Namengebung. Selbst die Institution der Personennamengebung in ihrem privaten-arbitären und dem öffentlich-administrativen Teil ist eine höchst bedeutende Kontaktzone zwischen ‚Sprache und Gesellschaft‘. Sozio-Onomastik im engeren Sinn befaßt sich mit der sozialen Markiertheit von Personennamen. Bereits für die althochdeutsche Zeit konnte eine soziale Zuweisung der Personennamen vorgenommen werden (Löffler 1977 [1969]).

Auch heute ist es in vielen Sprachlandschaften möglich, Vor- und Zunamen bestimmten sozialen Schichten oder Sippen zuzuordnen. Die Fähigkeit der Zuordnung kann regional verschieden sein und ihrerseits zum Gegenstand sozio-onomastischer Recherchen werden. Entsprechende Tests wurden schon mehrfach durchgeführt und ergaben verblüffende Übereinstimmungen der Versuchspersonen in der sozialen und regionalen Einordnung von Familiennamen (Eis 1959a; Krien 1966; Ris 1977).

Bedeutende Erkenntnisse erbrachte auch die jüngere Forschung zu den Motiven der Personennamengebung und den regionalen Moden und Bräuchen (Debus 1968, 1974; Koß 1972a; R. Frank 1977; Shin 1980).

Es gibt nicht nur zeitliche Schwankungen in der Mode der Vornamengebung, sondern auch erhebliche Unterschiede zwischen den Landschaften und Staaten. Die soziale Markiertheit ist fast überall erkennbar. Häufig gebrauchte (Mode)namen signalisieren einen sozial niederen Status, selten gebrauchte den höheren. Dabei sind Exotik und Exklusivität des Namens keine sicheren Hinweise auf soziale Exklusivität. Die Beobachtungen hierzu sind schon recht alt. Zur sozialen Differenzierungsfunktion der Namen bei v. d. Gabelentz 1891, 250: „Seit die Bauern ihre Kinder auf die Namen

Arno, Alma, Ida taufen, sind die Hänse, Greten und Ilsen hoffähig geworden."

Selbst der Tiernamengebung, etwa bei Rennpferden und Zuchtdackeln (Dobnig-Jülch 1977) wurde schon soziolinguistisches Interesse entgegengebracht. Neben bestimmten Traditionen, z. B. der pseudo-aristokratischen Namen bei Dackeln oder preziösen Namen für Blumenzüchtungen oder andern Warenkreationen (Koß 1981) sollen die Namen im Konnotationsbereich an heimliche oder reale Wünsche erinnern, wobei die aristokratischen Namen besonders bei Kleinbürgern vorkommen. Ähnliches gilt für Autotypen-Bezeichnungen (vgl. Hakkarainen 1977, 421 über ‚Opel-Manta' in Finnland); zu „soziolinguistisch-pragmatischen Aspekten der Namengebung" allgemein: Walther 1972; Name und Prestige: Koß 1975/77.)

8. Sprachgeschichte als historische Soziolinguistik

Eine letzte Wirkung der Soziolinguistik auf die Sprachgermanistik betrifft die Neukonzeption einer Sprachgeschichte. Sprachgeschichte befaßt sich mit dem Wandel der Sprache in der Zeit, setzt also Vielfalt und Wandelbarkeit der Sprache voraus. Die Nähe zu soziolinguistischen Themen ist damit gegeben. Man mag sich fragen, ob es deswegen zu einer soziolinguistischen Phase in der germanistischen Linguistik gekommen ist, weil die Sprachwissenschaft als synchrone Linguistik ahistorisch geworden war. Der Blick auf Phänomene des Sprachwandels, der Wandlungsfähigkeit der Sprache überhaupt und die Frage nach den Ursachen war damit verstellt gewesen. In den herkömmlichen Sprachgeschichten kann man jedenfalls mehr Soziolinguistisches lesen, als man gemeinhin vermutet, wenn auch jeweils im Gewand des zeitgenössischen Vokabulars. Spätestens seit H. Pauls „Prinzipien" (Paul 1880 [1975]) wird Sprachgeschichte als Universallinguistik verstanden, die sich mit Sprachwandel, Sprachpsychologie, sozioligischen und pragmatischen Faktoren ebenso befaßt wie mit den grammatischen Veränderungen — und dies für vergangene Zeiten wie für die Gegenwart. Der Satz: „Es ist eingewendet worden, daß es noch eine andere wissenschaftliche Betrachtung der Sprache gäbe als die geschichtliche. Ich muß das in Abrede stellen." (Paul 1880 [1975], 20) versucht, diese Dynamik, die der Sprache ihre Pluralität und Wandelbarkeit verschafft, mit der Bezeichnung ‚historisch' zu fassen.

Sprachgeschichte vermittelt den Erklärungsrahmen der sprachlichen Wandelbarkeit im Laufe der Zeit. Sie ist somit diachronische Varietätenlinguistik und setzt die Historische Grammatik als Inventarisierung der Sprachdaten voraus, die sie durch Aufdecken der bestimmenden Kräfte des Sprachwandels in einen Erklärungszusammenhang stellt.

Schon ein oberflächlicher Blick auf Anlage, Inhalt und programmatische Erklärungen der ‚Sprachgeschichten' des Deutschen zeigt, daß Sprachgeschichte implizit als historische Soziolinguistik aufgefaßt wurde. Bei A. Bach (1971 [1938], § 1) heißt es: „Die Geschichte der deutschen Sprache ist die Zusammenfassung der Ergebnisse der verschiedenen unter geschichtlichen Gesichtspunkten bearbeiteten Einzelfelder der Wissenschaft von der deutschen Sprache und der Versuch einer Deutung der Gesamtentwicklung nach den in ihr wirksamen Kräften." H. Moser formuliert den Beginn der

„Annalen der deutschen Sprache" (Moser 1961, 1): „Die Kräfte, die dem unaufhörlichen Fluß des sprachlichen Werdens Richtung und Farbe verleihen, sind vielfältiger und sehr verschiedener Art und verbinden sich miteinander, so daß sprachliche Befunde häufig polygenetisch erklärt werden müssen ... Es sind einmal geistige Kräfte, welche die Entwicklung der Sprache bestimmen. Das Weltbild jedes Zeitalters, wie es durch Religion, Wissenschaft und Kunst geprägt ist, drückt sich in ihnen aus. ... Die Entfaltung der Zivilisation, der äußerlich-materiellen Lebensumstände, bestimmt das sich wandelnde Gesicht der Sprache nicht weniger als die politische Geschichte und die Entwicklung des Nationalgefühls, als die Wandlungen der Wirtschaftsformen und des Gesellschaftsgefüges."

Die Themenkataloge der Sprachgeschichten enthalten denn auch eine Fülle von Gesichtspunkten, denen aus heutiger Sicht zwar die soziolinguistische Systematik fehlt, die aber vieles davon ausdrücklich behandeln. So gibt es bei Bach (1971) Themen wie Sprachraum, sprachliche Neuerungen, das Wort „deutsch", Beispiele für Eindeutschungen, Lehnübernahmen, Eigenart der geschriebenen Sprache, das Ringen um eine deutsche Rechtschreibung — Austausch zwischen den sozialen Schichten. Gemeinsprache in althochdeutscher Zeit? Karolingische Hofsprache? Kunstsprache, Sondersprachen, Widerstand gegen die sprachliche Überfremdung (vgl. das Inhaltsverzeichnis von Bach 1971).

8.1. Die Geschichte des Althochdeutschen

Die althochdeutsche Epoche der deutschen Sprachgeschichte läßt sich vorzüglich als historische Soziolinguistik darstellen. Ein Blick auf das Kapitel: „Sondersprachen im Althochdeutschen" in Bachs Sprachgeschichte (Bach 1971, § 86) soll dies verdeutlichen. An ‚Sondersprachen' werden genannt, ohne daß der Begriff definiert wird:

1. Die Kirchensprache, verwendet von „kirchlichen Kreisen", mit dem besonderen Kennzeichen, daß der Wortschatz zu einem erheblichen Teil aus dem Lateinischen entlehnt oder übersetzt sei, die allerdings nie so recht bis zu den sogenannten Volksmundarten durchgedrungen sei. Als Beispiele für lateinische Lehnübersetzungen werden genannt: *barmherzig* aus *misericors*, *Gewissen* für *conscientia*, *Wohltat* für *beneficium*, *Einsiedel* für *monachus*.

2. Die Wissenschaftssprache wurde vor allem in den Klöstern entwickelt, ebenfalls auf dem Hintergrund des lateinischen Vorbildes. Bereits um 800 wurde die wissenschaftliche Abhandlung des altchristlichen Kirchenlehrers Isidor gegen die unchristliche Heidenphilosophie ins Deutsche übersetzt.

Um das Jahr 1000 hat Notker von St. Gallen eine Reihe spätantiker Werke ins Althochdeutsche übertragen und kommentiert. Althochdeutsche Wissenschaftssprache war Aneignungssprache fremden Kulturgutes, des Christentums und der Antike.

3. Von der Rechtssprache sind nur einzelne feste Begriffe in die im übrigen lateinisch aufgezeichneten Leges (Lex Alamannorum, Lex Salica etc.) eingeflossen. So sind nur einzelne Rechtswörter aus alter Zeit überliefert wie *pfaat* für *Abkommen* oder *urteilen* für *rechtsprechen-iudicare*.

In dem darauffolgenden Paragraphen (Bach 1971, § 87) werden sprachbestimmende Persönlichkeiten behandelt, allen voran Karl d. Große, der nach Einharts Vita kraft politischer Gewalt die Namen der Monate und Winde (Richtungs- und Orientierungsmarken) amtlich festgesetzt hat. Er habe auch alte deutsche Lieder sammeln lassen, eine Grammatik der heimischen Mundart in Auftrag gegeben und einen Erlaß an Prediger und Missionare ausgegeben, man möge doch den Leuten den Glauben in ihrer eigenen Sprache verkünden, damit sie ihn auch verstehen könnten.

Andere sprachmächtige Persönlichkeiten waren der Weißenburger Mönch Otfrid und der schon genannte Notker von St. Gallen. Sie waren die ersten, die aus späterer Sicht aus der Bauernsprache (lingua agrestis; vgl. den lateinischen Brief Otfrids v. Weißenburg an Bischof Liutbert von Mainz von 865 [Otfrid 1973 (865), 6]) eine Kultursprache gemacht haben.

Einen bewußten soziologischen Ansatz der Sprachgeschichtsbetrachtung (derselben Epoche) hat H. Eggers (1963). Auch hier wird der Gang der Sprache als lineare Abfolge sprachlicher Veränderungen in der Zeit angesehen, wobei am Rande der Entwicklung jeweils die richtungsbestimmenden Faktoren aufgereiht sind: die eigene Herkunft, die Nachbarn, die römische Kultur, die christliche Kultur, die Missionare, die Klosterschule mit ihren geistigen Bildungszentren, die Übersetzung aus fremden Literaturen.

Das Kapitel 12 „Das Althochdeutsche in soziologischer Sicht" (Eggers 1963, I, 219 ff.) unterscheidet folgende „Schichtungen":

1. Die althochdeutsche Dichtersprache
2. Die althochdeutsche Volkssprache
3. Die mönchische Umgangssprache
4. Die Sprache der Kirche und ihrer Glieder
5. Die Sprache der Mission und der Seelsorge
6. Die kirchliche Amtssprache
7. Die Sprache der Gelehrten.

Die althochdeutsche Volkssprache (2) und die mönchische Umgangssprache (3) werden von Eggers auf Grund indirekter Andeutungen postuliert. Bei genauerem Hinsehen ist jedoch sehr wohl ein Stück althochdeutscher Alltagssprache überliefert. In den unscheinbar benannten „Pariser Glossen" und „Kasseler Glossen" liegt nichts anderes vor als eine Art sprachlicher Reiseführer der damaligen Zeit für frankophone ‚Touristen' aus dem Westen des Reiches, die in den deutschen Ostteil reisen wollten. Im Stile eines modernen Sprachführers werden die alltäglichen Verwendungssituationen sprachlich kontrastiert: Essen, Trinken, Übernachten, einfache Konversation, Schimpfen und Fluchen. *Skir min fahs, skir minan hals, skir minan bart* (= bitte Haare schneiden; Hals rasieren; Bart schneiden) *Uuana pist du?* (= woher kommst du?) *fona welicheru lanskeffi sindos?* (= aus welcher Gegend kommt ihr?) *erro, ian sclaphan* (= Herr, ich gehe schlafen), *cit est* (= es ist Zeit). *Gimer min ros, gimer min schelt, gimer min suarda, gimer min stap, gimer matzer, gimer cherize* (= gib mir mein Pferd, den Schild, das Schwert, den Stab, das Messer, eine Kerze—alles notwendige Utensilien für eine Reise). *Coorestu narre* (= hörst du, du Narr!). Mit dem Spruch *hundes ars in thine naso* haben wir sogar eine frühe Variante des nachmaligen so berühmten Götz-Zitates (Braune 1979, Nr. V, S. 8 ff.).

8.2. Die Entstehung der deutschen Schriftsprache

Seit dem 13. Jahrhundert gibt es die ersten deutschsprachigen Urkunden und amtlichen Schriften. Das Eindringen des Deutschen in die Domäne der lateinischen Sprache war also auch eine Folge der sozialen, gesellschaftlichen, kulturellen und wirtschaftlichen Veränderungen, die mit dem Aufkommen der Städte einhergingen. Zu einer deutschen Einheitssprache im Schrift- und Literaturbereich ist es im 13. Jahrhundert jedoch nicht gekommen. Allerdings sind bereits erste Anfänge zu erkennen.

Die Literatursprache des 13. Jhs. war eine Kompromißform auf dem Substrat einer jeweiligen Regionalsprache, deren kleinräumliche Merkmale im lautlichen und lexikalischen Bereich vermieden wurden, damit sie in anderen Gegenden ohne große Übersetzungsarbeit verstanden werden konnten. Die Merkmale der Einheitssprache waren also Abwahl oder Verzicht auf allzu regionale Formen.

Der Beginn des „Neuhochdeutschen" ist eher zufällig von einer Lautentwicklung û zu au, î zu ei und iu zu eu gekennzeichnet. Die Ursachen der Herausbildung einer einheitlichen Literatursprache waren politisch-soziologischer Natur. Die politische Lage des deutschen Reiches kann dabei kaum Anstoß gewesen sein. Das Reich erstreckte sich weit über das deutsche Sprachgebiet hinaus. Eine Reichssprache auf der Grundlage des Deutschen war angesichts der schwachen Zentralgewalt des Kaisers unwahrscheinlich. Die Schweiz hatte sich bereits 1295 vom Reich abgetrennt. Die Städte verselbständigten sich zu eigenen mächtigen Gebilden.

Es kann also nicht die große Politik gewesen sein, welche die deutsche Einheitssprache bewirkt hat, wenngleich der Einfluß der kaiserlich-böhmischen Kanzlei im 15. Jh. nicht unterschätzt werden darf. Es waren wohl technische Neuerungen, die eine größere Verbreitung geschriebener Literatur und damit eine einheitlichere Form der Schreibsprache erforderlich machten. G. Eis dachte hierbei an die Erfindung des ‚Lesesteins' (Lupe), die es auch älteren Leuten ermöglichte, sich an der immer mehr in Mode gekommenen Privatlektüre zu beteiligen (Eis 1959). In Wirklichkeit dürfte es wohl die Erfindung des Buchdruckes gewesen sein und die Möglichkeit der Mehrfachverwendung der Drucklettern, die eine Normierung der Drucksprachen nötig machte. Drucke konnten in hoher Auflage hergestellt werden und hatten ein großes Verbreitungsgebiet. Beim Buchdruck steht also die Wiege der deutschen Einheitssprache, die, wie P. v. Polenz (1978, 86) betont, von Anfang an eine Schriftsprache war, weil nur geschriebene Sprache sich derart ausbreiten und Grundlage tausendfacher Lektüre, aber auch für das Erlernen von Schreiben und Lesen überhaupt werden konnte. Bereits zu Beginn des 16. Jahrhunderts entstanden zahllose Flugblätter als Vorläufer der heutigen Zeitungen, auch Lesefibeln für Erwachsene, wie etwa die *teutsch grammatica* von Valentin Ickelsamer von 1537 (Neudruck 1971). Nach den Druckersprachen konnte sich allmählich eine einheitliche Grammatik bilden, die überprüfbar, lern- und lehrbar war.

Die Grammatiker haben das Deutsche künstlich entwickelt und am Latein ausgerichtet. Die Eindeutschung des Lateins hat zu einer Art deutscher Übersetzungssprache als Lateinersatz geführt, um deren rechte und gute Norm man inskünftig bemüht war. Von jetzt an gab es deutsche (Norm)-Grammatiken. Luther und die Reformation waren weitere sprachbestimmende Faktoren in der Herausbildung und Verbreitung der neuen Schriftsprache. Luther hat aber weder die ‚neuhochdeutsche' Sprache erfunden, noch ist seine Sprache der Bibel heute noch gültig. Luthers Bibelübersetzung und die in der Folge ausbrechende Flut religiöser und politischer Kampfschriften, Flugblätter und Erbauungsliteratur mußten sich einer Sprache bedienen, die möglichst vielen verständlich war. Es gab zwar immer noch die regionalen Druckersprachen, und der Lutherbibel mußte für süddeutschen Gebrauch ein Wörterbuch beigegeben werden (das sogenannte „Petri-Glossar", vgl. E. Müller 1979).

Luthers Leistung in bezug auf die Einheitssprache war nicht die Erfindung einer neuen Schriftsprache, sondern deren Verwendung auf einer Ebene und in einer Textsorte, die damals größte Verbreitung genoß. Hinzu kam sein Sprach-Genie, welches ihm ermöglichte, in der Wortwahl bei konkurrierenden Möglichkeiten jeweils diejenige Form zu wählen, die einen größtmöglichen Verständigungsradius garantierte (Eggers 1963/1977, 3, 165).

In der Folgezeit wurde die volksnah konzipierte neue Schriftsprache von Grammatikern, Gelehrten und Sprachgesellschaften normiert und ausgebaut, so daß sie sehr bald keine Volkssprache, sondern eben doch ein ‚anderes Latein‘, die Sprache einer elitären Bildungsschicht wurde. Träger des „Fortschritts in der schriftsprachlichen Entwicklung" (Große 1980, 361) war das Bildungsbürgertum. Der Sprachgebrauch des „Pöbels" blieb lange Zeit außerhalb der Beachtung. Selbst die Tatsache, daß die norddeutschen Dialekte in den Städten früh auch im mündlichen Gebrauch der neuen Schriftsprache weichen mußten, kann nicht darüber hinwegtäuschen, daß die neue Einheitssprache eigentlich nie Volkssprache geworden ist. Die Eroberung immer neuer Domänen durch die künstliche Literatursprache ist wohl erst im 20. Jahrhundert zu einem vorläufigen Abschluß gelangt. Gleichzeitig mit einem Höchstmaß an Verbreitung und Gebrauchsfrequenz der Einheitssprache setzt in der Gegenwart eine Art Diversifikation ein, deren Tendenzen noch nicht klar erkennbar sind. Neue Möglichkeiten der Textherstellung und -verbreitung bewirken Umschichtungen bei der Gruppe der Textproduzenten, überhaupt bei den sogenannten Medien. Durch technische Neuerungen (Teletext, Verkabelung, Heimcomputer) ergeben sich neue Sprachgebrauchsgewohnheiten auch im Alltag. Daneben wird die gesprochene Sprache als autonomer Bereich neu entdeckt und in seiner uneinheitlichen Struktur belassen. Dies ist nur möglich, weil sich der Normierungsprozeß der Einheitsschriftsprache so verfestigt hat, daß Normtoleranz die Errungenschaft einer deutschen Einheitssprache nicht gefährdet. Auch die Wiederentdeckung der Dialekte stellt keine wirkliche Beeinträchtigung des überregionalen Standards dar (Besch 1967, 1968).

8.3. Eine neue Sprachgeschichte als Textsortengeschichte

Eine soziolinguistisch eingefärbte Sprachgeschichte kann nicht mehr von der deutschen Sprache handeln. Sie kann ihre Aussagen pro Epoche immer nur auf die Textsorten beziehen, an denen Beobachtungen gemacht wurden. Ein neues Verhältnis zu den historischen Quellen, auch solchen eher niederer Gattung, bilden hierzu die Datengrundlagen. Erste Versuche, mit soziolinguistischem Raster textsortenspezifische Sprachgeschichte zu betreiben (vgl. Kästner/Schütz 1983 über Reisebeschreibungen und weitere Beiträge zur „Gattungsgeschichtsschreibung" in Textsorten [1983], 293 ff.) deuten an, daß es auch früher Funktionsstile und eine Reihe von Textsorten mit eigenen sprachlichen Merkmalen je nach Status von Text und Benutzern gegeben hat. (Vgl. die Übersicht bei W. König 1981 [1978], 79—84.)

So hängt es von der Textsorte ab, ob im 14. Jahrhundert die Ehefrau als *wirtin*, als *elich wip* oder als *husfrowe* bezeichnet wird (W. König 1981, 112 f.). Die bisherigen Wörterbücher und historischen Grammatiken hatten für derlei Unterschiede kein Auge. Vgl. auch Kunze 1975 über Pfarrer und Leutpriester im 14./15. Jh. So bleibt als Desiderat die Neubearbeitung einer Geschichte der deutschen Sprache, der die Systematik einer soziolinguistisch ausgerichteten Gegenwartslinguistik zugrundeliegt. Wo historische Daten fehlen, müssen Kategorien der Gegenwart Ersatz bieten — und nicht zum ersten Mal würden dadurch auch neue Quellen erschlossen, die man früher gar nicht bemerkt hatte.

Man müßte die bisherigen Quellen nach neuen Gesichtspunkten wie Sprecherintention, Hörererwartung, Gruppenbezogenheit, Themaerfordernis, soziale Erwartungen und Erfüllungen gliedern und neu zu soziolinguistischen Textsorten gruppieren. Dadurch würde nicht nur die bisherige Sicht der Entwicklung der deutschen Sprache modifiziert, es würden ganz neue Erkenntnisse über die historischen Sprachstufen und über bisher unbeachtete Sprachstile zutage treten und den gesamten Bereich, der seit langem als erforscht gilt, zur abermaligen Erkundung freigeben. Die ‚soziolinguistischen' Postulate sind bereits in den bisherigen Sprachgeschichten in Ansätzen vorhanden (vgl. Eggers 1963/1969), sie werden neuerdings auch programmatisch diskutiert (Sitta 1980) und als pragmatische Sprachgeschichtsschreibung (Schlieben-Lange 1983) modellhaft dargestellt.

So wäre es nicht verwunderlich, wenn nach der soziolinguistischen Epoche eine sprachhistorische folgen würde, die eine Neuordnung vieler historischer Texte und deren Neuherausgabe zur Folge hätte. In der besonders heiklen Epoche des Frühneuhochdeutschen werden bereits derartige Grundlagenstudien betrieben (Besch 1980, 591 f.; zum neuesten Forschungsstand vgl. bei Besch u. a. 1984 die Beiträge von P. v. Polenz, H. Eggers, H. Steger, K. Mattheier, D. Cherubin u. a.).

Schlußbemerkung

Unserer Übersicht lag eine extensive Auffassung des Begriffs Soziolinguistik zugrunde. Der Themenkatalog mußte daher recht umfangreich geraten, und vieles blieb dennoch nur angedeutet. Die Beschränkung auf die „Germanistische" Soziolinguistik hat die nicht deutschsprachigen Ansätze in den Hintergrund treten lassen. Da die internationale Soziolinguistik von anderen bereits ausführlich dargestellt worden ist, brauchte hier nur das Nötigste angeführt zu werden. Gewissermaßen zum Ausgleich wurden die bisher weniger beachteten Aktivitäten der Sprachgermanistik in den soziolinguistischen Themenkatalog mit einbezogen (Funktionalstile, Textsorten, Gesprächsanalyse, Sprachgeschichte). Streckenweise mußte die ‚germanistische Soziolinguistik' mit der Darstellung germanistischer Sprachforschung überhaupt zusammenfallen. Soziolinguistik ist nach diesem Konzept keine eigene Disziplin, sondern eher ein epochengebundener Aspekt der Sprachwissenschaft, der künftig, wenn die Mode abgeebbt und die ‚Sozio'-Euphorie einem weniger engagierten Forschungsbetrieb gewichen sein wird, zwar ohne eigenen Namen aber doch als erweiterte und bleibende Sicht in allen Bereichen der theoretischen und praktischen Sprachforschung bestehen bleiben wird.

Das methodische Vorgehen aller empirischen Sprachforschung ist stark geprägt durch die Empirie der Soziolinguistik. Eine differenzierte Textklassifikation und Textwissenschaft überhaupt ist ohne soziolinguistische Komponenten nicht mehr denkbar. Begriffe wie Norm und Abweichung, Standard und Varietät, Variabilität und Sprachwandel sind als soziolinguistische Themen zum festen Bestandteil der Sprachgermanistik geworden. Eine neue Gesamtgrammatik des Deutschen, wenn sie je geschrieben wird, und eine neue Sprachgeschichte werden soziolektale Varietäten auf allen Ebenen und textsortenspezifische Differenzierungen berücksichtigen müssen.

Nicht zuletzt hat die Soziolinguistik mit ihrem korrelativen Verfahren der Inbeziehungsetzung von sprachlichen und sozialen Merkmalen als Kausalbeziehung wieder das komplementäre Bedürfnis der Sprachwissenschaft nach einer umfassenden Sinndeutung und Interpretation des Sprachverhaltens provoziert. Die ‚Warum-Frage' als die interessanteste aller linguistischen Fragen erhält damit Antworten, die mit unserer intuitiven Auffassung von der Sprachwirklichkeit am ehesten übereinstimmen.

So hat das soziale Engagement der Soziolinguisten und ihr kompensatorisches Eiferertum über eine Neukonzeption der linguistischen Empirie und Theorie zu einer neuen hermeneutischen Sinnerklärung der deutschen Sprache und der Sprachwirklichkeit des Deutschen geführt. Davon werden sowohl die praktisch-deskriptivistische Sprachforschung als auch die Theorien über die Sprache, ihre Veränderlichkeit und ihren vielfältigen Gebrauch über die nahe Zukunft hinaus noch längeren Nutzen ziehen.

Literaturverzeichnis

Adelung 1782: Johann Christoph Adelung, Umständliches Lehrgebäude der Deutschen Sprache zur Erläuterung der Deutschen Sprachlehre für die Schulen. 2 Bde., Leipzig 1782.

Althaus 1965/1968: Hans-Peter Althaus, Die Jiddische Sprache. Eine Einführung. In: Germania Judaica NF 14 (Jg. 4) 1965; NF 23 (Jg. 7) 1968.

Althaus 1968: Hans-Peter Althaus, Die Erforschung der jiddischen Sprache. In: Germanische Dialektologie. Zeitschr. f. Mundartforschung, Beihefte NF 5, 1968, S. 224—263.

Ammon 1972: Ulrich Ammon, Dialekt als sprachliche Barriere. In: Muttersprache 82, 1972, S. 224—237.

Ammon 1972a: Ulrich Ammon, Dialekt, soziale Ungleichheit und Schule. Weinheim 1972.

Ammon 1973: Ulrich Ammon, Probleme der Soziolinguistik. (Germanist. Arbeitshefte 15) Tübingen 1973. 2. Aufl. 1977.

Ammon 1973a: Ulrich Ammon, Dialekt und Einheitssprache in ihrer sozialen Verflechtung. Eine empirische Untersuchung zu einem vernachlässigten Aspekt von Sprache und sozialer Ungleichheit. Weinheim 1973.

Ammon 1977: Ulrich Ammon, Empirische Untersuchungen zu den Schulschwierigkeiten von Dialektsprechern. In: Bielefeld 1977, S. 165—184.

Ammon 1978: Ulrich Ammon, Schulschwierigkeiten von Dialektsprechern. Empirische Untersuchung sprachabhängiger Schulleistungen und des Schüler- und Lehrerbewußtseins mit sprachdidaktischen Hinweisen. Weinheim, Basel 1978.

Ammon 1978a: Ulrich Ammon, Begriffsbestimmung und soziale Verteilung des Dialekts. In: Ammon u. a. 1978, S. 49—71.

Ammon/Loewer 1977: Ulrich Ammon, Ulrich Loewer, Schwäbisch (Dialekt/Hochsprache-kontrastiv. Sprachhefte für den Deutschunterricht 4). Düsseldorf 1977.

Ammon/Simon 1974: Ulrich Ammon, Gerd Simon, Zur sozialen Verteilung von Dialekten und Einheitssprache. In: W. Müller-Seidel (Hrsg.), Historizität in Sprach- und Literaturwissenschaft. München 1974, S. 337—345.

Ammon u. a. 1978: Ulrich Ammon, Ulrich Knoop, Ingulf Radtke (Hrsg.), Grundlagen einer dialektorientierten Sprachdidaktik. Weinheim, Basel 1978.

Amstad 1978: Toni Amstad, Wie verständlich sind unsere Zeitungen? Diss. Zürich 1978.

Anderegg u. a. 1982: Brigitte Anderegg u. a., Deutsch für Anfänger und Fortgeschrittene. 3. Aufl., Zürich 1982.

Andresen u. a. 1978/1979: Helga Andresen u. a. (Hrsg.), Sprache und Geschlecht. Bd. 1 (= Osnabrücker Beiträge zur Sprachtheorie 8, 1978), Bd. 2 (= Osnabrücker Beiträge zur Sprachtheorie 9, 1979), Bd. 3 (= Osnabrücker Beiträge zur Sprachtheorie, Beiheft 3, 1979).

Arbeitsgemeinschaft Die Zentralschaffe 1960: Arbeitsgemeinschaft Die Zentralschaffe (Hrsg.), Steiler Zahn und Zickendraht. Das Wörterbuch der Teenager und Twensprache. Schmiden b. Stuttgart 1960.

Arbeitsgruppe Bielefelder Soziologen 1973: Arbeitsgruppe Bielefelder Soziologen (Hrsg.), Alltagswissen, Interaktion und Gesellschaftliche Wirklichkeit. Bd. 1: Symbolischer Interaktionismus und Ethnomethodologie. Bd. 2: Ethnotheorie und Ethnographie des Sprechens. Reinbek 1973.

Arens 1974: Hans Arens, Sprachwissenschaft. Der Gang ihrer Entwicklung von der Antike bis zur Gegenwart. 2 Bde., 2. Aufl., Frankfurt 1974.

Arntzen/Nolting 1972: Helmut Arntzen, Winfried Nolting (Hrsg.), ‚Der Spiegel‘ 28 (1972). Analyse Interpretation, Kritik. München 1977.

Asmuth/Berg-Ehlers 1974: Bernhard Asmuth, Luise Berg-Ehlers, Stilistik. Düsseldorf 1974.

Auburger 1981: Leopold Auburger, Funktionale Sprachvarianten. Metalinguistische Untersuchungen zu einer allgemeinen Theorie. Zeitschrift für Dialektologie und Linguistik, Beihefte NF 38, Wiesbaden 1981.

Auburger u. a. 1977: Leopold Auburger, Heinz Kloss, Heinz Rupp (Hrsg.), Deutsch als Muttersprache in Kanada. Berichte zur Gegenwartslage (Deutsche Sprache in Europa und Übersee. Berichte und Forschungen 1), Wiesbaden 1977.

Auburger u. a. 1979: Leopold Auburger, Heinz Kloss, Heinz Rupp (Hrsg.), Deutsch als Muttersprache in den Vereinigten Staaten. Teil 1: Der Mittelwesten (Deutsche Sprache in Europa und Übersee 4), Wiesbaden 1979.

Austin 1962 (1972): John Austin, Zur Theorie der Sprechakte. How to do things with words. Stuttgart 1972 (Orig. engl. 1962).

Axelson 1945: Bertil Axelson, Unpoetische Wörter. Ein Beitrag zur Kenntnis der lateinischen Dichtersprache. Lund 1945.

Bach 1950: Adolf Bach, Deutsche Mundartforschung. Ihre Wege, Ergebnisse und Aufgabe. 2. Aufl. Heidelberg 1950 (1. Aufl. 1934).

Bach 1971: Adolf Bach, Geschichte der deutschen Sprache. 9. Aufl. Heidelberg 1971 (1. Aufl. 1938).

Badura 1971: Bernhard Badura, Sprachbarriere. Zur Soziologie der Kommunikation. Stuttgart 1971.

Baumgärtner 1959: Klaus Baumgärtner, Zur Syntax der Umgangssprache in Leipzig. (Veröff. d. Inst. f. Dtsch. Sprache und Lit. der Dtsch. Akademie d. Wiss. zu Berlin 14) Berlin/DDR 1959.

Baumgärtner 1967: Klaus Baumgärtner, Formale Erklärung poetischer Texte. In: H. Kreuzer/R. Gunzenhäuser (Hrsg.), Mathematik und Dichtung. München 2. Aufl. 1967, S. 67—84.

Baur 1983: Arthur Baur, Was ist eigentlich Schweizerdeutsch? Winterthur 1983.

Bausch 1979: Karl-Heinz Bausch, Modalität und Konjunktivgebrauch in der gesprochenen Standardsprache. Teil 1, München 1979.

Bausch 1980: Karl-Heinz Bausch, Soziolekte. In: Lexikon der Germanist. Linguistik. 2. Aufl. Tübingen 1980, S. 358—363.

Bausch 1982: Karl-Heinz Bausch (Hrsg.), Mehrsprachigkeit in der Stadtregion. (Jahrbuch 1981 des Instituts f. deutsche Sprache = Sprache der Gegenwart 56) Düsseldorf 1982.

Bausch u. a. 1976: Karl-Heinz Bausch, Wolfgang Schewe, Heinz-Rudi Spiegel, Terminologie, Struktur, Normung, hrsg. v. dt. Institut für Normung. Berlin 1976.

Bausinger 1972: Hermann Bausinger, Dialekte, Sprachbarrieren, Sondersprachen. Zur Fernsehsendung „Deutsch für Deutsche". Frankfurt 1972 (2. Aufl. 1978).

Bausinger 1973: Hermann Bausinger (Hrsg.), Dialekt als Sprachbarriere? Ergebnisbericht einer Tagung zur alemannischen Dialektforschung. Tübingen 1973.

Bausinger 1984: Hermann Bausinger, Alltag, Technik, Medien. In: Sprache im technischen Zeitalter 89,1984, 60—70.

Bayer 1982: Klaus Bayer, Jugendsprache und Sprachnorm. Plädoyer für eine linguistisch begründete Sprachkritik. In: Zeitschr. f. Germanist. Linguistik 10.2, 1982, S. 139—155.

Behaghel 1899 (1927): Otto Behaghel, Geschriebenes Deutsch und gesprochenes Deutsch (1899). In: Otto Behaghel, Von deutscher Sprache. Aufsätze, Vorträge und Plaudereien. Lahr 1927, S. 11—34.

Bereiter/Engelmann 1966: Carl Bereiter, Siegfried Engelmann, Teaching Disadvantaged Children in the Preschool. Prentice-Hall, Engelwood Cliffs/New Jersey 1966.

Berendt u. a. 1982: Walther Berendt u. a., Zur Sprache der Spontis. In: Muttersprache 92, 1982, S. 146—162.

Berens 1975: Franz Josef Berens, Analyse des Sprachverhaltens im Redekonstellationstyp ‚Interview'. Eine empirische Untersuchung. München 1975.

Berens 1981: Franz Josef Berens, Dialogeröffnung in Telefongesprächen: Handlungen und Handlungsschemata der Herstellung sozialer und kommunikativer Beziehungen. In: Schröder/Steger 1981, S. 402—417.

Berens u. a. 1976: Franz Josef Berens u. a. (Hrsg.), Projekt Dialogstrukturen. Ein Arbeitsbericht mit einer Einleitung von Hugo Steger. (Heutiges Deutsch Reihe 1 Bd. 12) München 1976.

G. Bergmann 1964: Gunter Bergmann, Mundarten und Mundartforschung. Leipzig 1964.

K. Bergmann 1916: K. Bergmann, Wie der Feldgraue spricht. Scherz und Ernst in der neuesten Soldatensprache. Gießen 1916.

Bernstein 1972: Basil Bernstein, Studien zur sprachlichen Sozialisation. Düsseldorf 1972.

Bernstein 1975: Basil Bernstein (Hrsg.), Sprachliche Kodes und soziale Kontrolle. Düsseldorf 1975.

Bertsch 1938: Albert Bertsch, Wörterbuch der Kunden- und Gaunersprache. Berlin 1938.

Berufsbildungsbericht 1980: Bundesministerium für Bildung und Wissenschaft (Hrsg.), Berufsbildungsbericht 1980. Bonn 1980.

Besch 1967: Werner Besch, Sprachlandschaften und Sprachausgleich im 15. Jahrhundert. Studien zur Erforschung der spätmittelhochdeutschen Schreibdialekte und zur Entstehung der neuhochdeutschen Schriftsprache. München 1967.

Besch 1968: Werner Besch, Zur Entstehung der neuhochdeutschen Schriftsprache. In: Zeitschr. f. deutsche Philologie 87, 1968, S. 405—426.

Besch 1974: Werner Besch, Dialekt als Barriere bei der Erlernung der Standardsprache. In: Sprachwissenschaft und Sprachdidaktik. Jahrbuch d. Instituts f. deutsche Sprache 1974 (Sprache der Gegenwart 36), Düsseldorf 1975, S. 150—165.

Besch 1979: Werner Besch, Schriftsprache und Landschaftssprachen im Deutschen. Zur Geschichte ihres Verhältnisses vom 16. bis 19. Jh. In: Rhein. Vierteljahresbll. 43, 1979, S. 323—343.

Besch 1980: Werner Besch, Frühneuhochdeutsch. In: Lexikon der germanist. Linguistik. 2. Aufl. Tübingen 1980, S. 588—597.

Besch/Löffler 1973: Werner Besch, Heinrich Löffler, Sprachhefte Hochsprache/Mundart — kontrastiv. In: Bausinger 1973, S. 89—110.

Besch/Löffler/Reich 1976 ff.: Werner Besch, Heinrich Löffler, Hans H. Reich (Hrsg.), Dialekt/Hochsprache — kontrastiv. Sprachhefte für den Deutschunterricht. Düsseldorf 1976 ff.

Besch/Löffler 1977: Werner Besch, Heinrich Löffler, Alemannisch. Dialekt/Hochsprache — kontrastiv. Sprachhefte für den Deutschunterricht 3. Düsseldorf 1977.

Besch/Mattheier 1977: Werner Besch, Klaus J. Mattheier, Bericht über das Forschungsprojekt „Sprachvariation und Sprachwandel in gesprochener Sprache". In: Bielefeld u. a. 1977, S. 30—58 (zuerst in: deutsche sprache 2, 1975, S. 173—184).

Besch u. a. 1981/1983: Werner Besch u. a., Sprachverhalten in ländlichen Gemeinden. Bd. 1: Ansätze zur Theorie und Methode. Forschungsbericht Erp-Projekt. Bd. 2: Dialekt und Standardsprache im Sprecherurteil. Berlin 1981 u. 1983.

Besch u. a. 1982: Werner Besch u. a. (Hrsg.), Dialektologie, Ein Handbuch zur deutschen und allgemeinen Dialektforschung. 1. Halbbd. Berlin, New York 1982 2. Halbb. 1983.

Besch u. a. 1984: Werner Besch, Oskar Reichmann, Stefan Sonderegger, Sprachgeschichte. Ein Handbuch zur Geschichte der deutschen Sprache und ihrer Erforschung. 1. Halbband, Berlin, New York 1984.

Bichel 1973: Ulf Bichel, Problem und Begriff der Umgangssprache in der germanistischen Forschung. Tübingen 1973.

Bichel 1980: Ulf Bichel, Umgangssprache. In: Lexikon der germanist. Linguistik 2. Aufl. Tübingen 1980, S. 379—383.

Bielefeld u. a. 1977: Hans-Ulrich Bielefeld u. a. (Hrsg.), Soziolinguistik und Empirie. Beiträge zum Problem der Corpusgewinnung und -auswertung. Wiesbaden 1977.

Bielefeld/Lundt 1977: Hans-Ulrich Bielefeld, André Lundt, Zur Untersuchung von „Arbeitersprache". In: Bielefeld u. a. 1977, S. 97—140.

Biermann/Graschy 1975: Hubert Biermann, Anneliese Graschy, Sprachunterricht mit Ausländern. Bildungsmythos — Sprachzerstörung. Kritik der Alphabetisierung. Reinbek 1975.

Birnbaum 1979: Salomo A. Birnbaum, Grammatik der jiddischen Sprache. Mit einem Wörterbuch und Lesestücken. 3. Aufl. Hamburg 1979.

Bodemann/Ostow 1975: Michael Y. Bodemann, Robin Ostow, Lingua Franca und Pseudo-Pidgin in der Bundesrepublik. Fremdarbeiter und Einheimische im Sprachzusammenhang. In: Literaturwissenschaft und Linguistik 5, 1975, S. 122—146.

Bödiker 1690 (1747): Johan Bödiker, Grundzüge der deutschen Sprache mit dessen eigenen und Johan Leonhard Frischens vollständigen Anmerkungen durch neue Zusätze vermehrt von Johan Jacob Wippel. Berlin 1747, Neudruck Leipzig 1977 (zuerst 1690).

Boesch 1972: Bruno Boesch, Die Sprache des Protestes. In: Sprache — Brücke und Hindernis. Nach einer Sendereihe des Studio Heidelberg des SDR (Süddeutscher Rundfunk). München 1972, S. 262—272.

Boettcher u. a. 1973: Wolfgang Boettcher u. a., Schulaufsätze — Texte für Leser. Düsseldorf 1973.

Bolte 1967: Karl Martin Bolte, Schichtung. In: René König (Hrsg.), Soziologie (Fischer-Lexikon) 1967 (1974), S. 266—277.

Bolte u. a. 1974: Karl Martin Bolte u. a., Soziale Ungleichheit. 3. Aufl. Opladen 1974.

Bornemann 1974: Ernest Bornemann, Sex im Volksmund. Der obszöne Wortschatz der Deutschen. 2 Bde. Reinbek 1974 (zuerst 1971).

Braun 1969: Peter Braun, Sprachbarrieren und muttersprachlicher Unterricht. In: Der Deutschunterricht 21, 1969, S. 7—17.

Braune 1979: Wilhelm Braune, Althochdeutsches Lesebuch (mit Wörterbuch), fortgef. von Karl Helm, bearb. v. Ernst Ebbinghaus, 16. Aufl. Tübingen 1979.

Brockhaus-Enzyklopädie: Brockhaus-Enzyklopädie. 20 Bde., 17. Aufl. Wiesbaden 1966—1974.

Bröder 1976: Friedrich Julius Bröder, Presse und Politik — Demokratie und Gesellschaft im Spiegel politischer Kommentare der „Frankfurter Allgemeinen Zeitung", der „Welt" und der „Süddeutschen Zeitung". Erlangen 1976.

H. Bühler 1972: Hans Bühler, Sprachbarrieren und Schulanfang. Eine pragmalinguistische Untersuchung des Sprechens von Sechs- bis Achtjährigen. Weinheim 1972.

K. Bühler 1934 (1982): Karl Bühler, Sprachtheorie. Die Darstellungsfunktion der Sprache. 3. Aufl. Stuttgart, New York 1982 (UTB).

Budde 1977: Annette Budde, Zur Syntax geschriebener und gesprochener Sprache von Grundschülern. (Linguistische Arbeiten 48), Tübingen 1977.

Bücherl 1982: Reinald J. Bücherl, Regularitäten bei Dialektveränderung und Dialektvariation. Empirisch untersucht am Vokalismus nord-/mittelbairischer Übergangsdialekte. In: Zeitschr. f. Dialektologie und Linguistik 49, 1982, S. 1—27.

Burger 1979: Harald Burger, Phraseologie und gesprochene Sprache. In: Standard und Dialekt. Studien zur gesprochenen und geschriebenen Gegenwartssprache. Festschrift f. Heinz Rupp. Bern, München 1979, S. 89—104.

Burger 1980: Harald Burger, Phraseologie und Spracherwerb. In: Akten des VI. Internationalen Germanisten-Kongresses Basel 1980. Teil 2, hrsg. v. Heinz Rupp und Hans-Gert Roloff. Bern, Frankfurt 1980, S. 337—344.

Burger/Imhasly 1978: Harald Burger, Bernhard Imhasly, Formen sprachlicher Kommunikation. Eine Einführung. München 1978.

Burger u. a. 1982: Harald Burger, Annelies Buhofer, Ambros Sialm, Handbuch der Phraseologie. Berlin, New York 1982.

Carstensen 1971: Broder Carstensen, Spiegel-Wörter, Spiegel-Worte. Zur Sprache eines deutschen Nachrichtenmagazins. München 1971.

Cherubim/Müller 1978: Dieter Cherubim, Karl-Ludwig Müller, Sprechen und Kommunikation bei ausländischen Arbeitern. Ein aktuelles Thema der angewandten Sprachwissenschaft. Kritischer Bericht zum Heidelberger Forschungsprojekt „Pidgin-Deutsch". In: Germanistische Linguistik 2—5, 1978, S. 3—103.

Cherubim/Müller 1978a: Dieter Cherubim, Karl-Ludwig Müller, Diskussion laufender Projekte zur sprachlichen Situation ausländischer Arbeiter und ihrer Kinder in der BRD. In: Deutsch lernen 1978, 4, S. 8—30.

Cicourel 1975: Aaron Cicourel, Sprache in der sozialen Interaktion. (Cognitive sociology, Language and meaning in social interaction 1973.) Aus dem Amerikanischen von Jörg Zeller. München 1975.

Clauss/Ebner 1971: Günter Clauss, Heinz Ebner, Grundlagen der Statistik für Psychologen, Pädagogen und Soziologen. Frankfurt, Zürich 1971.

Czaia 1973: Uwe Czaia, Zur Reichweite und Funktion der Massenmedien in der BRD. In: Prokop 1972/1973, 2, S. 74—94.

Dahrendorf 1965: Ralf Dahrendorf, Gesellschaft und Demokratie in Deutschland. München 1965.

Dahrendorf 1969: Ralf Dahrendorf, Homo Sociologicus. Ein Versuch zur Geschichte, Bedeutung und Kritik der Kategorie der sozialen Rolle. 8. Aufl. Köln, Opladen 1969.

Dankert 1969: Harald Dankert, Sportsprache und Kommunikation. Untersuchungen zur Struktur der Fußballsprache und zum Stil der Sportberichterstattung. Tübingen 1969.

Debus 1958: Friedhelm Debus, Die deutschen Bezeichnungen für Heiratsverwandtschaft. In: Deutsche Wortforschung in europäischen Bezügen, hrsg. v. L. E. Schmitt. Gießen 1958, S. 1—111.

Debus 1963: Friedhelm Debus, Stadtsprachliche Ausstrahlung und Sprachbewegung gegen Ende des 19. Jhs. Dargestellt am mittleren Rhein- und unteren Maingebiet nach Karten des Deutschen Sprachatlas. In: Jahrb. d. Marburger Universtitätsbundes 2, 1963, S. 17—68.

Debus 1968: Friedhelm Debus, Soziologische Namengeographie. In: Mitzka 1968, S. 28—48.

Debus 1974: Friedhelm Debus, Namengebung. Möglichkeit zur Erforschung ihrer Hintergründe. In: Onoma 18, 1974, S. 456—469.

Debus 1978: Friedhelm Debus, Stadt-Land-Beziehung in der Sprachforschung. Theoretische Ansätze und Ergebnisse. In: Zeitschr. f. dt. Philologie 97, 1978, S. 362—393.

Deissler 1974: Hans Herbert Deissler, Verschulter Kindergarten? Wege und Irrwege der heutigen Vorschulpädagogik. 3. Aufl. Freiburg 1974.

van Dijk 1980: Teun A. van Dijk, Textwissenschaft. Eine interdisziplinäre Einführung. München 1980 (Orig. 1978).

Dittmann 1976: Jürgen Dittmann, Sprechhandlungstheorie und Tempusgrammatik. Futurformen und Zukunftsbezug in der gesprochenen deutschen Standardsprache. München 1976.

Dittmar 1973: Norbert Dittmar, Soziolinguistik. Exemplarische und kritische Darstellung der Theorie, Empirie und Anwendung. Mit einer kommentierten Bibliographie. Frankfurt 1973.

Dittmar 1975: Norbert Dittmar, Soziolinguistik. In: Handbuch der Linguistik, hrsg. v. Harro Stammerjohann. München 1975, S. 389—410.

Dittmar/Jäger 1972: Norbert Dittmar, Siegfried Jäger (Hrsg.), Soziolinguistik. Sonderheft d. Zeitschr. f. Literaturwissenschaft und Linguistik 7, 1972.

Dittmar/Klein 1975: Norbert Dittmar, Wolfgang Klein, Untersuchungen zum Pidgin-Deutsch spanischer und italienischer Arbeiter in der Bundesrepublik. In: Jahrb. Deutsch als Fremdsprache 1, 1975, S. 170—194.

Dittmar/Rieck 1977: Norbert Dittmar, Bert-Olaf Rieck, Datenerhebung und Datenauswertung im Heidelberger Forschungsprojekt „Pidgin-Deutsch spanischer und italienischer Arbeiter". In: Bielefeld u. a. 1977, S. 59—91.

Dittmar/Schlieben-Lange/Schlobinski 1982: Norbert Dittmar, Brigitte Schlieben-Lange, Peter Schlobinski, Teilkommentierte Bibliographie zur Soziolinguistik von Stadtsprachen. In: Bausch 1982, 391—423.

Dobnig/Jülch 1977: Edeltraud Dobnig-Jülch, Pragmatik und Eigennamen. Untersuchung zur Theorie und Praxis der Kommunikation mit Eigennamen, besonders von Zuchttieren. (Reihe Germanistische Linguistik 9) Tübingen 1977.

Drozd/Seibicke 1973: Lubomir Drozd, Wilfried Seibicke, Deutsche Fach- und Wissenschaftssprache. Wiesbaden 1973.

Ebner 1969: Jakob Ebner, Wie sagt man in Österreich? (Duden-Taschenbuch 8) Mannheim, Wien, Zürich 1969.

Ebneter 1976: Theodor Ebneter, Angewandte Linguistik. Eine Einführung. 2 Bde. München 1976.

Ecker u. a. 1977: Hans-Peter Ecker u. a. Textform Interview. Darstellung und Analyse eines Kommunikationsrituals. Düsseldorf 1977.

Egger 1980: Kurt Egger, Sprachkontakt in Südtirol. Drei Thesen. In: Nelde 1980, S. 233—235.

Eggers 1963/1977: Hans Eggers. Deutsche Sprachgeschichte. 4 Bde. 1.: Das Althochdeutsche, 2.: Das Mittelhochdeutsche, 3.: Das Frühneuhochdeutsche. 4.: Das Neuhochdeutsche. Reinbek 1963—1977.

Eggers 1970: Hans Eggers (Hrsg.), Der Volksname Deutsch. (Wege d. Forschung 156) Darmstadt 1970.

Eggers 1973: Hans Eggers, Deutsche Sprache im 20. Jahrhundert. München 1973.

Ehlich u. a. 1971: Konrad Ehlich u. a., Soziolinguistik als bürgerliches Herrschaftswissen. Marxistische Sprachanalysen. In: Klein/Wunderlich 1971, S. 98–108.

Ehlich u. a. 1972: Konrad Ehlich u. a., Spätkapitalismus — Soziolinguistik — kompensatorische Spracherziehung. In: Holzer/Steinbacher 1972, S. 417—439 (zuerst in: Kursbuch 24, 1971, S. 38—60).

Ehlich/Rehbein 1972: Konrad Ehlich, Jochen Rehbein, Zur Konstituierung pragmatischer Einheiten in einer Institution: das Speiserestaurant. In: Wunderlich 1972, S. 209—254.

Ehlich/Rehbein 1977: Konrad Ehlich, Jochen Rehbein, Wissen, kommunikatives Handeln und Schule. In: H. Goeppert (Hrsg.), Sprachverhalten im Unterricht. München 1977, S. 36—114.

Ehlich/Rehbein 1979: Konrad Ehlich, Jochen Rehbein, Erweiterte halbinterpretative Arbeitstranskriptionen (HIAT 2): Intonation. In: Linguistische Berichte 59, 1979, S. 51—75.

Ehlich/Rehbein 1981: Konrad Ehlich, Jochen Rehbein, Zur Normierung nonverbaler Kommunikation für diskursanalytische Zwecke. In: P. Winkler (Hrsg.), Methoden der Analyse von Face-to-Face-Situationen. Stuttgart 1981, S. 302—343.

Eichhoff 1977/1978: Jürgen Eichhoff, Wortatlas der deutschen Umgangssprache. 2 Bde. Bern, München 1977—1978.

Eis 1959: Gerhard Eis, Vom Lesestein und der spätmittelalterlichen Literatur. In: Forschungen und Fortschritte 33, 1959, S. 278—283.

Eis 1959a: Gerhard Eis, Tests über suggestive Personennamen in der modernen Literatur. In: Beiträge zur Namenforschung 10, 1959, S. 293—308.

Eisenmann 1973: Fritz Eisenmann, Die Satzkonjunktionen in gesprochener Sprache. Vorkommen und Funktionen. Untersucht an Tonbandaufnahmen aus Baden-Württemberg, Bayerisch-Schwaben und Vorarlberg. (Idiomatica 2) Tübingen 1973.

Engel 1977: Ulrich Engel, Deutsche Sprache im Kontakt (Forschungsberichte des Instituts f. deutsche Sprache 36) Tübingen 1977.

Engel/Schwencke 1972: Ulrich Engel, Olaf Schwencke, Gegenwartssprache und Gesellschaft. Beiträge zu aktuellen Fragen der Kommunikation. Düsseldorf 1972.

Engels 1976: Barbara Engels, Gebrauchsanstieg der lexikalischen und semantischen Amerikanismen in zwei Jahrgängen der ‚Welt‘ (1954 und 1964). Eine vergleichende computerlinguistische Studie zur quantitativen Entwicklung amerikanischen Einflusses auf die deutsche Zeitungssprache. Frankfurt, Bern 1976.

Ermert 1979: Karl Ermert (Hrsg.), Gibt es die Sprachbarriere noch? Soziolinguistik — Sprachdidaktik — Bildungspolitik. Düsseldorf 1979.

Feinäugle 1974: Norbert Feinäugle, Fach- und Sondersprachen (Arbeitstexte für den Unterricht). Stuttgart 1974.

Feldbusch 1976: Elisabeth Feldbusch, Sprachförderung im Vorschulalter. Eine kontrastive soziolinguistische Analyse zur Überprüfung des Einflusses vorschulischer Maßnahmen auf das Sprachverhalten von Unterschichtkindern. (Deutsche Dialektgeographie 81) Marburg 1976.

Fenske 1973: Hannelore Fenske, Schweizerische und Österreichische Besonderheiten in deutschen Wörterbüchern (Forschungsberichte des Instituts für deutsche Sprache 10), Mannheim 1973.

Ferguson 1959: Charles A. Ferguson, Diglossia. In: Word 15, 1959, S. 325—340.

Fiess 1975: Dietrich Fiess, Siedlungsmundart — Heimatmundart. Sarata in Bessarabien. (Idiomatica 4), Tübingen 1975.

A. Finck u. a. 1978: Adrien Finck u. a. (Hrsg.), Mundart und Mundartdichtung im Alemannischen Sprachraum. Situationsberichte. Université de Strasbourg, Institut de Dialectologie 1978.

F. N. Finck 1907: Franz Nikolaus Finck, Die Sprache der armen Zigeuner. St. Petersburg 1907.

(Geerd) Fischer 1971: Geerd Fischer, Sprache und Klassenbindung. Die Bedeutung linguistischer Kodes im Sozialisationsprozeß. 2. Aufl. Spartakus Hamburg 1971.

(Georg) Fischer 1980: Georg Fischer, Untersuchungen zur Spracheinstellung in der Areler Gegend. In: Nelde 1980, S. 131—139.

Fischer-Weltalmanach 1982: Der Fischer Weltalmanach 1982, hrsg. v. Gustav Fochler-Hauke. Frankfurt 1981.

Fishman 1975: Joshua A. Fishman, Soziologie der Sprache. Eine interdisziplinäre sozialwissenschaftliche Betrachtung der Sprache in der Gesellschaft (Orig.: The sociology of language. 1970), München 1975.

Flader 1974: Dieter Flader, Strategien der Werbung. Ein linguistisch-psychoanalytischer Versuch zur Rekonstruktion der Werbewirkung. Kronberg/Ts. 1974.

Fleischer/Michel 1975: Wolfgang Fleischer, Georg Michel, Stilistik der deutschen Gegenwartssprache. Leipzig 1975.

Fluck 1976: Hans Rüdiger Fluck, Fachsprachen. Einführung und Bibliographie. München 1976.

Fluck u. a. 1975: Hans Rüdiger Fluck u. a., Textsorte Nachricht — Sprache der Information in Presse, Hörfunk und Fernsehen. Dortmund 1975.

K. O. Frank 1977: Karl Otto Frank, Sprachförderung durch Unterricht. Grundlagen und Analysen. Freiburg 1977.

R. Frank 1977: Rainer Frank, Zur Frage einer schichtenspezifischen Personennamengebung. Namenkundliche Sammlung, Analyse und Motivuntersuchung über den Kreis und die Stadt Segeberg. Neumünster 1977.

Frey u. a. 1981: Siegfried Frey u. a., Das Berner System zur Untersuchung nonverbaler Interaktion: I. Die Erhebung des Rohdatenprotokolls. In: P. Winkler (Hrsg.), Methoden der Analyse von Face-to-Face-Situationen. Stuttgart 1981, S. 204—236.

Friedrich d. Gr. 1780: Friedrich der Große, De la littérature Allemande 1780, hrsg. v. Ludwig Geiger. (Deutsche Litteraturdenkmale des 18. u. 19. Jhs. 16) Stuttgart 1883.

Fritsche 1982: Michael Fritsche, Mehrsprachigkeit in Gastarbeiterfamilien. „Deutsch" auf der Basis der türkischen Syntax. In: Bausch 1982, S. 160—170.

Funkkolleg Sozialer Wandel 1975: Funkkolleg: Sozialer Wandel, hrsg. v. Theodor Hanf. 2 Bde. Frankfurt 1975 (Fischer-Tb.).

v. d. Gabelentz 1891 (1969): Georg von der Gabelentz, Die Sprachwissenschaft. Ihre Aufgaben, Methoden und bisherigen Ergebnisse. 1891 2. Aufl. 1901, Nachdruck Tübingen 1969.

Gadler 1976: Hanspeter Gadler, Wie restringiert spricht die Unterschicht wirklich? Eine empirische Studie zu den Differenzen in der Syntax der Mittelschicht und der Unterschicht. Frankfurt 1976.

Gelhaus 1979: Hermann Gelhaus, Die Sprache scheidet sie. Einige soziolinguistische Beobachtungen zu Fritz Reuters „Ut mine Stromtid". In: Standard und Dialekt. Festschrift für Heinz Rupp zum 60. Geb. Bern, München 1979, S. 193—216.

Gersbach 1982: Bernhard Gersbach, Die Vergangenheitstempora in oberdeutscher gesprochener Sprache. (Idiomatica 9), Tübingen 1982.

Girke/Jachnow 1974: Wolfgang Girke, Helmut Jachnow, Sowjetische Soziolinguistik. Probleme und Genese. Kronberg/Ts. 1974.

Glattauer 1978: Walter Glattauer, Strukturelle Lautgeographie der Mundarten im südöstlichen Niederösterreich (Schriften z. dt. Sprache in Österreich 1), Wien 1978.

Glotz/Langenbucher 1969: Peter Glotz, Wolfgang R. Langenbucher, Der mißachtete Leser. Zur Kritik der deutschen Presse. Köln 1969.

Göhler 1962: Josef Göhler, Die Leibesübungen in der deutschen Sprache und Literatur. In: Deutsche Philologie im Aufriß. 2. Aufl. Berlin 1962, S. 2973—3050.

Goeppert/Goeppert 1973: Herma Goeppert, Sebastian Goeppert, Sprache und Psychoanalyse. Reinbek 1973.

Göschel u. a. 1976: Joachim Göschel u. a. (Hrsg.), Zur Theorie des Dialekts. Aufsätze aus 100 Jahren Forschung. Zeitschrift für Dialektologie und Linguistik, Beihefte 16, Wiesbaden 1976.

Göschel u. a. 1980: Joachim Göschel u. a. (Hrsg.), Dialekt und Dialektologie. Ergebnisse des internationalen Symposions „Zur Theorie des Dialekts". Zeitschrift für Dialektologie und Linguistik, Beihefte 26, Wiesbaden 1980.

Goethe-Institut Jahrbuch 1981/82: hrsg. vom Goethe-Institut. München 1982.

Götze 1928: Alfred Götze, Deutsche Studentensprache. Berlin 1928.

Goop 1982: Margrit Goop, Sprachkritik in der Frauenbewegung am Beispiel der Zeitschrift „Courage". Lizentiatsarbeit Basel, Deutsches Seminar 1982.

Goossens 1976: Jan Goossens, Was ist Deutsch — und wie verhält es sich zu Niederländisch? In: Göschel u. a. 1976, S. 256—282.

Goossens 1980: Jan Goossens, Dialektologie im Zeitalter der Variablenforschung. In: Göschel u. a. 1980, S. 43—57.

Goossens 1981: Jan Goossens, Niederdeutsche Dialektologie und Soziolinguistik 1976—1980. In: Niederdeutsches Wort 21, 1981, S. 120—144.

Gottsched 1762 (1978): Johann Christoph Gottsched, Deutsche Sprachkunst nach den Mustern der besten Schriftsteller des vorigen und itzigen Jahrhunderts abgefaßt ... Leipzig 1762 (neu hrsg. v. Herbert Penzl, Berlin, New York 1978).

Graf 1977: Rainer Graf, Der Konjunktiv in gesprochener Sprache. Form, Vorkommen und Funktion. Untersucht an Tonbandaufnahmen aus Baden-Württemberg, Bayerisch-Schwaben, Vorarlberg und Liechtenstein (Idiomatica 5), Tübingen 1977.

Gretler u. a. 1981: Armin Gretler u. a. Etre migrant. Approches des problèmes socio-culturels et linguistiques des enfants migrants en Suisse. Bern 1981.

v. Greyerz 1929: Otto von Greyerz, Das Berner Mattenenglisch und seine Ausläufer: die Berner Bubensprache. In: Schweizer Archiv für Volkskunde 29, 1929, S. 217—251.

v. Greyerz 1929 (1968): Otto von Greyerz, e Ligu Lehm. Das Berner Mattenenglisch. Bern 1929, 3. Aufl. 1969.

Griese 1968: Hartmut M. Griese, Sprach- und Kulturwechsel im Sozialisationsprozeß. Situation und Perspektiven ausländischer Arbeitnehmer in der Bundesrepublik. In: Deutsch lernen 1978, 4, S. 41—64.

Grömminger 1970: Arnold Grömminger, Arbeit und Sprache. Beobachtungen zum Untergang einer Terminologie in der Landwirtschaft. In: Muttersprache 80, 1970, S. 344—347.

Große 1980: Rudolf Große, Soziolinguistische Grundlagen des Meißnischen Deutsch. In: Akten des VI. Internationalen Germanisten-Kongresses Basel 1980, hrsg. von Heinz Rupp u. Hans-Gert Roloff, Bern, Frankfurt 1980, 2, S. 358—365.

Große/Neubert 1970: Rudolf Große, Albrecht Neubert, Thesen zur marxistischen Soziolinguistik. In: Linguistische Arbeitsblätter 1, 1970, S. 3—15 (wieder abgedruckt in: Große/Neubert 1974, S. 9—24).

Große/Neubert 1974: Rudolf Große, Albrecht Neubert (Hrsg.), Beiträge zur Soziolinguistik. Halle/S., München 1974.

Grosse/Mentrup 1980: Siegfried Grosse, Wolfgang Mentrup (Hrsg.), Bürger — Formulare — Behörde. Wissenschaftliche Arbeitstagung zum Kommunikationsmittel ‚Formular'. Mannheim, Oktober 1979. Mit ausführlicher Bibliographie. (Forschungsberichte des Instituts f. deutsche Sprache 51), Tübingen 1980.

Günther 1967: Johannes Günther, Die städtische Umgangssprache von Freiburg i. Br. Eine sprachsoziologische Untersuchung. Diss. Freiburg i. Br. 1967.

Guggenheim-Grünberg 1961: Florence Guggenheim-Grünberg, Gailinger Jiddisch (Lautbibliothek der deutschen Mundarten 22), Göttingen 1961.

Gülich/Raible 1975: Elisabeth Gülich, Wolfgang Raible, „Textsorten-Probleme". In: Linguistische Probleme der Textanalyse (Sprache der Gegenwart 35), Düsseldorf 1975, S. 144—197.

Haacke 1970: Wilmont Haacke, Publizistik und Gesellschaft. Stuttgart 1970.

Haag 1900: Karl Haag, 7 Sätze über Sprachbewegung. In: Zeitschr. f. hochdt. Mundarten 1, 1900, S. 138—141.

Haas 1973: Walter Haas, Zur l-Vokalisierung im westlichen Schweizerdeutschen. Ein soziolinguistisches und beschreibungstechnisches Problem. In: Bausinger 1973, S. 63—70.

Haas 1978: Walter Haas, Wider den Nationaldialekt. In: Zeitschr. f. Dialektologie und Linguistik 45. 1978, S. 62—67.

Haas 1982: Walter Haas, Die deutschsprachige Schweiz. In: R. Schläpfer (Hrsg.), Die viersprachige Schweiz. Zürich, Köln 1982, S. 71—160.

Haeberlin 1974: Urs Haeberlin, Wortschatz und Sozialstruktur. Untersuchung zu sozialbedingten sprachlichen Unterschieden und Umrisse einer kommunikativen Pädagogik. Zürich, Köln 1974.

Häring 1981: Cornelia Häring, Dialektprestige und Sprachverhalten. Theoretische und empirische Untersuchung am Beispiel einiger Schweizer Dialekte. Lizentiatsarbeit Basel, Deutsches Seminar 1981.

Hager u. a. 1973: Fritjof Hager u. a., Soziologie und Linguistik. Die schlechte Aufhebung sozialer Ungleichheit durch Sprache. Stuttgart 1973, 2. Aufl. 1975.

v. Hahn 1980: Walther von Hahn, Fachsprache. In: Lexikon der Germanistischen Linguistik 2. Aufl. 1980, S. 390—395.

Hakkarainen 1977: Heikki J. Hakkarainen, Produktnamen im integrierten Europa. In: Onoma 21, 1977, S. 421—425.

Hammarström 1966: Göran Hammarström, Linguistische Einheiten im Rahmen der modernen Sprachwissenschaft. Berlin, Heidelberg, New York 1966.

Hammarström 1967: Göran Hammarström, Zur soziolektalen und dialektalen Funktion der Sprache. In: Zeitschr. f. Mundartforschung 34, 1967, S. 205—216.

Hannapel/Melenk 1979: Hans Hannapel, Hartmut Melenk, Alltagssprache. Semantische Grundbegriffe und Analysebeispiele. München 1979.

Hannig 1974: Christel Hannig, Zur Syntax der gesprochenen und geschriebenen Sprache bei Kindern in der Grundschule. Kronberg/Ts. 1974.

Harden 1981: Theo Harden, Untersuchungen zur r-Realisation im Ruhrgebiet. In: Zeitschr. f. Dialektologie und Linguistik, Beihefte 40. 1981.

Hartig 1980: Matthias Hartig, Soziolinguistik für Anfänger. Hamburg 1980.

Hartig 1981: Matthias Hartig (Hrsg.), Angewandte Soziolinguistik. Tübingen 1981.

Hartung u. a. 1974: Wolfdietrich Hartung u. a., Sprachliche Kommunikation und Gesellschaft. (Sprache und Gesellschaft 1), Berlin/DDR 1974.

Hartung/Schönfeld 1981: Wolfdietrich Hartung, Helmut Schönfeld, Kommunikation und Sprachvariation. (Sprache und Gesellschaft 17), Berlin/DDR 1981.

Hasan 1975: Rugaiya Hasan, Code, Register und sozialer Dialekt. In: Bernstein (Hrsg.), Sprachliche Kodes und soziale Kontrolle. Düsseldorf 1975, S. 191—232.

Hasselberg 1972: Joachim Hasselberg, Die Abhängigkeit des Schulerfolgs vom Einfluß des Dialekts. In: Muttersprache 82, 1972, S. 201—223.

Hasselberg 1976: Joachim Hasselberg, Dialekt und Bildungschancen. Eine empirische Untersuchung an 26 hessischen Gesamtschulen als Beitrag zur soziolinguistischen Sprachbarrierendiskussion. Weinheim, Basel 1976.

Hasselberg 1979: Joachim Hasselberg, Differenzgrammatik Mittelhessisch : Hochsprache. Eine Untersuchung dialektspezifischer Kommunikationsbehinderungen von hessischen Schülern. Gießen 1979.

Hasselberg 1983: Joachim Hasselberg, Sprachförderung in Abhängigkeit von Spracherschließung. In: Der Deutschunterricht 35, 1983, S. 86—95.

Hasselberg/Wegera 1976: Joachim Hasselberg, Klaus Peter Wegera, Hessisch. (Dialekt/Hochsprache — konstrativ. Sprachhefte f. d. Deutschunterricht 1), Düsseldorf 1976.

Hathaway 1979: Luise Hathaway, Der Mundartwandel in Imst in Tirol zwischen 1897 und 1973. (Schriften zur deutschen Sprache in Österreich 3), Wien 1979.

Heidelberger Forschungsprojekt 1975: Heidelberger Forschungsprojekt „Pidgin-Deutsch": Sprache und Kommunikation ausländischer Arbeiter. Analysen, Berichte, Materialien. Kronberg/Ts. 1975.

Heike 1969: Georg Heike, Sprachliche Kommunikation und linguistische Analyse. Heidelberg 1969.

Helbig 1981: Gerhard Helbig, Sprachwissenschaft — Konfrontation — Fremdsprachenunterricht. Leipzig 1981.

Helbig/Buscha 1980: Gerhard Helbig, Joachim Buscha, Deutsche Grammatik. Ein Handbuch für den Ausländerunterricht. 6. Aufl. Leipzig 1980 (1. Aufl. 1972).

Hellmann 1980: Manfred W. Hellmann, Deutsche Sprache in der Bundesrepublik Deutschland und der Deutschen Demokratischen Republik. In: Lexikon der Germanistischen Linguistik 2. Aufl. 1980, S. 519—527.

Helmers 1984: Hermann Helmers, Didaktik der deutschen Sprache. Einführung in die Theorie der muttersprachlichen und literarischen Bildung. 11. Aufl. Darmstadt 1984.

Henn 1978: Beate Henn, Mundartinterferenzen. Am Beispiel des Nordwestpfälzischen. Zeitschrift für Dialektologie und Linguistik, Beihefte 24, Wiesbaden 1978.

Henn 1980: Beate Henn, Pfälzisch. (Dialekt/Hochsprache — kontrastiv. Sprachhefte für den Deutschunterricht 7), Düsseldorf 1980.

Henne 1978: Helmut Henne (Hrsg.), Interdisziplinäres deutsches Wörterbuch in der Diskussion (Sprache der Gegenwart 45), Düsseldorf 1978.

Henne 1981: Helmut Henne, Jugendsprache und Jugendgespräche. In: Schröder/Steger 1981, S. 370—384.

Henne/Objartel (1984): Helmut Henne, Georg Objartel (Hrsg.), Bibliothek zur historischen deutschen Studenten- und Schülersprache. 6 Bde. Berlin, New York 1984.

Herder 1800: Johann Gottfried Herder, Über die neuere deutsche Literatur. Fragmente (= Kalligone II). In: Sämtliche Werke, hrsg. v. Bernhard Suphan Bd. 22, Berlin 1880.

Hess-Gabriel 1979: Barbara Hess-Gabriel, Zur Didaktik des Deutschunterrichts für Kinder türkischer Muttersprache. Tübingen 1979.

Hess-Lüttich 1974: Ernest W. B. Hess-Lüttich, Das sprachliche Register. Der Register-Begriff in der kritischen Linguistik und die Relevanz für die angewandte Sprachwissenschaft. In: deutsche sprache 1974, S. 269—286.

Hess-Lüttich 1977: Ernest W. B. Hess-Lüttich, Soziolinguistik und Empirie. Probleme der Corpusgewinnung und -auswertung. Eine Einführung. In: Bielefeld u. a. 1977, S. 10—28.

Heuwagen 1974: Marianne Heuwagen, Die Verbreitung des Dialekts in der Bundesrepublik Deutschland. Zulassungsarbeit Bonn, Germanistisches Seminar 1974 (Mskr.).

Hinnenkamp 1982: Volker Hinnenkamp, „Türkisch Mann, Du?" Sprachverhalten von Deutschen gegenüber Gastarbeitern. In: Bausch 1982, S. 171—193.

Hirsbrunner u. a. 1981: H.-P. Hirsbrunner u. a., Das Berner System zur Untersuchung nonverbaler Interaktion: II Die Auswertung von Zeitreihen visuell-auditiver Information. In: P. Winkler (Hrsg.), Methoden der Analyse von Face-to-Face-Situationen. Stuttgart 1981, S. 237—268.

F. Hoffmann 1979: Fernand Hoffmann, Sprachen in Luxemburg. (Deutsche Sprache in Europa und Übersee, hrsg. v. L. Auburger u. a. Bd. 6), Wiesbaden 1979.

L. Hoffmann 1976: Lothar Hoffmann, Kommunikationsmittel Fachsprache. Eine Einführung. Berlin/DDR 1976.

Hoffmeister 1977: Walter Hoffmeister, Sprachwechsel in Ost-Lothringen. Soziolinguistische Untersuchung über die Sprachwahl von Schülern in bestimmten Sprechsituationen. (Deutsche Sprache in Europa und Übersee, hrsg. v. L. Auburger u. a. Bd. 2), Wiesbaden 1977.

Hofmann 1963: Else Hofmann, Sprachsoziologische Untersuchungen über den Einfluß der Stadtsprache auf mundartsprechende Arbeiter. In: Marburger Universitätsbund. Jahrbuch 1963, S. 201—281.

Hofstätter 1960: Peter R. Hofstätter, Das Denken in Stereotypen. Göttingen 1960.

Hofstätter 1967: Peter R. Hofstätter, Wie Völker einander sehen. In: Zeitschr. f. prakt. Psychologie 4, 1967, S. 25—39.

Hofstätter 1973: Peter R. Hofstätter, Einführung in die Sozialpsychologie. 5. Aufl. Berlin 1973.

Hofstätter 1974: Peter R. Hofstätter, Faktorenanalyse. In: R. König (Hrsg.), Handbuch der empirischen Sozialforschung Bd. 3a: Grundlegende Methoden und Techniken 2. Teil, München 2. Aufl. 1974, S. 204—272.

Hofstätter/Lübbert 1958: Peter R. Hofstätter, H. Lübbert, Die Untersuchung von Stereotypen mit Hilfe des Polaritätsprofils. In: Zeitschr. f. Markt- und Meinungsforschung 1, 1958, S. 127—138.

Hohmann 1976: Manfred Hohmann, Unterricht mit ausländischen Kindern (Publikation alfa), Düsseldorf 1976.

Holzer/Steinbacher 1972: Horst Holzer, Karl Steinbacher (Hrsg.), Sprache und Gesellschaft. Hamburg 1972.

Hornung 1980: Maria Hornung, Sprachkontakt und Sprachkonflikt in den von Österreich aus besiedelten deutschen Sprachinseln im östlichen Oberitalien. In: Nelde 1980, S. 91—96.

Huber 1975: Joseph Huber, die elaborierten Knechte des restringierten Tyrannen. Zur Kritik des Bernsteinschen Code-Begriffs und zum rollengebundenen Sprachgebrauch. In: S. Jäger 1975, S. 57—70.

Hotzenköcherle 1934: Rudolf Hotzenköcherle, Die Mundart von Mutten. Laut- und Flexionslehre (Beiträge zur Schweizerdeutschen Grammatik 19), Frauenfeld 1934.

Hotzenköcherle 1962: Rudolf Hotzenköcherle, Einführung in den Sprachatlas der deutschen Schweiz. Teil A: Zur Methodologie der Kleinraumatlanten. Bern 1962.

Hünert-Hofmann 1968: Else Hünert-Hofmann, Soziologie und Mundartforschung. In: Mitzka 1968, S. 3—9.

v. Humboldt 1830/1835: Wilhelm von Humboldt, Über die Kawi-Sprache auf der Insel Java, nebst einer Einleitung über die Verschiedenheit des menschlichen Sprachbaues und ihren Einfluß auf die geistige Entwicklung des Menschengeschlechtes. Bd. 1—3, 1830—1835 (zitiert nach: Wilh. v. Humboldt, Schriften zur Sprache, hrsg. von Michael Böhler, Stuttgart 1973, S. 30—207.

Hyldgaard-Jensen 1980: Karl Hyldgaard-Jensen, Die Begegnung des Dänischen und des Deutschen in Schleswig. In: Nelde 1980, S. 237—241.

Hymes 1975: Dell Hymes, Der Gegenstandsbereich der Soziolinguistik. In: S. Jäger 1975, S. 1—21.

Ickelsamer 1537 (1972): Valentin Ickelsamer, Ein teutsch Grammatica. Die rechte weis aufs kürtzist lesen zu lernen. Hrsg. v. H. Fechner (Documenta linguistica. Deutsche Grammatiken des 16. bis 18. Jhs.), Hildesheim 1972.

Ischreyt 1971: Heinz Ischreyt, Gibt es eine politische Fachsprache? In: Deutsche Studien 9, 1971, S. 249—260.

Ising 1974: Gerhard Ising (Hrsg.), Aktuelle Probleme der sprachlichen Kommunikation. Sozialwissenschaftliche Studien zur sprachlichen Situation in der Deutschen Demokratischen Republik (Sprache und Gesellschaft 2), Berlin/DDR 1974.

K.-H. Jäger 1981: Karl-Heinz Jäger, Sprachbeschreibung und Sprachdiagnose. Empirische Untersuchungen zur Beschreibung und Diagnose des mündlichen sprachlichen Handelns von Schülern der Orientierungsstufe. (Reihe Germanistische Linguistik 37), Tübingen 1981.

K.-H. Jäger/Schiller 1983: Karl-Heinz Jäger, Ulrich Schiller, Dialekt und Standardsprache im Urteil von Dialektsprechern. Untersuchungen der Einstellungen von alemannischen Dialektsprecherinnen zu ihrem Dialekt und zur Standardsprache. In: Linguist. Berichte 83, 1983, S. 63—95.

S. Jäger 1971: Siegfried Jäger, „Sprachbarrieren". 21 Thesen zur Diskussion. In: Linguist. Berichte 15, 1971, S. 61—62.

S. Jäger 1971a: Siegfried Jäger, Sprachnormen und Schülersprache. Allgemeine und regional bedingte Abweichungen von der kodifizierten hochsprachlichen Norm in der geschriebenen Sprache bei Grund- und Hauptschülern. In: Sprache und Gesellschaft (Sprache der Gegenwart 13), Düsseldorf 1971, S. 166—233.

S. Jäger 1972: Siegfried Jäger, „Sprachbarriere" und kompensatorische Erziehung. Ein bürgerliches Trauerspiel. In: Linguist. Berichte 19, 1972, S. 80—93.

S. Jäger 1975: Siegfried Jäger (Hrsg.), Probleme der Soziolinguistik. Zeitschr. f. Literaturwissenschaft und Linguistik Beiheft 3, Göttingen 1975.

S. Jäger 1977: Siegfried Jäger, Sprache — Praxis des Bewußtseins. Zur systematischen Erfassung von Rede. (= Schichtenspezifischer Sprachgebrauch von Schülern Bd. 2), Kronberg/Ts. 1977.

S. Jäger u. a. 1972: Siegfried Jäger u. a., Sprache und Sozialisation. (Forschungsberichte des Instituts für deutsche Sprache 8), Tübingen 1972.

S. Jäger/Küchler 1977: Siegfried Jäger, Raimund Küchler, Bericht über das Forschungsprojekt ‚Schichtenspezifischer Sprachgebrauch von Schülern'. In: Bielefeld u. a. 1977, S. 141—164.

S. Jäger u. a. 1977: Siegfried Jäger u. a., Vom Nutzen der Soziolinguistik. (= Schichtenspezifischer Sprachgebrauch von Schülern Bd. 1), Kronberg/Ts. 1977.

S. Jäger u. a. 1978: Siegfried Jäger u. a., Warum weint die Giraffe? Ergebnisse des Forschungsprojekts. (= Schichtenspezifischer Sprachgebrauch von Schülern Bd. 3), Kronberg/Ts. 1978.

Jakobson 1960 (1972): Roman Jakobson, Linguistik und Poetik. In: Literaturwissenschaft und Linguistik, hrsg. v. Jens Ihwe. Frankfurt 1972, Bd. 1, S. 99—135.

Janowitz 1958: Morris Janowitz, Soziale Schichtung und Mobilität in Westdeutschland. In: Kölner Zeitschr. f. Soziologie und Sozialpsychol. 10, 1958, S. 1—38.

Jecklin 1973: Andreas Jecklin, Untersuchungen zu den Satzbauplänen der gesprochenen Sprache. (Basler Studien zur deutschen Sprache und Literatur 47), Bern 1973.

Kästner/Schütz 1983: Hannes Kästner, Eva Schütz, Beglaubigte Information. Ein konstitutiver Faktor in Prosaberichten des späten Mittelalters und der frühen Neuzeit. In: Textsorten 1983, S. 450—469.

Kaiser 1969/1970: Stephan Kaiser, Die Besonderheiten der deutschen Schriftsprache in der Schweiz. 2 Bde. (Duden-Beiträge 30a/30b), Mannheim 1969/1970.

Kallmeyer u. a. 1974: Werner Kallmeyer u. a., Lektürekolleg zur Textlinguistik. 2 Bde. Frankfurt 1974.

Kallmeyer u. a. 1982: Werner Kallmeyer u. a., Zum Projekt ‚Kommunikation in der Stadt‘. In: Bausch 1982, S. 345—390.

Kamp/Lindow 1967: Klaus Kamp, Wolfgang Lindow, Das Plattdeutsche in Schleswig-Holstein. Eine Erhebung des statistischen Landesamtes Schleswig-Holstein. Neumünster 1967.

Keim 1978: Inken Keim, Studien zum Sprachverhalten ausländischer Arbeitnehmer. Dargestellt an türkischen Gastarbeitern im Raum Mannheim (Forschungsberichte des Instituts für deutsche Sprache 41), Tübingen 1978.

Keller 1973/1974: Rudolf E. Keller, Diglossia in German-Speaking Switzerland. In: Bulletin of the John Rylands University Library of Manchester 56, 1973/1974, S. 130—149.

Kern 1969: Peter Ch. Kern, Bemerkungen zum Problem der Textklassifikation. (Forschungsberichte des Instituts für deutsche Sprache 3), Mannheim 1969, S. 3—23.

Kiefer 1974: Gerhard Kiefer, Analyse einer Kommunikationsbarriere. Ein diagnostisch-therapeutischer Beitrag der Psychologie zur Sprachbarrierenproblematik an der Orientierungsstufe (Tübinger Beiträge zur Linguistik 52), Tübingen 1974.

Kjolseth/Sack 1971: Rolf Kjolseth, Fritz Sack, Zur Soziologie der Sprache. Ausgewählte Beiträge vom 7. Weltkongreß der Soziologie in Varna. Kölner Zeitschr. f. Soziologie u. Sozialpsychologie. Sonderheft 15, Opladen 1971.

Klann 1972 (1975): Gisela Klann, Aspekte und Probleme der linguistischen Analyse schichtenspezifischen Sprachgebrauchs (Diss. Berlin FU 1972), Berlin 1975.

Klappenbach/Steinitz 1964: Ruth Klappenbach, Wolfgang Steinitz, Wörterbuch der deutschen Gegenwartssprache. 1. Bd. Berlin/DDR 1964 ff.

Klaus/Buhr 1972: Georg Klaus, Manfred Buhr, Marxistisch-leninistisches Wörterbuch der Philosophie. 3 Bde. Reinbek 1972 (1. Aufl. 1964).

Klein u. a. 1978: Eva Klein u. a., Rheinisch. (Dialekt/Hochsprache — kontrastiv. Sprachhefte für den Deutschunterricht 6), Düsseldorf 1978.

Klein/Wunderlich 1971: Wolfgang Klein, Dieter Wunderlich (Hrsg.), Aspekte der Soziolinguistik. Frankfurt 1971.

Kleining/Moore 1968: Gerhard Kleining, Harriet Moore, Soziale Selbsteinstufung (SSE). Ein Instrument zur Messung sozialer Schichten. In: Kölner Zeitschr. f. Soziologie u. Sozialpsychologie 20, 1968, S. 502—552.

Kloepfer 1975: Rolf Kloepfer, Poetik und Linguistik. Semiotische Instrumente. München 1975.

Kloss 1976: Heinz Kloss, Abstandsprachen und Ausbausprachen. In: Göschel u. a. 1976, S. 301—322.

Kloss 1980: Heinz Kloss, Deutsche Sprache außerhalb des geschlossenen deutschen Sprachgebiets. In: Lexikon der Germanist. Linguistik. 2. Aufl. 1980, S. 537—546.

Kluge 1895: Friedrich Kluge, Deutsche Studentensprache. Straßburg 1895.

Kluge 1901: Friedrich Kluge, Rotwelsch. Quellen und Wortschatz der Gaunersprache und der verwandten Geheimsprachen. Straßburg 1901.

Klute 1974: Wilfried Klute (Hrsg.), Orthographie und Gesellschaft. Frankfurt 1974.

Kniffka 1983: Hannes Kniffka, Kanonische Merkmale, soziolinguistische Regeln und Profilformeln für Zeitungsberichte. Eine empirische Fallstudie. In: Textsorten 1983, S. 145—185.

Knipping 1969: Franz Knipping, Monopole und Massenmedien. Berlin/DDR 1969.

G. König 1972: Guido König, Strukturen kindlicher Sprache. Zum Schreibstil zehn- bis zwölfjähriger Schüler. Düsseldorf 1972.

R. König 1973: René König (Hrsg.), Handbuch der empirischen Sozialforschung. 4 Bde. Stuttgart 3. Aufl. 1973 (1. Aufl. 1969).

W. König 1978: Werner König, dtv-Atlas zur deutschen Sprache. Tafeln und Texte 1978 (4. Aufl. 1981).

Kolde 1980: Gottfried Kolde, Vergleichende Untersuchungen des Sprachverhaltens und der Spracheinstellungen von Jugendlichen in zwei gemischtsprachigen Schweizer Städten. In: Nelde 1980, S. 243—253.

Kolde 1981: Gottfried Kolde, Sprachkontakte in gemischtsprachigen Städten. Vergleichende Untersuchungen über Voraussetzungen und Formen sprachlicher Interaktion. Zeitschr. f. Dialektologie und Linguistik, Beihefte 37, Wiesbaden 1981.

Kommission Sprachbarriere 1969: Kommission Sprachbarriere: Sprache — Sozialstatus — Bildungsbarriere. In: Mitteil. des deutschen Germanistenverbandes 16, 1969, 1; 17, 1970, 2, 6; 18, 1971, 4, 1; 19, 1972, 3, 1.

Kopperschmidt 1973: Josef Kopperschmidt, Allgemeine Rhetorik. Einführung in die Theorie der persuasiven Kommunikation. Stuttgart 1973.

Koß 1972: Gerhard Koß, Angewandte Dialektologie im Deutschunterricht. In: Blätter für den Deutschlehrer 16, 1972, S. 92—102.

Koß 1972a: Gerhard Koß, Motivationen bei der Wahl von Rufnamen. In: Beiträge zur Namenforschung 7, 1972, S. 159—175.

Koß 1975/1977: Gerhard Koß, Name und Prestige. In: Blätter f. oberdeutsche Namenforsch. 44, 1975/1977, S. 26—30.

Koß 1981: Gerhard Koß, Motivationen in der Warennamengebung. In: Proceedings of the 13th. Intern. Congress of Onomastic Sciences. Cracow Vol. I Wrocław 1981, S. 665—672.

Kremer 1979: Ludger Kremer, Grenzmundarten und Mundartgrenzen. Untersuchungen zur wortgeographischen Funktion der Staatsgrenze im ostniederländisch-westfälischen Grenzgebiet. 2 Tle. (Niederdt. Studien 28), Köln, Wien 1979.

Krien 1966: Reinhard Krien, Psychologische Tests in der Namenkunde. In: Muttersprache 76, 1966, S. 364—374.

Kristensson 1977: Göran Kristensson, Angloamerikanische Einflüsse in DDR-Zeitungstexten. Unter Berücksichtigung semantischer, pragmatischer, gesellschaftsideologischer, entlehnungsprozessualer und quantitativer Aspekte. Stockholm 1977.

Krollmann 1958: Friedrich Krollmann, Zur Wehrsprache der Gegenwart. In: Muttersprache 1958, S. 371—374.

Kubczak 1979: Hartmut Kubczak, Was ist ein Soziolekt? Überlegungen zur Symptomfunktion sprachlicher Zeichen unter besonderer Berücksichtigung der diastratischen Dimension. Heidelberg 1979.

Kühn 1980: Peter Kühn, Deutsche Sprache in der Schweiz. In: Lexikon der Germanist. Linguistik 2. Aufl. Tübingen 1980, S. 531—536.

Küpper 1978: Heinz Küpper, ABC-Komiker bis Zwitschergemüse. Das Bundessoldatendeutsch. Wiesbaden 1978.

Küpper/Küpper 1972: Marianne Küpper, Heinz Küpper, Schülerdeutsch. Ein Schlüssel zum Sprachschatz der jungen Generation. Düsseldorf 1972.

Kufner 1961: Herbert L. Kufner, Strukturelle Grammatik der Münchner Stadtmundart. München 1961.

Kuhn 1934: Walter Kuhn, Deutsche Sprachinselforschung. Geschichte, Aufgaben, Verfahren. (Ostdeutsche Forschungen 2), Plauen 1934.

Kunze 1975: Konrad Kunze, Textsorte und historische Wortgeographie. Am Beispiel Pfarrer/Leutpriester. In: Würzburger Prosastudien zur Literatur und Sprache des Mittelalters II, München 1975, S. 35—76.

Labov 1971: William Labov, Die Logik des Nonstandard English (Auszug). In: Klein/Wunderlich 1971, S. 80—97.

Labov 1971a: William Labov, Das Studium der Sprache im sozialen Kontext. In: Klein/Wunderlich 1971, S. 111—194.

Labov 1976/1978: William Labov, Sprache im sozialen Kontext. Beschreibung und Erklärung struktureller und sozialer Bedeutung von Sprachvariationen. 2 Bde. Kronberg/Ts. 1976/1978.

Ladin 1982: Wolfgang Ladin, Der Elsässische Dialekt — museumsreif? Analyse einer Umfrage. Strasbourg 1982.

Latzel 1975: Sigbert Latzel, Perfekt und Präteritum in der deutschen Zeitungssprache. In: Muttersprache 85, 1975, S. 38—49.

Leibniz 1680 (1967): Gottfried Wilhelm Leibniz, Ermahnung an die Deutschen 1680 (= G. W. Leibniz, Deutsche Schriften Bd. 1 1916), Nachdruck Darmstadt 1967.

Leisi 1978: Ernst Leisi, Paar und Sprache. Linguistische Aspekte der Zweierbeziehung. Heidelberg 1978.

Leodolter 1975: Ruth Leodolter, Das Sprachverhalten von Angeklagten bei Gericht. Kronberg/Ts. 1975.

E. Lerch 1925: Eugen Lerch, Über das sprachliche Verhältnis von Ober- zu Unterschicht mit besonderer Berücksichtigung der Lautgesetzfrage. In: Jahrbuch für Philologie 1, 1925, S. 70—124.

H. G. Lerch 1976: Hans-Günter Lerch, Das Manische in Gießen. Die Geheimsprache einer gesellschaftlichen Randgruppe, ihre Geschichte und ihre soziologischen Hintergründe. Gießen 1976.

Lewandowski 1976: Theodor Lewandowski, Linguistisches Wörterbuch. 3 Bde. 2. Aufl. Heidelberg 1976.

Lexikon der Germanistischen Linguistik 1980. Hrsg. v. Hans Peter Althaus u. a. 2. Aufl. Tübingen 1980 (1. Aufl. 1973).

Lindner 1966/1967: Kurt Lindner, Zur Sprache der Jäger. In: Zeitschr. f. deutsche Philologie 85, 1966, S. 407—431; 86, 1967, S. 101—125.

Löffler 1969 (1977): Heinrich Löffler, Die Hörigennamen in den älteren St. Galler Urkunden. Versuch einer sozialen Differenzierung althochdeutscher Personennamen. In: Beiträge zur Namenforschung 4, 1969, S. 192—211 (wieder abgedruckt in: Probleme der Namenforschung, hrsg. v. H. Steger. Darmstadt 1977, S. 475—497).

Löffler 1972 (1982): Heinrich Löffler, Mundart als Sprachbarriere. In: Wirkendes Wort 22, 1972, S. 23—39 (wiederabgedruckt in: Steger 1982a, S. 134—159).

Löffler 1974: Heinrich Löffler, Deutsch für Dialektsprecher: Ein Sonderfall des Fremdsprachenunterrichts? Zur Theorie einer kontrastiven Grammatik Dialekt/Hochsprache. In: deutsche sprache 2, 1974, S. 105—122.

Löffler 1980: Heinrich Löffler, Probleme der Dialektologie. Eine Einführung. 2. Aufl. Darmstadt 1980.

Löffler 1980a: Heinrich Löffler, Dialekt. In: Lexikon der Germanist. Linguistik. 2. Aufl. Tübingen 1980, S. 453—458.

Löffler 1982: Heinrich Löffler, Gegenstandskonstitution in der Dialektologie: Sprache und ihre Differenzierungen. In: Besch u. a. 1982, 1, S. 441—462.

Löffler 1982a: Heinrich Löffler, Interferenz-Areale Dialekt/Standardsprache: Projekt eines deutschen Fehleratlasses. In: Besch u. a. 1982, 1, S. 528—538.

Löffler 1982b: Heinrich Löffler, Dialekt und Standardsprache in der Schule. In: Lehren und Lernen 8, 1982, S. 3—13.

Löffler 1983: Heiner Löffler, Zur Natürlichkeit künstlicher Studio-Gespräche. Beobachtungen an moderierten Gesprächen im Fernsehen. In: Sprache und Pragmatik. Lunder Symposium 1982, hrsg. v. Inger Rosengren (Lunder Germanistische Forschungen 52) Stockholm 1983, S. 359—372.

Loose 1947: Gerhard Loose, Zur deutschen Soldatensprache des Zweiten Weltkrieges. In: The Journal of English and Germanic Philolog 46, 1947, S. 268—279.

Luckmann 1969: Thomas Luckmann, Soziologie der Sprache. (= Handbuch der empirischen Sozialforschung, hrsg. v. René König, Bd. 13) 2. Aufl. Stuttgart 1979.

Ludwig 1980: Otto Ludwig, Geschriebene Sprache, In: Lexikon der Germanist. Linguistik 2. Aufl. Tübingen 1980, S. 332—328.

Luther 1530: Martin Luther, Sendbrief vom Dolmetschen (= Luthers Werke in Auswahl, hrsg. v. Otto Clemen 5. Aufl. Bd. IV), Berlin 1959, S. 179—193.

Macha 1981: Jürgen Macha, Dialekt-Hochsprache in der Grundschule. Ergebnisse einer Lehrerbefragung im südlichen Nordrhein-Westfalen. Bonn 1981.

Magenau 1962: Doris Magenau, Die Besonderheiten der deutschen Schriftsprache im Elsaß und in Lothringen. (Duden-Beiträge 7), Mannheim 1962.

Magenau 1964: Doris Magenau, Die Besonderheiten der deutschen Schriftsprache in Luxemburg und in den deutschsprachigen Teilen Belgiens (Duden-Beiträge 15), Mannheim 1964.

Mahler 1974: Gerhart Mahler, Zweitsprache Deutsch. Die Schulbildung der Kinder ausländischer Arbeitnehmer. Eine Darstellung anhand der Entwicklung in Bayern. Donauwörth 1974.

Maier 1979: Lonni Maier, Geschlechtspezifisches Sprachverhalten als Gegenstand der Soziolinguistik. In: Osnabrücker Beiträge zur Sprachtheorie = OBST 9, 1979, S. 163—179.

Martens 1974: Karin Martens, Sprachliche Kommunikation in der Familie. Kronberg/Ts. 1974.

Marthaler 1962 (1971). Theo Marthaler, Aufsatzquelle. Zürich 1962, 6. Aufl. 1971.

Mattheier 1974: Klaus J. Mattheier, Sprache als Barriere. Bemerkungen zur Entstehung und zum Gebrauch des Begriffs „Sprachbarriere". In: deutsche sprache 1974, S. 213—232.

Mattheier 1979: Klaus J. Mattheier, Sprachvariation und Sprachwandel. Untersuchungen zur Sturktur und Entwicklung von Interferenzprozessen zwischen Dialekt und Hochsprache in einer ländlichen Sprachgemeinschaft des Rheinlandes. (Habil.-Schr.) Bonn 1979.

Mattheier 1980: Klaus J. Mattheier, Pragmatik und Soziologie der Dialekte. Einführung in die kommunikative Dialektologie des Deutschen. Heidelberg 1980.

Matzen 1973: Raymond Matzen, Sprachliches aus dem Elsaß. Über die Notwendigkeit der sprachlichen Übergänge. In: Bausinger 1973, S. 77—88.

Maurer 1964 (1933): Friedrich Maurer, Volkssprache. Abhandlungen über Mundarten und Volkskunde (Wirkendes Wort, Beih. 9), Düsseldorf 2. Aufl. 1964 (1. Aufl. 1933).

Mead 1968: George H. Mead, Geist, Identität und Gesellschaft aus der Sicht des Sozialbehaviorismus. Frankfurt 1968 (Orig. amerik. 1934).

Mehne 1954: Rolf Mehne, Die Mundart von Schwenningen a. Neckar. Flexion, Wortbildung, Syntax, Schichtung. Diss. phil. Tübingen 1954.

Meier 1910: John Meier, Basler Studentensprache. Eine Jubiläumsausgabe für die Universität Basel, dargebracht vom Deutschen Seminar Basel. Basel 1910.

Meisel 1975: Jürgen M. Meisel, Ausländerdeutsch und Deutsch ausländischer Arbeiter. Zur möglichen Entstehung eines Pidgin in der Bundesrepublik. In: Zeitschr. für Literaturwissenschaft und Linguistik (LiLi) 5, 1975, H. 18, S. 9—53.

Meisel 1975a: Jürgen M. Meisel, Der Erwerb des Deutsch durch ausländische Arbeiter. Untersuchung am Beispiel von Arbeitern aus Italien, Spanien und Portugal. In: Linguist. Berichte 38, 1975, S. 59—69.

Mentrup 1980: Wolfgang Mentrup, Deutsche Sprache in Österreich. In: Lexikon der Germanist. Linguistik 2. Aufl. Tübingen 1980, S. 527—531.

Meyer-Ingwersen 1975: Johannes Meyer-Ingwersen, Einige typische Deutschfehler bei türkischen Schülern. In: Zeitschr. für Literaturwissenschaft und Linguistik (LiLi) 5, 1975, H. 18, S. 68—77.

Meyer-Ingwersen u. a. 1977: Johannes Meyer-Ingwersen u. a. Zur Sprachentwicklung türkischer Schüler in der Bundesrepublik. Kronberg/Ts. 1977.

Mihm 1981: Arend Mihm, Soziale Sprachvarietäten im niederrheinischen Industriegebiet (Forschungsberichte des Landes Nordrhein-Westfalen 3025), Opladen 1981.

Miklosich 1872/1880: Franz Miklosich, Über die Mundarten und Wanderungen der Zigeuner Europas. 12 Tle. (Denkschriften der Kaiserl. Akad. Phil.-Hist. Kl. 21—31), Wien 1872—1880.

Mittelberg 1967: Ekkehart Mittelberg, Wortschatz und Syntax der Bildzeitung. Marburg 1967.

Mittelberg 1970: Ekkehart Mittelberg, Sprache in der Boulevardpresse. Stuttgart 1970.

Mitzka 1952: Walther Mitzka, Handbuch zum Deutschen Sprachatlas, Marburg 1952.

Mitzka 1968: Walther Mitzka (Hrsg.), Wortgeographie und Gesellschaft. Festgabe für L. E. Schmitt zum 60. Geb. Berlin 1968.

Möhn 1968: Dieter Möhn, Sprachwandel und Sprachtradition in der Industrielandschaft. In: L. E. Schmitt (Hrsg.), Verhandlungen des 2. Intern. Dialektologenkongresses. Marburg 1965 Bd. 2 (Zeitschr. f. Dialektologie und Linguistik, Beihefte 4), Wiesbaden 1968, S. 561—568.

Möhn 1980: Dieter Möhn, Sondersprachen. In: Lexikon der Germanist. Linguistik 2. Aufl. Tübingen 1980, S. 384—390.

Molony u. a. 1977: Carol Molony u. a. (Hrsg.), Deutsch im Kontakt mit anderen Sprachen. German in Contact with other Languages. Kronberg/Ts. 1977.

Moore/Kleining 1960: Harriet Moore, Gerhard Kleining, Das soziale Selbstbild der Gesellschaftsschichten in Deutschland. In: Kölner Zeitschr. f. Soziologie und Sozialpsychol. 12, 1960, S. 86—119.

Moser 1937: Hugo Moser, Schwäbische Mundart und Sitte in Sathmar. München 1937.

Moser 1950: Hugo Moser, Schwäbischer Volkshumor. Die Necknamen der Städte und Dörfer in Württemberg und Hohenzollern, in Bayerisch-Schwaben und in Teilen Badens sowie bei Schwaben in der Fremde. Mit einer Auswahl von Ortsneckereien. (Schwäbische Volkskunde NF 9—10), Tübingen 1950.

Moser 1954/1955: Hugo Moser, Sprachgrenzen und ihre Ursachen. In: Zeitschr. für Mundartforsch. 22, 1954/1955, S. 87—111.

Moser 1960: Hugo Moser, Umgangssprache. Überlegungen zu ihren Formen und zu ihrer Stellung im Sprachganzen. In: Zeitschr. für Mundartforsch. 27, 1960, S. 215—232.

Moser 1961: Hugo Moser, Annalen der deutschen Sprache von den Anfängen bis zur Gegenwart. Stuttgart 1961.

Moser 1962: Hugo Moser, Sprachliche Folgen der politischen Teilung Deutschlands. (Wirkendes Wort, Beiheft 3), Düsseldorf 1962.

E. E. Müller 1979: Ernst Erhard Müller, Wer war der Verfasser des Petri-Glossars? In: Standard und Dialekt. Festschr. f. Heinz Rupp zum 60. Geb. Bern, München 1979, S. 177—192.

H. Müller 1973: Hermann Müller, Überwindung von Sprachbarrieren. Sachverhalte, Hintergründe, Konsequenzen für die Spracherziehung. Freiburg i. Br. 1973.

W. Müller 1912: Wilhelm Müller, Untersuchungen zum Vokalismus der stadt- und landkölnischen Mundart. Bonn 1912.

Muhr 1981: Rudolf Muhr, Sprachwandel als soziales Phänomen. Eine empirische Studie zu soziolinguistischen und soziopsychologischen Faktoren des Sprachwandels im südlichen Burgenland (Schriften zur deutschen Sprache in Österreich Bd. 7), Wien 1981.

Muller 1972: Charles Muller, Einführung in die Sprachstatistik. München 1972.

Mumm 1978: Susanne Mumm, Das Problem des Selbstverständnisses beim Übergang von Dialekt zur Hochsprache. In: Ammon u. a. 1978, S. 117—156.

Nabrings 1981: Kirsten Nabrings, Sprachliche Varietäten. Tübingen 1981.

Naumann 1925: Hans Naumann, Über das sprachliche Verhältnis von Ober- zu Unterschicht. In: Jahrbuch für Philologie 1, 1925, S. 55—69.

Neidhart 1974: Friedhelm Neidhart, Schichtenspezifische Verhaltensdifferenzierungen in der Bundesrepublik. In: Karl Martin Bolte u. a. Soziale Schichtung. 3. Aufl. Opladen 1974, S. 117—140.

Nelde 1979: Peter H. Nelde (Hrsg.), Deutsch als Muttersprache in Belgien. (Deutsche Sprache in Europa und Übersee. Berichte und Forschungen 5), Wiesbaden 1979.

Nelde 1980: Peter H. Nelde (Hrsg.), Sprachkontakt und Sprachkonflikt. Zeitschr. f. Dialektologie und Linguistik, Beihefte 32, Wiesbaden 1980.

Neuland 1975: Eva Neuland, Sprachbarrieren oder Klassensprache? Untersuchungen zum Sprachverhalten im Vorschulalter. Frankfurt 1975.

Neuland 1978: Eva Neuland (Hrsg.), Sprache und Schicht. Texte zum Problem sozialer Sprachvariation. Frankfurt 1978.

Neuner 1978: Gerhard Neuner, Deutschunterricht für Kinder ausländischer Arbeiter. Curriculum — Lehrwerk — Unterricht. In: Deutsch lernen 1978, 4, S. 31—37.

Neuner 1980: Gerhard Neuner, Ali kommt nicht mit. Über die Schwierigkeiten ausländischer Kinder mit dem Deutschunterricht. In: Identität und Deutschunterricht, hrsg. v. K. H. Spinner. Göttingen 1980, S. 81—100.

Niebaum 1977: Hermann Niebaum, Westfälisch (Dialekt/Hochsprache — kontrastiv. Sprachhefte für den Deutschunterricht 5), Düsseldorf 1977.

Niepold 1970: Wulf Niepold, Sprache und soziale Schicht. Darstellung und Kritik der Forschungsliteratur seit Bernstein. Berlin 1970, 7. Aufl. 1974.

Nusser 1975: Peter Nusser (Hrsg.), Anzeigenwerbung. Ein Reader für Studenten und Lehrer der deutschen Sprache und Literatur. München 1975.

Österreichisches Wörterbuch 1979 (1951): Österreichisches Wörterbuch, hrsg. im Auftrag des Bundesministers für Unterricht und Kunst Wien 1951, 35. Aufl. 1979.

Oevermann 1972: Ulrich Oevermann, Sprache und soziale Herkunft. Ein Beitrag zur Analyse schichtenspezifischer Sozialisationsprozesse und ihrer Bedeutung für den Schulerfolg. Frankfurt 1972 (zuerst Berlin 1970).

Oevermann 1972a: Ulrich Oevermann, Überlegungen zum Zusammenhang von Sprache, kognitiver Entwicklung und sozialer Herkunft. In: Holzer/Steinbacher 1972, S. 368—384.

Oksaar 1977: Els Oksaar, Spracherwerb im Vorschulalter. Stuttgart 1977.

Oksaar 1980: Els Oksaar, Spracherwerb. In: Lexikon der Germanist. Linguistik 2. Aufl. Tübingen 1980, S. 433—440.

Oomen 1973: Ursula Oomen, Linguistische Grundlagen poetischer Texte. (Germanistische Arbeitshefte 17), Tübingen 1973.

Opitz 1624 (1963): Martin Opitz, Buch von der Deutschen Poeterey. Breslau 1624. Nach der Edition von Wilh. Braune neu hrsg. von Richard Alewyn. Tübingen 1963.

Orlović-Schwarzwald 1978: Maija Orlović-Schwarzwald, Zum Gastarbeiterdeutsch jugoslawischer Arbeiter im Rhein-Main-Gebiet. Empirische Untersuchungen zur Morphologie und zum ungesteuerten Erwerb des Deutschen durch Erwachsene (Mainzer Studien zur Sprach- und Volksforschung 2), Wiesbaden 1978.

Ort 1976: Michael Ort, Sprachverhalten und Schulerfolg. Über die Unergiebigkeit der Code-Theorie zur Erklärung schulischer Benachteiligung von Bernstein (sic!) von Unterschichtkindern. Weinheim, Basel 1976.

Ortmann 1977: Wolf Dieter Ortmann, Länder und Sprachen. Herkunftsländer und Ausgangssprachen der Sprachkursteilnehmer des Goethe-Instituts 1953—1976. München 1977.

Osgood u. a. 1957: Charles E. Osgood u. a., The measurement of meaning. Urbana Univ. of Illinois 1957.

Ostwald 1906: Hans Ostwald, Rinnsteinsprache. Lexikon der Gauner-, Dirnen- und Landstreichersprache. Berlin 1906.

Otfrids Evangelienbuch: hrsg. v. Oskar Erdmann u. a. (= Altdeutsche Textbibliothek 49), Tübingen 6. Aufl. 1973.

Ott 1970: Peter Ott, Zur Sprache der Jäger in der deutschen Schweiz. Ein Beitrag zur Terminologie der Sondersprachen. (Beiträge zur schweizerdeutschen Mundartforschung 18), Frauenfeld 1970.

Paul 1880 (1975): Hermann Paul, Prinzipien der Sprachgeschichte 1880, 9. Aufl. 1968, Neudruck Tübingen 1975.

Peukert 1975: Kurt Werner Peukert, Sprachspiele für Kinder. Programm zur Sprachförderung in Vorschule, Kindergarten, Grundschule und Elternhaus. Reinbek 1975 (zuerst 1973).

Pfeil 1977: Monika Pfeil, Zur sprachlichen Struktur des politischen Leitartikels in deutschen Tageszeitungen. Eine quantitative Untersuchung. (Göppinger Arbeiten zur Germanistik 217), Göppingen 1977.

Pfeffer 1975: Alan J. Pfeffer, Grunddeutsch. Erarbeitung und Wertung dreier deutscher Korpora. Ein Bericht aus dem „Institute for Basic German". Pittsburgh (Forschungsberichte des Instituts für deutsche Sprache 27), Tübingen 1975.

Philipp 1978: Marthe Philipp, Abschließende Bemerkungen zum Thema Dialekt, regionale Umgangssprache und Hochsprache im Elsaß. In: Finck u. a. 1978, S. 71—81.

Picht 1964: Georg Picht, Die deutsche Bildungskatastrophe. Analyse und Dokumentation. Olten 1964.

v. Polenz 1968: Peter von Polenz, Wortbildung als Wortsoziologie. In: Mitzka 1968, S. 10—27.

v. Polenz 1978: Peter von Polenz, Geschichte der deutschen Sprache. 9. Aufl. Berlin 1978.

Popadić 1971: Hanna Popadić, Untersuchungen zur Frage der Nominalisierung des Verbalausdrucks im heutigen Zeitungsdeutsch. Tübingen 1971.

Pregel 1969: Dietrich Pregel, Zum Sprachstil des Grundschulkindes. Studien zum Gebrauch des Adjektivs und zur Typologie der Stilalter. Düsseldorf 1969.

Prokop 1972/1973: Dieter Prokop, Massenkommunikationsforschung 1. Produktion, 2. Konsumtion. Frankfurt 1972/1973.

Prokop 1973: Dieter Prokop, Zum Problem von Konsumtion und Fetischcharakter im Bereich der Massenmedien. In: Prokop 1972/1973, 2, S. 9—41.

Pusch 1980: Luise F. Pusch, Das Deutsche als Männersprache. Diagnose und Therapievorschläge. In: Linguist. Berichte 69, 1980, S. 59—74.

Pusch u. a. 1980/1981: Luise F. Pusch u. a. (Hrsg.), Sprache, Geschlecht und Macht. 2 Tle. In: Linguist. Berichte 69, 1980; 71, 1981.

Quasthoff 1973: Uta Quasthoff, Soziales Vorurteil und Kommunikation. Eine sprachwissenschaftliche Analyse des Stereotyps. Ein Interdisziplinärer Versuch im Bereich von Linguistik, Sozialwissenschaft und Psychologie. Frankfurt 1973.

Quasthoff 1980: Uta Quasthoff, Erzählen in Gesprächen. Linguistische Untersuchungen zu Strukturen und Funktionen am Beispiel einer Kommunikationsform des Alltags. Tübingen 1980.

Radtke 1976: Ingulf Radtke, Stadtsprache? Überlegungen zu einem historisch gewachsenen Forschungsdesiderat. In: Viereck 1976, S. 29—50.

Ramge 1978: Hans Ramge, Kommunikative Funktionen des Dialekts im Sprachgebrauch von Lehrern während des Unterrichts. In: Ammon u. a. 1978, S. 187—228.

Rank 1983: Bernhard Rank, Sprache und Geschlecht. Ein neues soziolinguistisches Thema im Sprachunterricht der Sekundarstufe II. In: Der Deutschunterricht 35, 2/1983, S. 55—74.

Rath/Brandstetter 1968: Rainer Rath, Alois Brandstetter, Zur Syntax des Wetterberichtes und des Telegrammes. (Duden-Beiträge 33), Mannheim 1968.

Reger 1976: Harald Reger, Die Metaphorik der Anzeigenwerbung in Zeitschriften. In: Muttersprache 86, 1976, S. 225—245.

Reger 1977: Harald Reger, Die Metaphorik in der konventionellen Tagespresse. In: Muttersprache 87, 1977, S. 259—279.

Reger 1977a: Harald Reger, Zur Idiomatik der konventionellen Tagespresse. In: Muttersprache 87, 1977, S. 337—346.

Reich 1977: Hans H. Reich, Individuelle Interferenzen bei deutschlernenden griechischen Kindern. In: Sprachliche Interferenz. Festschrift für Werner Betz. Tübingen, 1977, S. 119—126.

Reichwein 1970: Regine Reichwein, Sprachstrukturen und Sozialschicht. Ausgleich von Bildungschancen durch ein künstliches Medium. In: „Schwarze Reihe" 9, 1970, S. 48—78; zuerst in: Soziale Welt 18, 1967, S. 309—330.

Reiffenstein 1973: Ingo Reiffenstein, Österreichisches Deutsch. In: Deutsch heute. Linguistik, Literatur, Landeskunde. Materialien der 3. Intern. Deutschlehrertagung in Salzburg 1971. München 1973, S. 192—196.

Reiffenstein 1977: Ingo Reiffenstein, Sprachebenen und Sprachwandel im österreichischen Deutsch der Gegenwart. In: Sprachliche Interferenz. Festschrift für Werner Betz. Tübingen 1977, S. 176—183.

Reiffenstein 1980: Ingo Reiffenstein, Zur Theorie des Dialektabbaus. In: Göschel u. a. 1980, S. 97—103.

Rein 1974: Kurt Rein, Empirisch-statistische Untersuchungen zu Verbreitung, Funktion und Auswirkungen des Dialektgebrauchs in Bayern. Bericht über ein Forschungsprojekt „Bayerischer Dialektzensus". In: Papiere zur Linguistik 1974, 8, S. 88—96.

Rein 1977: Kurt Rein, Diglossie von Mundart und Hochsprache als linguistische und didaktische Aufgabe, In: Germanist. Linguistik 1977, 5—6, S. 207—220.

Rein 1977a: Kurt Rein, Religiöse Minderheiten als Sprachgemeinschaftsmodelle. Deutsche Sprachinseln täuferischen Ursprungs in den Vereinigten Staaten von Amerika (Zeitschr. für Dialektologie und Linguistik, Beihefte 15), Wiesbaden 1977.

Rein 1980: Kurt Rein, Diglossie und Bilingualismus bei den Deutschen Rumäniens. In: Nelde 1980, S. 264—269.

Rein/Scheffelmann-Mayer 1975: Kurt Rein, Martha Scheffelmann-Mayer, Funktion und Motivation des Gebrauchs von Dialekt und Hochsprache im Bairischen. Untersucht am Sprach- und Sozialverhalten einer oberbayerischen Gemeinde (Walprechtskirchen, Landkreis Erding). In: Zeitschr. f. Dialektologie und Linguistik 42, 1975, S. 257—290.

Reitmajer 1975: Valentin Reitmajer, Schlechte Chancen ohne Hochdeutsch. Zwischenergebnis einer dialektologisch-soziolinguistischen Untersuchung im bairischen Sprachraum. In: Muttersprache 85, 1975, S. 310—324.

Reitmajer 1976: Valentin Reitmajer, Empirische Untersuchung über den Einfluß von Schicht- und Sprachzugehörigkeit auf die Deutschnote am Gymnasium. In: Linguistik und Didaktik 26, 1976, S. 87—112.

Reitmajer 1980: Valentin Reitmajer, Der Einfluß des Dialekts auf die standardsprachlichen Leistungen von bayerischen Schülern in Vorschule, Grundschule und Gymnasium. Eine empirische Untersuchung. (Deutsche Dialektgeographie 106), Marburg 1980.

Riedmann 1972: Gerhard Riedmann, Die Besonderheiten der deutschen Schriftsprache in Südtirol. (Duden-Beiträge 39), Mannheim 1972.

Riesel 1963: Elise Riesel, Stilistik der deutschen Sprache. 2. Aufl. Moskau 1963.

Riesel 1970: Elise Riesel, Der Stil der deutschen Alltagsrede. 2. Aufl. Leipzig 1970.

Ris 1973: Roland Ris, Sprachbarriere aus Schweizer Sicht. In: Bausinger 1973, S. 29—62.

Ris 1977: Roland Ris, Nameneinschätzung und Namenwirklichkeit. Ein Beitrag zur empirischen Sozioonomastik. In: Onoma 21, 1977, S. 557—576.

Ris 1980: Roland Ris, Dialektologie zwischen Linguistik und Sozialpsychologie. Zur Theorie des Dialekts aus Schweizer Sicht. In: Göschel u. a. 1980, S. 73—96.

Rizzo-Baur 1962: Hildegard Rizzo-Baur, Die Besonderheiten der deutschen Schriftsprache in Österreich und Südtirol (Duden-Beiträge 5), Mannheim 1962.

Rosengren 1972/1973: Inger Rosengren, Ein Frequenzwörterbuch der deutschen Zeitungssprache ‚Die Welt‘, ‚Süddeutsche Zeitung‘. 2 Bde. Lund 1972/1973.

Roth 1969: Heinrich Roth (Hrsg.), Begabung und Lernen. Ergebnisse und Folgerung neuer Forschung (Deutscher Bildungsrat: Gutachten und Studien der Bildungskommission 4), Stuttgart 1969, 6. Aufl. 1971.

Rucktäschel 1972: Annemarie Rucktäschel (Hrsg.), Sprache und Gesellschaft. München 1972.

Ruoff 1973: Arno Ruoff, Grundlagen und Methoden der Untersuchung gesprochener Sprache (Idiomatica 1), Tübingen 1973.

Ruoff 1981: Arno Ruoff, Häufigkeitswörterbuch gesprochener Sprache (Idiomatica 8), Tübingen 1981.

Rupp 1965: Heinz Rupp, Gesprochenes und geschriebenes Deutsch. In: Wirkendes Wort 15, 1965, S. 19—29.

Sanders 1973: Willy Sanders, Linguistische Stiltheorie. Probleme, Prinzipien und moderne Perspektiven des Sprachstils. Göttingen 1973.

Sandig 1971: Barbara Sandig, Syntaktische Typologie der Schlagzeile. Möglichkeiten und Grenzen der Sprachökonomie im Zeitungsdeutsch. München 1971.

Sandig 1972: Barbara Sandig, Bildzeitungstexte. Zur sprachlichen Gestaltung. In: Rucktäschel 1972, S. 69—80.

Sauerborn/Baur: Heinrich Sauerborn, Gerhard Baur, Freiwillige Befragung über das Verhältnis des Lehrers zum Dialekt. Examensarbeit PH Freiburg 1975.

de Saussure 1931 (1967): Ferdinand de Saussure, Grundfragen der allgemeinen Sprachwissenschaft. Berlin 2. Aufl. 1967 (1. Aufl. 1931; franz. 1916).

Savvidis 1974: Georgios Savvidis, Zum Problem der Gastarbeiterkinder in der Bundesrepublik Deutschland. Eine empirische sozialpädagogische Untersuchung. Diss. München 1974.

Schaeder 1981: Burkhard Schaeder, Deutsche Sprache in der BRD und der DDR. Neuere Arbeiten und Ansichten über das sprachliche Ost-West-Problem. In: Muttersprache 91, 1981, S. 198—205.

Schäfer 1972: Heiner Schäfer, Schichten- und gruppenspezifische Manipulation in der Massenpresse. In: Prokop 1972/1973, 1, S. 391—408.

Schank 1973: Gerd Schank, Zur Corpusfrage in der Linguistik. In: deutsche sprache 1973, S. 16—26.

Schank 1979: Gerd Schank, Zum Ablaufmuster von Kurzberatungen. In: J. Dittmann (Hrsg.), Arbeiten zur Konversationsanalyse. Tübingen 1979, S. 176—197.

Schank 1981: Gerd Schank, Untersuchungen zum Ablauf natürlicher Dialoge (Heutiges Deutsch. Reihe I, Bd. 14), München 1981.

Schank/Schoenthal 1976: Gerd Schank, Gisela Schoenthal, Gesprochene Sprache. Eine Einführung in Forschungsansätze und Analysemethoden. (Germanistische Arbeitshefte 18), Tübingen 1976.

Schank/Schwitalla 1980: Gerd Schank, Johannes Schwitalla, Gesprochene Sprache und Gesprächsanalyse. In: Lexikon der Germanist. Linguistik 2. Aufl. Tübingen 1980, S. 313—322.

Schatzmann/Strauss 1972 (1955): Leonard Schatzmann, Anselm Strauss, Soziale Schicht und Kommunikationsweisen. In: Holzer/Steinbacher 1972, S. 351—387 (zuerst 1955).

Schelb 1973: Albert Schelb, Soziolinguistische Implikationen dialektgeographischer Untersuchungen. In: Linguist. Berichte 5, 1973, 23, S. 34—45.

Schenker 1973: Walter Schenker, Zur sprachlichen Situation der italienischen Gastarbeiterkinder in der deutschen Schweiz. Eine soziolinguistische Leitstudie. In: Zeitschr. f. Dialektologie und Linguistik 40, 1973, S. 1—15.

Schenker 1978: Walter Schenker, Sprachliche Manieren. Eine sprachsoziologische Erhebung im Raum Trier und Eifel. Frankfurt 1978.

Scheuch/Daheim 1961: Erwin Karl Scheuch, Hans Jürgen Daheim, Sozialprestige und soziale Schichtung. In: D. V. Glass, R. König (Hrsg.), Soziale Schichtung und soziale Mobilität. Kölner Zeitschr. f. Soziologie und Sozialpsychologie. Sonderheft 5, Opladen 1961, 5. Aufl. 1974.

Schilling 1970: Rudolf Schilling, Romanische Elemente im Schweizerdeutschen (Duden-Beiträge 38). Mannheim 1970.

Schläpfer 1979: Robert Schläpfer, Schweizerhochdeutsch und Binnendeutsch. Zur Problematik der Abgrenzung und Berücksichtigung schweizerischen und binnendeutschen Sprachgebrauchs in einem Wörterbuch für Schweizer Schüler. In: Standard und Dialekt, Festschr. f. Heinz Rupp z. 60. Geb. Bern, München 1979, S. 151—163.

Schläpfer 1981: Robert Schläpfer, Jenisch. Zur Sprache des Fahrenden Volkes in der deutschen Schweiz. In: Schweiz. Archiv für Volkskunde 77, 1981, S. 13—38.

Schläpfer 1982: Robert Schläpfer (Hrsg.), Die viersprachige Schweiz. Zürich, Köln 1982.

Schlee 1973: Jörg Schlee, Sozialstatus und Sprachverständnis. Eine empirische Untersuchung zum Instruktionsverständnis bei Schulkindern und Vorschulkindern aus unterschiedlichen Sozialschichten. Düsseldorf 1973.

Schlieben-Lange 1973: Brigitte Schlieben-Lange, Soziolinguistik. Eine Einführung. Stuttgart 1973 2. Aufl. 1979.

Schlieben-Lange 1983: Brigitte Schlieben-Lange, Traditionen des Sprechens. Elemente einer pragmatischen Sprachgeschichtsschreibung. Stuttgart 1983.

Schmid 1973: Rudolf Schmid, Dialekt und Vorurteil: Zur Beurteilung von Dialektsprechern. In: Papiere zur Linguistik 5, 1973, S. 116—135.

Schmidt 1973: Siegfried Josef Schmidt, Texttheorie. Probleme einer Linguistik der sprachlichen Kommunikation. München 1973.

Schneider 1974: Peter Schneider, Die Sprache des Sports. Terminologie und Präsentation in Massenmedien. Eine statistisch-vergleichende Analyse. Düsseldorf 1974.

Schnorrenberg 1974: Josef E. Schnorrenberg, Phonetische Merkmale als soziale Indikatoren in der Interaktion. In: G. Nickel, A. Raasch (Hrsg.), Kongreßbericht der 4. Jahrestagung der Gesellschaft f. Angewandte Linguistik. Heidelberg 1974, S. 240—251.

Schönbach 1970: Peter Schönbach, Sprache und Attitüde — Über den Einfluß der Bezeichnung „Fremdarbeiter" und „Gastarbeiter" auf Einstellungen gegenüber ausländischen Arbeitern. Bern 1970.

Schönfeld 1974: Helmut Schönfeld, Sprachverhalten und Sozialstruktur in einem sozialistischen Dorf der Altmark. In: Ising 1974, S. 191—284.

Schönfeld 1983: Helmut Schönfeld, Zur Soziolinguistik in der DDR. Entwicklung, Ergebnisse, Aufgaben. In: Zeitschr. f. Germanistik 4 H. 2 1983, S. 213—222.

Schönfeld/Donath 1978: Helmut Schönfeld, Joachim Donath, Sprache im sozialistischen Industriebetrieb. (Sprache und Gesellschaft 15), Berlin/DDR 1978.

Schoenthal 1976: Gisela Schoenthal, Das Passiv in der deutschen Standardsprache. Darstellung in der neueren Grammatiktheorie und Verwendung in Texten gesprochener Sprache. München 1976.

Schottel 1663 (1967): Justus Georg Schottel, Ausführliche Arbeit von der Teutschen HaubtSprache. Braunschweig 1663 (Neudruck Tübingen 1967).

H. Schröder 1921: Heinrich Schröder, Hyperkorrekte (umgekehrte) Schreib- und Sprechformen besonders im Niederdeutschen. In: Germanisch-Romanische Monatsschrift 9, 1921, S. 19—31.

P. Schröder 1973: Peter Schröder, Einführung in die Soziolinguistik. In: Funkkolleg Sprache. Frankfurt 1973, 2, S. 179—193.

Schröder/Steger 1981: Peter Schröder, Hugo Steger, Dialogforschung. Jahrbuch 1980 des Instituts f. deutsche Sprache (Sprache der Gegenwart 54), Düsseldorf 1981.

Schüttler-Janikulla 1971: Klaus Schüttler-Janikulla, Sprachtraining und Intelligenzförderung im Vorschulalter. Oberursel 1971.

Schulte u. a. 1975: Werner Schulte u. a., Zur Situation der Kinder ausländischer Arbeitnehmer in der Bundesrepublik Deutschland. Ergebnisse einer empirischen Untersuchung. In: Jahrb. Deutsch als Fremdsprache 1, 1975, S. 164—169.

Schulz 1971: Gisela Schulz, Satzkomplexität — ein zweifelhaftes linguistisches Kriterium. Anmerkungen gegen eine Verwendung zur Messung kognitiver Fähigkeiten. In: Diskussion Deutsch 2, 3, 1971, S. 27—36.

Schulz 1973: Gisela Schulz, Die Bottroper Protokolle. Parataxe und Hypotaxe. (Linguist. Reihe 17) München 1973.

Schweizer Almanach 81: hrsg. v. Agathe Salmen. Baden 1981.

Schwitalla 1979: Johannes Schwitalla, Dialogsteuerung in Interviews. Ansätze zu einer Theorie der Dialogsteuerung. Mit empirischen Untersuchungen von Politiker-, Experten- und Starinterviews im Rundfunk und Fernsehen. München 1979.

Seidelmann 1971: Erich Seidelmann, Lautwandel und Systemwandel in der Wiener Stadtmundart. Ein strukturgeschichtlicher Abriß. In: Zeitschr. f. Dialektologie und Linguistik 38, 1971, S. 145—166.

Senft 1982: Gunter Senft, Sprachliche Varietät und Variation im Sprachverhalten Kaiserslauterer Metallarbeiter. Untersuchungen zu ihrer Begrenzung, Beschreibung und Bewertung. Bern, Frankfurt 1982.

Shin 1980: Kwang Sook Shin, Schichtenspezifische Faktoren der Vornamengebung. Empirische Untersuchung der 1961 und 1976 in Heidelberg vergebenen Vornamen. Frankfurt, Bern 1980.

Siegel 1978: Christian Siegel, Die Reportage. Stuttgart 1978.

Silberbaum/Krüger 1973: Alphons Silberbaum, Udo M. Krüger, Soziologie der Massenkommunikation. Stuttgart 1973.

Simon 1974: Gerd Simon (Hrsg. u. Bearb.), Bibliographie zur Soziolinguistik (Bibliograph. Arbeitsmaterialien 2), Tübingen 1974.

Søndergaard 1980: Bent Søndergaard, Vom Sprachenkampf zur sprachlichen Ko-existenz im deutsch-dänischen Grenzraum. In: Nelde 1980, S. 297—305.

Sornig 1981: Karl Sornig, Soziosemantik auf der Wortebene. Stilistische Index-Leistung lexikalischer Elemente an Beispielen aus der Umgangssprache von Graz (Linguist. Arbeiten 102), Tübingen 1981.

v. Sowa 1898: Rudolf von Sowa, Wöterbuch des Dialekts der deutschen Zigeuner. Leipzig 1898.

Spangenberg 1970: Karl Spangenberg, Baumhauers Stromergespräche in Rot-welsch. Mit soziologischen und sprachlichen Erläuterungen. Halle/S. 1970.

Stalin 1950 (1972), Josef Stalin, Marxismus und Fragen der Sprachwissenschaft. (Prawda 1950), München 1972.

Statistisches Jahrbuch der Schweiz. Hrsg. vom Bundesamt für Statistik. Basel 1980.

Steger 1967: Hugo Steger, Gesprochene Sprache. Zu ihrer Typik und Terminolo-gie. In: Satz und Wort im heutigen Deutsch (Sprache der Gegenwart 1), Düs-seldorf 1967, S. 259—291.

Steger 1971: Hugo Steger, Soziolinguistik. Grundlagen, Aufgaben, Ergebnisse für das Deutsche. In: Sprache und Gesellschaft. Beiträge zur soziolinguistischen Beschreibung der deutschen Gegenwartssprache (Sprache der Gegenwart 13), Düsseldorf 1971, S. 9—44.

Steger 1972: Hugo Steger, Gesprochene Sprache und geschriebene Sprache. In: Sprache: Brücke und Hindernis. Nach einer Sendereihe des Studio Heidelberg des SDR. München 1972, S. 203—214.

Steger 1973: Hugo Steger, Soziolinguistik. In: Lexikon der Germanist. Linguistik 1. Aufl. Tübingen 1973, S. 245—254.

Steger 1978: Hugo Steger, Dialektforschung und Öffentlichkeit. In: Germanist. Linguistik 1, 1978, S. 29—57.

Steger 1980: Hugo Steger, Soziolinguistik. In: Lexikon der Germanist. Linguistik 2. Aufl. Tübingen 1980, S. 349—358.

Steger 1982: Hugo Steger (Hrsg.), Soziolinguistik. Ansätze zur soziolinguistischen Theoriebildung (Wege der Forschung 344), Darmstadt 1982.

Steger 1982a: Hugo Steger (Hrsg.), Anwendungsbereiche der Soziolinguistik (Wege der Forschung 319), Darmstadt 1982.

Steger 1983: Hugo Steger, Über Textsorten und andere Textklassen. In: Text-sorten 1983, S. 25—67.

Steger/Schütz 1973: Hugo Steger, Eva Schütz, Vorschlag für ein Sprachverhal-tensmodell. In: Funkkolleg Sprache. Frankfurt 1973, 2, S. 194—210.

Steger u. a. 1974: Hugo Steger u. a., Redekonstellation, Redekonstellationstyp, Textexemplar, Textsorte im Rahmen eines Sprachverhaltensmodells. Begrün-dung einer Forschungshypothese. In: Gesprochene Sprache. Jahrbuch 1972 des Instituts f. deutsche Sprache (Sprache der Gegenwart 26), Düsseldorf 1974, S. 39—97.

Steinbügl 1972/1973: Eduard Steinbügl, Der deutsche Aufsatz. Ein Lehr- und Arbeitsbuch für den Aufsatzunterricht. 2 Bde. 7. Aufl. München 1972/1973 (1. Aufl. 1965/1966).

Steiner 1957: Otto Steiner, Hochdeutsch und Mundart bei Einheimischen und Neubürgern der Kreise Bamberg und Northeim im Jahre 1954. In: Phonetica 1, 1957, S. 146—156.

Steinig 1976: Wolfgang Steinig, Soziolekt und soziale Rolle. Untersuchung zu Bedingungen und Wirkungen von Sprachverhalten unterschiedlicher gesellschaftlicher Gruppen in verschiedenen sozialen Situationen. (Sprache der Gegenwart 40), Düsseldorf 1976.

Stellmacher 1972: Dieter Stellmacher, Gliederungssignale in der gesprochenen Sprache. In: Germanistische Linguistik 4, 1972, S. 518—530.

Stellmacher 1975/1976: Dieter Stellmacher, Geschlechtsspezifische Differenzen im Sprachverhalten niederdeutscher Sprecher. In: Niederdeutsches Jahrbuch 98/99, 1975/1976, S. 164—175.

Stellmacher 1977: Dieter Stellmacher, Studien zur gesprochenen Sprache in Niedersachsen. (Deutsche Dialektgeographie 82), Marburg 1977.

Stellmacher 1980: Dieter Stellmacher, Bestimmungen der sozialen Verwendung des Dialekts. In: Göschel u. a. 1980, S. 199—213.

Stellmacher 1980a: Dieter Stellmacher, Mehrsprachigkeit des Niederdeutschen. Ein theoretisches oder praktisches Problem? In: Nelde 1980, S. 383—388.

Stellmacher 1981: Dieter Stellmacher, Niedersächsisch. (Dialekt/Hochsprache — konstrastiv. Sprachhefte für den Deutschunterricht 8), Düsseldorf 1981.

Stolt/Trost 1976: Birgit Stolt, Jan Trost, ,Hier bin ich wo bist Du?' Heiratsanzeigen und ihr Echo, analysiert aus sprachlicher und stilistischer Sicht. Mit einer soziologischen Untersuchung von Jan Trost. Kronberg/Ts. 1976.

Straßner 1975: Erich Straßner (Hrsg.), Nachrichten. Entwicklungen — Analysen — Erfahrungen. München 1975.

Straßner 1980: Erich Straßner, Sprache in Massenmedien. In: Lexikon der Germanist. Linguistik. 2. Aufl. Tübingen 1980, S. 328—337.

Stroh 1952: Friedrich Stroh, Handbuch der germanischen Philologie. Berlin 1952.

Strübin 1976: Eduard Strübin, Zur schweizerdeutschen Umgangssprache. In: Schweiz. Archiv f. Volkskunde 72, 1976, S. 97—145.

Studentisches Seminar ,Soziolinguistik' 1970: Studentisches Seminar ,Soziolinguistik' Bochum, Sprachbarrieren. Beiträge zum Thema ,Sprache und Schichten', verfaßt von Mitgliedern des Seminars. Bochum 1970.

Suter 1976: Rudolf Suter, Baseldeutsch-Grammatik. Basel 1976.

Tern 1973: Jürgen Tern, Der kritische Zeitungsleser. München 1973.

Texte I 1971: Texte gesprochener deutscher Standardsprache I, bearb. vom Institut f. deutsche Sprache, Forschungsstelle Freiburg (Heutiges Deutsch, Reihe II: Texte I), hrsg. v. H. Steger u. a. München 1971.

Texte II 1974: Texte gesprochener deutscher Standardsprache II: ,Meinung gegen Meinung'. Diskussionen (Heutiges Deutsch, Reihe II: Texte II), hrsg. von Ch. van Os. München 1974.

Texte III 1975: Texte gesprochener deutscher Standardsprache. Erarbeitet im Institut f. deutsche Sprache, Forschungsstelle Freiburg. Bd. 3: Alltagsgespräche (Heutiges Deutsch, Reihe II: Texte III), hrsg. von H. P. Fuchs u. G. Schank. München 1975.

Texte IV 1979: Texte gesprochener deutscher Standardsprache IV: Beratungen und Dienstleistungsdialoge. (Heutiges Deutsch, Reihe II: Texte IV), hrsg. von K.-H. Jäger, München 1979.

Textsorten 1983: Textsorten und literarische Gattungen. Dokumentation des Germanistentages in Hamburg vom 1. bis 4. April 1979, hrsg. vom Vorstand der Vereinigung der deutschen Hochschulgermanisten. Berlin 1983.

Tierfelder 1966: Franz Tierfelder, Deutsche Sprache im Ausland. In: Deutsche Philologie im Aufriß, hrsg. v. Wolfgang Stammler. 2. Aufl. Berlin 1966 I, S. 1397—1480.

Tolksdorf 1975: Annette Tolksdorf, Interferenz Dialekt — Hochsprache. Ein Schulproblem. Staatsexamensarbeit Freiburg 1975.

Trömel-Plötz 1982: Senta Trömel-Plötz, Frauensprache: Sprache der Veränderung. Frankfurt 1982.

Ueding 1976: Gert Ueding, Einführung in die Rhetorik. Stuttgart 1976.

Uesseler 1982: Manfred Uesseler, Soziolinguistik. Berlin/DDR 1982.

Ulshöfer 1974: Robert Ulshöfer, Die Theorie der Schreibakte und die Typologie der Kommunikationsmuster oder Stilformen. In: Der Deutschunterricht 26, 1974, S. 6—15.

Vahle 1978: Fritz Vahle, Sprache, Sprechtätigkeit und soziales Umfeld: Untersuchung zur sprachlichen Interaktion in einer ländlichen Arbeiterwohngemeinde. (Reihe Germanist. Linguistik 13), Tübingen 1978.

van der Veen 1982: Gritje van der Veen, Geschlechtsspezifische Unterschiede im Gesprächsverhalten. Eine dialoglinguistische Untersuchung anhand von Fernsehgesprächen. Lizentiatsarbeit. Deutsches Seminar Basel 1982.

Veith 1967: Werner Veith, Die Stadt-Umland-Forschung als Gebiet der Sprachsoziologie. In: Muttersprache 77, 1967, S. 157—126.

Viereck 1976: Wolfgang Viereck (Hrsg.), Sprachliches Handeln — Soziales Verhalten. Ein Reader zur Pragmalinguistik und Soziolinguistik. München 1976.

Wacker 1964: Helga Wacker, Die Besonderheiten der deutschen Schriftsprache in den USA (Duden-Beiträge 14), Mannheim 1964.

Wacker 1965: Helga Wacker, Die Besonderheiten der deutschen Schriftsprache in Kanada und Australien. Mit einem Anhang über die Besonderheiten in Südafrika und Palästina (Duden-Beiträge 17), Mannheim 1965.

Wackernagel-Jolles 1971: Barbara Wackernagel-Jolles, Untersuchungen zur gesprochenen Sprache. Göppingen 1971.

A. C. Wagner 1981: Angelika C. Wagner, Geschlecht als Statusfaktor im Gruppendiskussionsverhalten von Studentinnen und Studenten. Eine empirische Untersuchung. In: Linguist. Berichte 71, 1981, S. 8—25.

H. Wagner 1972: Hildegard Wagner, Die deutsche Verwaltungssprache der Gegenwart. Eine Untersuchung der sprachlichen Sonderformen und ihrer Leistung. (Sprache der Gegenwart 9) 2. Aufl. Düsseldorf 1972.

Walker 1970: Helen M. Walker, Statistische Methoden für Psychologen und Pädagogen. Eine Einführung. 10. Aufl. Weinheim 1970 (zuerst 1964).

Walther 1972: Hans Walther, Soziolinguistisch-pragmatische Aspekte der Namengebung und des Namengebrauchs. In: Namenkundliche Informationen. Leipzig 20, 1972, S. 49—60.

Wandruszka 1975: Mario Wandruszka, Mehrsprachigkeit. In: Sprachwissenschaft und Sprachdidaktik (Sprache der Gegenwart 36), Düsseldorf 1975, S. 321—350.

Wandruszka 1979: Mario Wandruszka, Die Mehrsprachigkeit des Menschen. München 1979.

A. Weber 1948: Albert Weber, Zürichdeutsche Grammatik. Zürich 1948.

H. Weber 1980: Heinz Weber, Studentensprache. Über den Zusammenhang von Sprache und Leben. Weinheim, Basel 1980.

Wegener 1880 (1976): Philipp Wegener, Über deutsche Dialectforschung (1879/80) In: Göschel u. a. 1976, S. 1—29 (zuerst in: Zeitschr. f. deutsche Philologie 11, 1880, S. 450—480).

Wegener 1901: Philipp Wegener, Die Bearbeitung der lebenden Mundarten. In: Grundriß der german. Philologie, hrsg. v. H. Paul, 2. Aufl. 1901, Bd. 1, S. 1465—1482.

Wegera 1977: Klaus-Peter Wegera, Kontrastive Grammatik: Osthessisch — Standardsprache. Eine Untersuchung zu mundartbedingten Sprachschwierigkeiten von Schülern am Beispiel des „Fuldaer Landes". (Deutsche Dialektgeographie 103), Marburg 1977.

Weinreich 1977: Uriel Weinreich, Sprachen in Kontakt. Ergebnisse und Probleme der Zweisprachigkeitsforschung. München 1977 (Orig. amerik. 1953).

Weisgerber 1953: Leo Weisgerber, Der Volksname Deutsch. Stuttgart 1953.

Weisgerber 1957: Leo Weisgerber, Die Muttersprache im Aufbau unserer Kultur (Von den Kräften der deutschen Sprache 3), 2. Aufl. Düsseldorf 1957 (1. Aufl. 1949).

Weiss 1975: Andreas Weiss, Syntax spontaner Gespräche. Einfluß von Situation und Thema auf das Sprachverhalten. (Sprache der Gegenwart 31), Düsseldorf 1975.

Weiss 1978: Andreas Weiss, Kontrastive Untersuchung zum Sprachgebrauch zwischen Dialekt und Hochsprache. Methodische Probleme und Entscheidungen vor einer empirischen Untersuchung. In: Klagenfurter Beiträge z. Sprachwissenschaft 4, 1978, S. 97—119.

Weiss/Haudum 1976: Andreas Weiss, Peter Haudum, Sprachliche Variation im Zusammenhang mit kontextuell-situativen und sozialstrukturellen Bedingungen. Vorüberlegungen zu empirisch-statistischen Untersuchungen in einer ländlichen Marktgemeinde Oberösterreichs. In: Festschrift f. Adalbert Schmidt z. 70. Geb. Stuttgart 1976, S. 537—557.

E. Werlen 1984: Erika Werlen, Studien zur Datenerhebung in der Dialektologie. Zeitschr. f. Dialektologie u. Linguistik, Beihefte 46. Wiesbaden 1984.

I. Werlen 1977: Iwar Werlen, Lautstrukturen des Dialekts von Brig im schweizerischen Kanton Wallis (Zeitschrift für Dialektologie und Linguistik, Beihefte 23), Wiesbaden 1977.

I. Werlen (1979): Iwar Werlen, Zur Einschätzung von schweizerdeutschen Dialekten (Vortrag Sigriswil 1979; in Druck).

Werlich 1975: Egon Werlich, Typologie der Texte. Entwurf eines textlinguistischen Modells zur Grundlegung einer Textgrammatik. Heidelberg 1975.

Wessely 1981: Gerda Wessely, Nebensätze im spontanen Gespräch. Dargestellt an der Mundart von Ottenthal im nördlichen Niederösterreich. (Schriften zur deutschen Sprache in Österreich 5), Wien 1981.

Wiederhold 1971: Karl August Wiederhold, Kindersprache und Sozialstatus. Eine empirisch-pädagogische Untersuchung zum Sprachstand und Sprachwandel bei Kindern des ersten und zweiten Schuljahrs. Ratingen, Wuppertal 1971.

Wiesinger 1980: Peter Wiesinger, Deutsche Sprachinseln. In: Lexikon der Germanist. Linguistik. 2. Aufl. Tübingen 1980, S. 491—500.

Wiesinger 1983: Peter Wiesinger, Sprachschichten und Sprachgebrauch in Österreich. In: Zeitschr. f. Germanistik 4 (H. 2) 1983, S. 184—195.

Wodak-Leodolter 1977: Ruth Wodak-Leodolter, Interaktion in einer therapeutischen Gruppe. Eine soziolinguistische Analyse. In: Wiener Linguist. Gazette 15, 1977, S. 33—60.

Wolf 1956: Siegmund A. Wolf, Wörterbuch des Rotwelschen. Deutsche Gaunersprache. Mannheim 1956.

Wolf 1960: Siegmund A. Wolf, Großes Wörterbuch der Zigeunersprache. Wortschatz deutscher und anderer europäischer Zigeunerdialekte. Mannheim 1960.

Wrede 1903 (1963): Ferdinand Wrede, Der Sprachatlas des Deutschen Reichs und die elsässische Dialektforschung (1903). In: F. Wrede, Kleine Schriften, hrsg. v. Luise Berthold u. a. (Deutsche Dialektgeographie 60), Marburg 1963, S. 309—324.

Wunderlich 1971: Dieter Wunderlich, Zum Status der Soziolinguistik. In: Klein/ Wunderlich 1971, S. 297—321.

Wunderlich 1972: Dieter Wunderlich (Hrsg.), Linguistische Pragmatik. Frankfurt 1972.

Zabel 1979: Hermann Zabel (Hrsg.), Sprachbarrieren und Sprachkompensatorik. Beiträge zum Problem Sozialisation und Sprache. Königstein 1979.

Zehetner 1977: Ludwig G. Zehetner, Bairisch (Dialekt/Hochsprache — kontrastiv. Sprachhefte für den Deutschunterricht 2), Düsseldorf 1977.

Zemb 1979: Jean Marie Zemb, Vergleichende Grammatik Französisch — Deutsch. Comparaison de deux systèmes. Mannheim 1979.

Zimmer 1977: Rudolf Zimmer, Dialekt, Nationaldialekt, Standardsprache. Vergleichende Betrachtungen zum deutsch-französischen Kontaktbereich in der Schweiz, im Elsaß und in Luxemburg. In: Zeitschr. f. Dialektologie und Linguistik 44, 1977, S. 145—157.

Zimmermann 1965: Heinz Zimmermann, Zu einer Typologie des spontanen Gesprächs. Syntaktische Studien zur baseldeutschen Umgangssprache (Basler Studien zur deutschen Sprache und Literatur 30), Bern 1965.

Zinsli 1968: Paul Zinsli, Walser Volkstum in der Schweiz, in Vorarlberg, Liechtenstein und Piemont. Erbe, Dasein, Wesen. Frauenfeld, Stuttgart 1968.

Zürcher Zeitungen 1974: Zürcher Zeitungen und ihre Leser (ermittelt vom Demoskop. Institut Allensbach), Zürich, Allensbach 1974.

Stichwortregister

249

WESTFIELD
UNIV.
LONDON

Schriften der Abteilung für Sprachforschung des Instituts für geschichtliche Landeskunde der Rheinlande, Universität Bonn

Ortssprachenforschung

Beiträge zu einem Bonner Kolloquium

herausgegeben und eingeleitet von Werner Besch und Klaus J. Mattheier

319 Seiten, zahlreiche Tabellen und Graphiken, Gr.-8°, kartoniert, DM 76,–

Der soeben erschienene Band zur Ortssprachenforschung schließt sich an die unten angezeigte „Erp-Reihe" über das Sprachverhalten in ländlichen Gemeinden an. Er umfaßt die anläßlich eines Bonner Kolloquiums 1982 von Referenten aus verschiedenen europäischen Ländern gehaltenen Vorträge, die jeweils für die Drucklegung überarbeitet worden sind. Auf diesem Kolloquium wurden theoretische und methodische Probleme und Fragestellungen der Erforschung von Ortssprachen behandelt. Aufgrund der Vielzahl von Themen und Aspekten kommt diesem Band zur Ortssprachenforschung eine besondere Bedeutung für die Dialektforschung wie für die gesamte empirische Sprachforschung zu. Für alle weiterführenden Arbeiten in diesen Bereichen ist die dem Band beigegebene umfangreiche Bibliographie ein wichtiges Hilfsmittel.

Sprachverhalten in ländlichen Gemeinden

Forschungsbericht Erp-Projekt

I. Ansätze zur Theorie und Methode

von Werner Besch, Jochen Hufschmidt, Angelika Kall-Holland, Eva Klein, Klaus J. Mattheier, herausgegeben und eingeleitet von Werner Besch

326 Seiten, zahlr. Tabellen, Schaubilder, Faksimiles und Karten, Gr.-8°, kartoniert, DM 78,–

II. Dialekt und Standardsprache im Sprecherurteil

von Jochen Hufschmidt, Eva Klein, Klaus J. Mattheier, Heinrich Mickartz, herausgegeben von Werner Besch

302 Seiten, zahlr. Tabellen, Schaubilder und Faksimiles, Gr.-8°, kart., DM 74,–

In fast zehn Jahre während der Feldforschung hat ein Arbeitsteam unter Werner Beschs Leitung den Zusammenhang von Sozialstruktur und Sprache beim Wandel örtlicher Dialekte in detaillierten, programmatischen Untersuchungen verfolgt. Diese beispielhaften sprachsoziologischen Untersuchungen wurden in Erp durchgeführt. Dabei standen sowohl die Sprache wie ebenso ihre Sprecher und damit die soziale Variabilität der Sprache im Blickpunkt des Wissenschaftsinteresses.

Der 1981 erschienene erste Band informiert über die Ansätze und Methoden für die Durchführung dieses Forschungsprojektes und vermittelt durch seinen Materialanhang Einblick in alle Arbeitsabläufe der Sozialdaten- und Spracherhebungen. Der inzwischen vorgelegte zweite Band vereinigt die Forschungsergebnisse zur spezifischen Diglossie-Situation des Rheinlandes, wobei Äußerungen von Sprechern über ihre eigene Sprache den Ausgangspunkt der Analyse gebildet haben.

ERICH SCHMIDT VERLAG